Adolescencia y salud

Liliana Mosso

María Marta Penjerek

EDITORIAL
MAIPUE

Adolescencia y salud
Liliana Mosso, María Marta Penjerek
1ª edición, enero de 2007.

© 2007 Editorial Maipue
Zufriategui 1153
1714 – Ituzaingó, Pcia. de Buenos Aires
Tel./Fax 54-011-4458-0259
E-mail: promocion@maipue.com.ar / ventas@maipue.com.ar
www.maipue.com.ar

ISBN: 978-987-9493-30-4

Tapa: "Los niños del proceso" (Pintura), María Giuffra
Ilustración interior: Silvio Liporace
Diseño de tapa: Disegnobrass
Diagramación: Paihuen
Corrección de textos: Milena Sesar

Mosso, Liliana Elisabet
    Adolescencia y salud / Liliana Elisabet Mosso y María Marta Penjerek -
1a ed. - Ituzaingó: Maipue, 2007.
    240 p.; 19x27 cm.

    ISBN 978-987-9493-30-4

    1. Salud-Adolescencia. I. Penjerek, María Marta II. Título
    CDD 613.951

Fecha de catalogación: 19/01/2007

Índice

A nuestros colegas docentes:

Queremos transmitirles cómo pensamos este libro para que al abordarlo tengan una clara idea de los objetivos que nos proponemos alcanzar, ya que serán ustedes quienes "den vida" a estas páginas, y serán los artífices de los logros que obtengan.

Este no es un libro tradicional de Educación para la salud. Si bien se desarrollan temas biológicos y se respeta el programa propuesto por el Ministerio de Educación, pusimos especial atención en que éstos estén contextualizados de manera que el adolescente los comprenda con mayor facilidad al tener contacto con situaciones que vive diariamente.

Desde nuestra tarea cotidiana con jóvenes trabajamos los contenidos a partir de las necesidades e intereses que detectamos en ellos. Nuestro enfoque se centra en mostrar su realidad y sus vivencias para analizarlas desde la perspectiva del adulto y desde su propio punto de vista. No buscamos la confrontación sino el acuerdo y el respeto frente al disenso que se traduzcan en aprendizajes para la vida. Intentamos especialmente desarrollar la educación en valores proponiendo el desafío de actividades concretas como las experiencias de aprendizaje-servicio solidario. Los animamos a ustedes a ser iniciadores junto a sus alumnos de algún proyecto solidario; comprobarán que los resultados son sumamente gratificantes y constructivos.

A quienes nos elijan, queremos acompañar este proceso de enseñanza - aprendizaje facilitándoles la tarea, por lo cual les damos a continuación una serie de recomendaciones metodológicas que les serán útiles en el momento de implementar este texto en su aula.

Sabemos, porque transitamos por ella, que la tarea docente no es sencilla, por eso pensamos cada actividad y cada contenido como aquello que pueda transformar nuestro quehacer diario en la posibilidad de recuperar nuestra capacidad de asombro, nuestras ganas de enseñar y ante todo de volver a elegir y elegirnos como referentes de nuestros jóvenes. Aquellos que dan sentido a nuestra tarea.

Recomendaciones metodológicas:

Encontrarán a lo largo de los capítulos menciones sobre actividades para los *portfolio*. Un *Portfolio* es una colección de los trabajos producidos por los alumnos, realizada de manera que ellos puedan reflexionar sobre dificultades y logros, con los cuales es recomendable realizar una muestra a fin de año, en la que cada uno puede realizar una autoevaluación. Es importante, por lo tanto, anticiparles que es necesario que conserven sus trabajos, ya que cada uno elegirá su mejor obra para poner en común en la muestra final. Se pueden presentar en carpeta, caja o bolsa, según acuerden.

Proyectos de Aprendizaje Servicio Solidario: Les proponemos analizar la viabilidad de un proyecto de este tipo (Capítulo 2) y confiar en sus alumnos: los sorprenderá su predisposición y voluntad. ¡A "arremangarse"! No miren desde afuera, trabajen con ellos.

Para un mejor resultado es importante que ustedes realicen la articulación con otros docentes, revisando qué contenidos pueden servir para conectar para que de esta manera el joven no tenga una visión de la escuela dividida en compartimentos estancos.

¿Cómo seguir? Una vez elegido el tema de interés para trabajar en el proyecto podrán continuar con el capítulo más adecuado para la obtención de información en relación con ese tema. Por ejemplo, si los alumnos detectan que la problemática de su comunidad es la explotación infantil: podrán pasar directamente al capítulo sobre el trabajo y luego seguir el itinerario del libro.

Nuestra intención es que puedan abordar la mayor cantidad de temas posibles desde la flexibilidad y el interés. Que el libro les sirva a ustedes y no ustedes al libro.

Esperamos que puedan encontrar en este material una herramienta efectiva, pero por sobre todo que podamos lograr, entre todos, que nuestros alumnos sean verdaderos "sujetos de derechos" desde la salud y la educación.

Las autoras: Liliana (lilianmosso@hotmail.com) y María Marta (ntiago@ciudad.com.ar)

Liliana Elisabet Mosso:
Licenciada en ciencias biológicas (UBA) Post-título de capacitación docente ISFD n° 21 R, Rojas (Moreno). Capacitación en educación ambiental (FLACAM-UNESCO) y en aprendizaje-servicio (CLAYSS). Docente de Adolescencia y salud, Biología y Ciencias naturales en escuelas privadas y públicas del Gran Buenos Aires. Trabaja con proyectos áulicos en educación ambiental y aprendizaje-servicio solidario.

Agradecimientos: Para Sol, Mavi, Rochi y Pedro, gracias por su paciencia y su apoyo tecnológico. Gracias también a todas las demás personas que me dieron su confianza y estímulo para concretar este proyecto.

María Marta Penjerek:
Lic. en Psicopedagogía (Universidad Del Salvador). Post-Título de capacitación docente ISFD N° 21 R..Rojas (Moreno).
Lic. Calidad de la Gestión Educativa (Univ. Del Salvador)
Diplomatura "Derechos del niño y Prácticas Profesionales" (CEM).
Docente nivel Medio y Superior.
Perteneciente al Equipo de capacitadores CLAYSS (Centro Latinoamericano de Aprendizaje Servicio Solidario).
Coordinadora proyecto "Un encuentro con sentido", ganador primer premio presidencial Escuelas Solidarias otorgado por el Ministerio de Educación, Programa Educación solidaria (2003).
Integrante del Equipo Técnico Regional de la Provincia de Bs. As. como capacitadora en la implementación del espacio curricular « Construcción de Ciudadanía»para 7° año de la ESB

Dedicación y agradecimientos: A Fer, Santiago y Manuel, quienes saben entender mi pasión por lo que hago. Y que me acompañaron en este nuevo aprendizaje.
A mis padres y hermanos.
A mis maestras del Aprendizaje - Servicio Solidario: Prof. Nieves Tapia y María Marta Mallea. A mis alumnos, fuente de inspiración.

Carta al lector adolescente:

Seguramente este libro no llegó a tus manos por decisión tuya. Quizás tu docente lo eligió por vos.

Sin embargo, estás frente a él, y esto nos da una maravillosa oportunidad de comunicarnos.

Quisiéramos invitarte a que bajes la guardia; a que por un rato te olvides de que es una imposición, una obligación escolar más de la cual depende el éxito o el fracaso en una materia.

Cuando te animes y recorras sus páginas, te darás cuenta que pretendemos lograr mucho más que un libro de texto.

Podés probar ya mismo. Comenzá a hojearlo. Tirado en tu cama, solo, o con algún amigo tomando mate, o con alguien de tu familia. Amigate con él, porque no pretende ser un instrumento de tortura sino tu aliado, quien te habla en tu mismo lenguaje y con tus mismos códigos.

Quisimos hacer un libro ameno pero profundo, que acompañe esta etapa tan linda y desconcertante de tu vida que es la adolescencia. Que no te censure, sino que sea condescendiente con vos sin ser complaciente.

Quisimos entender cuál es tu realidad hoy, tus inquietudes y tus conflictos, para interpretarlos y encauzarlos, sin juicios ni prejuicios, pero promoviendo el crecimiento en valores y actitudes responsables. También mostrarte otras realidades, otras sociedades y culturas, para que te enriquezcas y formes tu propio pensamiento crítico.

Nos propusimos responder a tus dudas más frecuentes sobre los temas que más te preocupan, y que pueden afectar tu integridad física o espiritual, por eso hablamos ampliamente de salud. En este libro vas a encontrar mucha información, y recursos para poder ampliarla si lo deseás, o para pedir ayuda si la estás necesitando. Para eso contás con el apoyo de tu docente.

Queremos que sepas que creemos en vos, en todo tu potencial, y te brindamos alternativas para que vuelques toda esa energía en propuestas sanas que te ayuden a crecer en la solidaridad desde los proyectos de aprendizaje-servicio.

Encontrarás actividades al final de cada capítulo que pretenden ser un espacio para la reflexión más íntima y personal fuera del programa curricular. Creamos el **portfolio** para que te animes a trabajar sobre vos mismo. Para que te descubras y te quieras tal cual sos, para ayudarte a construir tu proyecto de vida.

Nuestro deseo es acompañarte desde estas páginas y poner nuestro granito de arena para que puedas crecer en libertad pero responsablemente; en paz, negándote a ser un instrumento de violencia o discriminación; en salud, respetando la integridad de tu cuerpo y de tu mente.

Queremos un joven idealista, apasionado, contestatario, comprometido, y lo más importante:

Queremos que seas feliz.

María Marta y Liliana

Capítulo 1

Ser adolescente

Cuando comenzamos a nacer
la mente empieza a comprender
que vos sos vos y tenés vida.
Qué poca cosa es la realidad,
mejor seguir, mejor soñar,
que lo que vale no es el día.
Pero el sol,
pero el sol
está, no es de papel, es de verdad.
Tenés una boca para hablar
y comenzás a preguntar
y conocés a la mentira…
(*Cuando comenzamos a nacer,*
Charly García)

¿Han pensado alguna vez cómo habrán transitado la etapa adolescente sus padres o, más lejos aún, sus abuelos?

¿Habrá características comunes a todo adolescente y otras, condicionadas por el marco social y cultural de la época? Por supuesto que sí.

Recorramos juntos este camino comenzando por aquellas características universales, es decir, aquellas propias del fundamento psicobiológico de cualquier adolescente, sin importar la época histórica; y luego veremos cómo esta etapa crucial y decisiva, este proceso de desprendimiento que comenzó con el nacimiento fue más o menos condicionado en diferentes momentos históricos.

¿Qué se entiende por adolescencia?

Antes que nada, debemos saber que la vida de los seres humanos está atravesada por diferentes crisis. Según el Diccionario de la Real Academia, una de las acepciones de la palabra crisis es: "Mutación importante en el desarrollo de otros procesos, ya de orden físico, ya históricos o espirituales." Es algo así como una ruptura del orden establecido.

Te recomendamos la lectura de *Demian*, de Herman Hesse y acá te presentamos un fragmento que describe de manera muy clara esos cambios, esas contradicciones...

"A veces sabía yo que mi meta en la vida era llegar a ser como mis padres, tan claro y limpio, superior y ordenado como ellos; pero el camino era largo, y para llegar a la meta había que ir al colegio y estudiar, sufrir pruebas y exámenes; y el camino iba siempre bordeando el otro mundo más oscuro, a veces lo atravesaba y no era del todo imposible quedarse y hundirse en él. Había historias de hijos perdidos a quienes esto había sucedido, y yo las leía con verdadera pasión. El retorno al hogar paterno y al bien era siempre redentor y grandioso, y yo sentía que aquello era lo único bueno y deseable; pero la parte de la historia que se desarrollaba entre los malos y los perdidos siempre resultaba más atractiva y, si se hubiera podido decir o confesar, daba casi pena que el hijo pródigo se arrepintiese y volviera. Pero aquello no se decía y ni siquiera se pensaba; existía solamente como presentimiento y posibilidad, muy dentro de la conciencia. Cuando imaginaba al diablo, podía representármelo muy bien en la calle, disfrazado o al descubierto, en el mercado o en una taberna, pero nunca en nuestra casa."
Hesse, Herman, *Demian*. Biblioteca Hesse, Madrid, Alianza editorial, 2000.

Nuestra primera crisis es el nacimiento: salir del útero protegido, cómodo y tibio de la madre constituye la ruptura más importante de nuestra existencia. Y es el momento en que comenzamos, poco a poco, a construir nuestra individualidad.

La problemática del adolescente comienza con los cambios corporales, con la definición de su rol en la procreación, y continúa con cambios psicológicos que lo llevarán a establecer una nueva relación con los padres y con el mundo. Ésta hace necesaria una especie de renuncia a la condición de niño. Todo adolescente se encuentra en una etapa de transición entre lo que dejó y lo que va a ser; es decir, entre el niño y el adulto.

Por otra parte, el individuo busca establecer su **identidad** adulta. Para hacerlo, necesita apoyarse en las relaciones que mantiene con su entorno y *verificar*, es decir, poner a prueba permanentemente la realidad que el medio social le ofrece. Los elementos biofísicos de los que dispone, al estar en condiciones de utilizar los órganos genitales para la reproducción, tienden también a estabilizar a la personalidad en un plano genital. Esta estabilidad se logra si se hace el **duelo** por la identidad infantil. Este duelo se asimila al que debemos atravesar y elaborar frente a cualquier pérdida, y podría explicarse de la siguiente manera: si bien cuando somos chicos el deseo de ser grandes es profundo, cuando esto sucede en la realidad, cuando comprobamos que ya no somos pequeños, una verdadera revolución se produce en nuestra psiquis, ya que los cambios se dan en forma tan evidente, que nos cuesta relacionar ese cuerpo que crece de manera casi incontrolable con el que poseíamos hasta hacía poco tiempo atrás. Esta etapa está marcada por diferentes pérdidas: la del niño que has sido, la del rol infantil asumido en la familia y la del manejo de la sexualidad, que se hace evidente en la aparición de la menstruación y del semen. Estos duelos no solo son sufridos por ustedes sino también por sus padres, ya que el niño "no está" y en su lugar encuentran a un "personaje", en ocasiones, extraño. ¿Cuántas veces les decís a tus amigos: "para algunas cosas, ellos dicen que soy grande, pero para otras 'no, eso no lo podés hacer, todavía sos chico'? ¿en qué quedamos?". Esta frase resume, de alguna manera, lo que sucede, porque es así, sos chico para algunas cosas, grande para otras. ¿O no te dan ganas a veces de jugar nuevamente con autitos o muñecas y vos mismo te decís 'ya soy grande…'?

El adolescente atraviesa por una crisis de identidad: debe adaptarse a las modificaciones corporales, al cambio y a la definición de su rol, asumir la difícil tarea de separarse de su familia y de hacerse un lugar en la sociedad.

Y los padres enfrentan, por un lado, la repercusión de esta situación en la familia toda y, por otro, su propia crisis de la mediana edad (han llegado, en algunos casos, a la mitad de su vida). También pesa la incertidumbre que implica el hecho de ya no ser jóvenes y, con esto, el paso del tiempo que se manifiesta de manera visible: primeras canas, arrugas, etc. El temor por la declinación de sus capacidades físicas y sexuales se contrapone con el florecimiento evidente del adolescente.

Quino, *Esto no es todo.*

Etapas de la adolescencia

Octavio Fernández Mouján, psicoanalista especializado en adolescencia, señala la siguiente división:
- Pubertad
- Mediana adolescencia
- Fin de la adolescencia

Cada momento tiene su crisis característica:

En la **pubertad** –desde los 11 hasta los 14 años aproximadamente- la crisis está centrada en el cuerpo.

En la **mediana adolescencia** –de los 14 a los 18 años- el centro de la crisis está en los aspectos psicológicos respecto del mundo interno.

El **fin de la adolescencia** –desde los 18 hasta los 21 años- el deseo y el miedo pasan por la necesidad de ocupar y asumir nuevos roles en la sociedad.

Los cambios corporales: la pubertad

«Era un chico delgado, con el pelo negro y con anteojos, que tenía el aspecto enclenque y ligeramente enfermizo de quien ha crecido mucho en poco tiempo. Llevaba unos vaqueros rotos y sucios, una camiseta ancha y desteñida, y las suelas de sus zapatillas estaban desprendiéndose por su parte superior».

Esta descripción, que bien podría ser la de cualquier adolescente como ustedes, pertenece al famoso personaje Harry Potter en *La orden del Fénix*, que luego de sucesivas aventuras fantásticas creció para transformarse en un joven de 15 años. Al ser interrogada sobre este nuevo giro en su personaje, su creadora, J. K. Rowling, asegura que «No hay cosa menos atractiva que la gente que no puede crecer», de modo que retrata con fiel realismo el nuevo perfil de este héroe que deja atrás la niñez, para incursionar en la aventura de crecer.

Durante la adolescencia una serie de cambios orgánicos internos y externos configuran la imagen corporal de quienes serán en el futuro hombres o mujeres adultos. Este proceso de transición en el aspecto físico se denomina **Pubertad**.

Las complicaciones de estrenar un cuerpo nuevo

No todas las personas cambian del mismo modo ni sienten lo mismo y al mismo tiempo, ya que la naturaleza opera en cada individuo a un ritmo particular e irrepetible. La imagen corporal es la resultante de la interacción de factores genéticos hereditarios propios del individuo y de otros como la alimentación y la actividad física. También hay un condicionante cultural que marca el arquetipo de belleza de turno al que muchos buscan imitar. Observen las imágenes en la página siguiente:

En "Las tres gracias" de Rubens (1577-1640), al igual que en la mayoría de obras renacentistas, se ven figuras rollizas, muy diferentes a las esbeltas mujeres con cuerpos delineados en gimnasios y en base a dietas excesivamente restrictivas cuyas imágenes aparecen en todos los medios de comunicación. Lo mismo vale para los varones, quienes actualmente –y sin que esto ponga en duda su hombría, que

hubiera sido muy cuestionada unos años atrás–
prestan especial cuidado a su estética corporal y se "producen" utilizando recursos que
antes se reservaban para las mujeres.

El problema surge cuando, además de la presión por responder a estos códigos culturales,
entre los adolescentes se producen desfasajes, a
veces muy acentuados, en el ritmo en que tienen lugar estos cambios a lo largo del tiempo.
Seguramente en tu grupo de amigos haya situaciones muy dispares. Quien «pega el esti-
rón» antes que el resto se siente descolocado
con respecto a sus congéneres y también respecto de sí mismo. Peor aún debe pasarla el
«rezagado» cuyo desarrollo es un poco más
tardío. Coexisten así quienes no pueden
manejar las dimensiones de su propio cuerpo y se mueven torpemente tropezando con
todo, con otros adolescentes todavía físicamente aniñados. Todo esto afecta las relaciones grupales, ya que son situaciones que pueden ser vividas con angustia e inseguridad, y
la necesidad de aceptación del adolescente por
parte de su grupo de pares es un factor sumamente importante.

Otro desfasaje importante es la temprana adquisición de la madurez sexual, que no siempre va acompañada de la madurez espiritual
y afectiva necesaria para llevar adelante su
vida sexual. Sin un marco de referencia de valores y actitudes responsables y coherentes, es
muy difícil manejar el nuevo desafío de la
sexualidad. Construir este marco de referencia se convierte en una complicada tarea que
enfrenta el adolescente. Julio Machado, en su
libro *Sexo con libertad* aclara que, desde el punto de vista moral, las conductas que adopta
una persona se fundamentan en el cumplimiento de reglas y modelos establecidos socialmente (juicios y prejuicios, "buenas costumbres" y tabúes). Por otro lado, existen referentes internos, es decir, lo que dicta la propia conciencia, los deseos, sentimientos, valo-

Las tres gracias, de Peter Paul Rubens.

15

Por Maitena, en *Superadas 3*

Por Maitena, en *Superadas 3*

res y objetivos de la vida. Estos últimos están estrechamente relacionados con la historia personal y familiar de cada uno. Se trata de no perder de vista la individualidad pero, a la vez, de tener en cuenta todo aquello que el entorno nos transmitió para lograr un equilibrio en el momento de tomar decisiones en cualquier orden de la vida, incluida la sexualidad.

Hay otros «pequeños trastornos» que afectan la vida cotidiana de quienes estrenan el cuerpo adolescente. Seguramente te identificarás en alguna de estas situaciones:

- La irrupción del inoportuno y antiestético acné, causado por la hipersecreción de las glándulas sebáceas que atraen bacterias que infectan los poros de la piel,

- El crecimiento evidente del vello, que obliga a los chicos a afeitarse y a las chicas a inevitables sesiones de depilación,

- El cabello se engrasa más seguido,

- Aparecen olores nuevos que obligan al baño frecuente, cosa poco tolerada por algunos «niños rebeldes» que se niegan sistemáticamente a una nueva imposición,

- Las molestias premenstruales de las chicas, la voz grave de los chicos, traicionada por algún agudo discordante que sale sin quererlo,

Y tantas otras cosas…

Como dijimos anteriormente, el adolescente vive con dolor esta transformación demasiado repentina y difícil de asimilar. El cuerpo es un «envase», lo primero que visualmente impacta al crear un vínculo con los demás. Es una «carta de presentación» sobrevalorada por la sociedad actual, que rinde un verdadero culto a la estética corporal en desmedro quizás de otros valores. En ese marco, hay que hacerse cargo de un cuerpo con nuevas formas y funciones, que no siempre se condice con el modelo estereotipado de belleza y perfección. Esto modifica los vínculos con el entorno, y presenta un verdadero desafío para la construcción del **autoconcepto**, es decir, de la representación de sí mismo como persona que debe constituirse en esa época de profundos cambios.

En qué consisten los cambios corporales

La posibilidad de reconocerse como seres sexuados y, como tales, con capacidad de reproducirse, es lo más relevante de la pubertad. La naturaleza necesita de la función reproductiva para sostener la supervivencia de todas las especies, incluso, obviamente, la humana.

Un complejo mecanismo regulado por el sistema nervioso y endócrino da lugar a estos cambios, todos ellos tendientes directa o indirectamente a cumplir con esta función.

En primer lugar se desarrollan los órganos sexuales internos y externos y se comienzan a generar células reproductoras: en los testículos se generan los **espermatozoides** y en los ovarios maduran los **óvulos**.

Por otra parte, aparecen los llamados caracteres sexuales secundarios. Éstos incluyen cambios que determinan el **dimorfismo** entre ambos sexos. Es decir, la diferencia de las formas y aspectos corporales entre el varón y la mujer. Estos atributos distintivos están relacionados fuertemente con la estimulación visual e incluso olfativa en la búsqueda de pareja.

Curiosamente, esos olores causados por la mayor actividad de glándulas sebáceas y sudoríparas, e intensificados por el crecimiento de vello en zonas axilares y púbicas, son un factor común a ambos sexos y forman parte del *sex appeal*, es decir, del atractivo físico y sexual previsto por la naturaleza para garantizar el encuentro.

Otros caracteres secundarios distintivos entre chicos y chicas figuran en el siguiente cuadro comparativo:

Característica	Mujeres	Varones
Forma corporal	Delicada y esbelta. La cintura se estrecha y las caderas se ensanchan. Desarrollo del busto. Menor estatura que el varón.	Mayor desarrollo muscular y robustez. Ensanchamiento del tórax y estrechamiento de caderas. Mayor estatura que la mujer.
Vello	Predomina en zona de axilas y genitales. Menos desarrollado en otras partes del cuerpo.	Aparece la barba. Predomina en zonas de axilas y genitales también en otras partes del cuerpo (variable).
Voz	Más aguda. Cuerdas vocales más cortas y menor desarrollo de la laringe.	Más grave. Cuerdas vocales largas y mayor desarrollo de laringe (se hace evidente la nuez de Adán).
Desarrollo reproductivo	Primera menstruación.	Primera eyaculación.

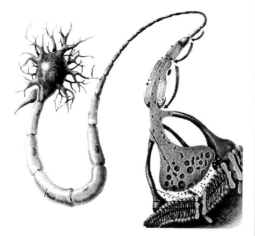

Neurona

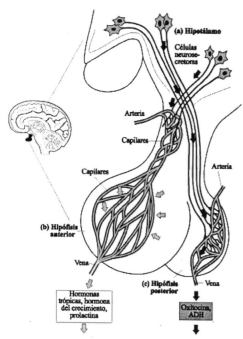

Hipotálamo e hipófisis

Sabías que... El hipotálamo y la hipófisis forman parte del llamado **sistema límbico**, que es la zona del cerebro que regula las emociones. Por fuera de éste se encuentra la corteza cerebral en la cual se originan las funciones más complejas como el pensamiento abstracto y la memoria.

Las causas biológicas de estos cambios:
(No somos tan simples como pensamos...)

Ya mencionamos que el sistema nervioso y el endócrino son los responsables de las modificaciones orgánicas del adolescente. Ambos sistemas interactúan para posibilitar el funcionamiento de un individuo como una unidad coordinada que pueda recibir y responder a estímulos.

El sistema nervioso se caracteriza por dar respuestas inmediatas, generalmente motoras, a los estímulos provenientes del ambiente, captados por «radares» estratégicamente ubicados, que son los órganos de los sentidos. También interpreta sensaciones internas como el hambre o la sed.

El sistema endócrino, por su parte, cumple funciones a largo plazo que tienen que ver con el crecimiento y el desarrollo metabólico y reproductivo del individuo y es el causal directo de los cambios de la pubertad.

Los impulsos nerviosos viajan en forma eléctrica a una velocidad aproximada de 33 m/seg, en el interior de células altamente especializadas, las **neuronas**, que forman parte de los nervios y de todos los órganos del sistema nervioso. Se calcula que sólo en el cerebro hay diez mil millones de neuronas y que es capaz de almacenar diez billones de bits de información. A su vez, las neuronas se comunican entre sí liberando sustancias químicas denominadas neurotransmisores. Gracias a esta comunicación los estímulos llegan y se interpretan, en su mayoría, en el cerebro, que elabora y lleva a cabo una respuesta motora, es decir, a través de algún movimiento muscular, por lo cual los nervios están en estrecha relación con los músculos voluntarios e involuntarios de todo el cuerpo.

En el sistema endócrino, por el contrario, no es necesaria una gran velocidad para trasladar mensajes. Existen una serie de órganos denominados **glándulas endócrinas**, cuya función es secretar sustancias químicas, las hormonas.

Éstas viajan a través del torrente sanguíneo hasta llegar a órganos específicos del cuerpo, denominados órganos «blanco». Las **hormonas** actúan en cantidades muy pequeñas y precisas, y cada una de ellas ejerce una acción concreta sobre su blanco específico.

Cuando el sistema nervioso necesita elaborar respuestas secretoras en lugar de motoras, recurre al sistema endócrino. El funcionamiento de ambos se articula de la siguiente manera:

1º: Una zona del cerebro, denominada **hipotálamo**, genera sustancias que estimulan el funcionamiento de una glándula endócrina muy pequeña situada inmediatamente por debajo de él llamada **hipófisis**, perteneciente al sistema endócrino.

2º: La hipófisis genera hormonas propias y a la vez almacena otras fabricadas en el hipotálamo. Las funciones de estas hormonas son muy variadas: el crecimiento en estatura, la producción de leche materna, las contracciones uterinas durante el parto, o el equilibrio hídrico del organismo.

3º: Otras hormonas **hipofisarias** son, a su vez, necesarias para actuar sobre glándulas endócrinas de diferentes partes del cuerpo, regulando la secreción de hormonas de éstas últimas en un efecto similar a una carrera de postas. Entre las glándulas endócrinas reguladas por la hipófisis están los ovarios y los testículos, los cuales, además de fabricar los óvulos y espermatozoides, también fabrican hormonas que intervienen en la creación de dichas células reproductoras y en la determinación de rasgos femeninos o masculinos.

El siguiente esquema simplifica la explicación anterior:

Vocabulario

Endócrino: relacionado con las glándulas de secreción interna, es decir, aquellas que originan hormonas para ser volcadas a la sangre a diferencia de las glándulas exócrinas, como las salivales, que elaboran sustancias que no llegan a la sangre (saliva, por ejemplo, que se libera en la cavidad bucal).

Dimorfismo: dos formas diferentes dentro de una misma especie, por ejemplo, las relacionadas con el sexo masculino o el femenino.

Neurona: célula más importante y especializada que constituye al sistema nervioso. Su función es transmitir impulsos nerviosos.

Hipotálamo: porción de la base del cerebro próxima al tálamo, en la cual se generan sustancias llamadas neurohormonas que regulan el funcionamiento de la glándula hipófisis. Pertenece al sistema nervioso.

Hipófisis: pequeña glándula endócrina que está adosada al hipotálamo y controlada por él. Regula el funcionamiento de otras glándulas endócrinas, por eso se la considera el órgano principal del sistema endócrino.

Hipofisaria/o: es todo lo relativo a la hipófisis.

"Existen motivos para creer que las raíces del comportamiento altruista se hallan en el sistema límbico (…). Salvo raras excepciones (sobre todo los insectos sociales), los mamíferos y las aves son los únicos organismos que se esmeran en el cuidado de su prole, fenómeno de orden evolutivo que, sobre la base del largo período de adaptabilidad que origina, saca partido de la considerable aptitud del cerebro de los mamíferos y primates en cuanto al procesamiento de datos. A lo que parece, el amor es invento de los mamíferos".

Carl Sagan, *Los dragones del Edén.*

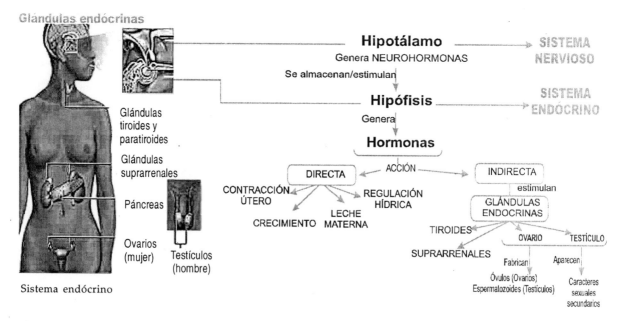

Glándulas endócrinas

Glándulas tiroides y paratiroides

Glándulas suprarrenales

Páncreas

Ovarios (mujer)

Testículos (hombre)

Sistema endócrino

Hipotálamo → SISTEMA NERVIOSO
Genera NEUROHORMONAS
Se almacenan/estimulan

Hipófisis → SISTEMA ENDÓCRINO
Genera

Hormonas

ACCIÓN

DIRECTA — INDIRECTA

CONTRACCIÓN ÚTERO — REGULACIÓN HÍDRICA

CRECIMIENTO — LECHE MATERNA

estimulan

GLÁNDULAS ENDÓCRINAS

TIROIDES — OVARIO — TESTÍCULO

SUPRARRENALES

Fabrican / Aparecen

Óvulos (Ovarios) Espermatozoides (Testículos)

Caracteres sexuales secundarios

Crecimiento y duelos

Arminda Aberastury circunscribe los cambios en tres duelos:
-Duelo por el cuerpo de la infancia,
-Duelo por la identidad infantil,
-Duelo por los padres de la infancia.

Duelo por el cuerpo de la infancia

La pérdida que sufre el adolescente al hacer el duelo por el cuerpo es doble: pierde su cuerpo de niño cuando una serie de cambios corporales notables lo ponen ante la evidencia de un nuevo status, por un lado; y, por otro, la aparición de la menstruación en la niña y del semen en el varón, les imponen el testimonio de la definición sexual y del rol que tendrán que asumir, no solo en la unión con la pareja sino también en la procreación.

La elaboración del duelo conduce a la aceptación del rol que la pubertad le marca y a la identidad sexual adulta.

¡DEBO ESTAR CRECIENDO; TENGO LA CABEZA CADA VEZ MÁS LEJOS DEL OMBLIGO!

Mafalda, por Quino.

Duelo por la identidad infantil

Cuando la identidad infantil se encuentra en proceso de cambio, los referentes de la infancia son sustituidos por otros modelos identificatorios. Por ejemplo, podemos ver este proceso en relación con los grupos y bandas de música, cuando los adolescentes se visten como su ídolo o hacen las mismas cosas que aquel a quien admiran profundamente. Aparecen algunos elementos que brindan seguridad: una marcada tendencia a la uniformidad, a formar grupos, la concurrencia a determinados lugares o el consumo de determinados productos.

La fuerte inestabilidad característica del adolescente es producto de los cambios corporales y de los sentimientos y los vínculos nuevos que establece con su entorno. Éstos, durante la infancia, estaban constituidos básicamente por la relación de dependencia de los adultos, los juegos infantiles, la indumentaria, los juguetes y los intereses del niño con los amigos.

Ahora comienza un tiempo nuevo, de mayor búsqueda de actividades y gratificaciones fuera del hogar: amigos, relaciones sociales, novia/o, que también serán incorporados a él.

Se inicia entonces una puja entre dependencia e independencia, el abandono de los modelos infantiles y la búsqueda de otros, nuevos: Se trata de un tiempo de satisfacciones e insatisfacciones, de pérdidas pero también de hallazgos, durante el cual cobra vital importancia el grupo de compañeros en los que el adolescente se puede mirar, reconocerse, "armarse y desarmarse" según sus propios deseos. Este grupo de pertenencia permite que sus deseos circulen, y posee códigos consensuados y compartidos por sus miembros, distintos de los que hasta el momento se manejaban dentro del ámbito familiar.

Mafalda, por Quino.

Vocabulario

Etapa de transición: Momento entre una etapa y otra en el que se pasa de un estado o modo de ser a otro diferente.

Modelos: Aquello que por su perfección se intenta imitar moral o intelectualmente.

Identificación: Proceso psicológico mediante el cual un sujeto asimila un aspecto, una propiedad, un atributo de otro y se transforma total o parcialmente según el modelo de éste. La personalidad se constituye y se diferencia mediante una serie de identificaciones.

Mafalda, por Quino.

Duelo por los padres de la infancia

En la oscilación entre momentos de dependencia e independencia, los adolescentes desean desprenderse de las restricciones o de las normas paternas, y al mismo tiempo temen perder estos modos conocidos de vincularse, entonces intentan retener los vínculos de protección y cuidados que sus padres tenían con ellos cuando eran niños. Esto trae aparejadas contradicciones, confusiones, enfrentamientos con los padres o con otros adultos, con reclamos, a veces, difíciles de entender, que ponen en evidencia esta oscilación.

Los roles y funciones respectivas entre padres e hijos se desestructuran, cambian. No es lo mismo ser un hijo adolescente que un niño. De la misma manera, tampoco lo es ser padres de adolescentes que de niños.

El adolescente requiere de menos cuidados de tipo concreto, pero mucho de respeto, comprensión y contención. Necesita de un límite firme pero también la posibilidad de experimentar, de cometer sus propios errores y de sentir que puede recurrir a los padres cuando tenga necesidad de ellos. Necesita sentir que puede rebelarse, alejarse de su familia sin por eso perderla, o perder su amor y confianza.

El adolescente y el mundo social

El adolescente tiene que insertarse en la sociedad adulta y hacerse un lugar en ella. Pero el hecho de que posea las posibilidades de los adultos (dado su crecimiento intelectual y físico) no le garantiza un puesto igualitario en la sociedad de los mayores.

Como dice Aberastury: "estas fluctuaciones son los modos de hacer ensayos de conductas adultas y pruebas de pérdida y recuperación de conductas infantiles". Todo este complicado proceso, sumado a estas importantes pérdidas, hace que el adolescente recurra, en forma fugaz o transitoria, a modos de acción para resolver conflictos internos en los cuales su conducta se disocia del pensamiento y de los afectos.

Es decir, separa todo lo que pasa orgánicamente de lo que siente frente a estos cambios, y pueden aparecer sensaciones tales como la angustia, la frustración o el miedo. De esta manera, busca una vía de canalización mediante diversas actividades. Cuando se logra canalizar exitosamente la angustia, las conductas elegidas son saludables: se trata de experiencias creativas y de enriquecimiento propio, por ejemplo, a través de actividades de expresión artística como el teatro, o la pintura. También, muchos optan por realizar trabajos de ayuda solidaria en comedores, escuelas de frontera, grupos religiosos. En otros aparecen mecanismos sobre los cuales no se pueden anticipar las consecuencias. En estos casos los duelos no se producen de manera exitosa: no hay aceptación del cambio. El adolescente no quiere crecer y hace todo lo posible por negar esa realidad que se le impone. Por lo tanto aparecen perturbaciones derivadas de la crisis evolutiva, y la resolución ya no está dentro de las esperables, como sucede en:

-**Duelos patológicos**: muchas veces los jóvenes no están dispuestos a realizar este proceso de abandono de la niñez y su consecuente pasaje a la vida adulta, a atravesar los duelos. Se vislumbran, entonces, conductas como el aislamiento, la depresión, la anorexia, la bulimia y hasta el suicidio. Esto manifiesta la imposibilidad de soportar los cambios que imponen el tránsito a la adultez.

-**Pseudo-autonomías**: todo el crecimiento intelectual y la conciencia de sus propios deseos son puestos al servicio de evitar la madurez. Algunas actitudes de este tipo son la drogadicción, el alcoholismo, la delincuencia, la vagancia o la prostitución. Está expuesto a situaciones de riesgo.

Adolescencia e historia

«Estoy habitado – hablo de los que fui y los que fui me hablan- Experimento la molestia de sentirme extranjero, los que fui constituyen ahora toda una sociedad y acaba de ocurrirme que ya no me entiendo a mí mismo» (Henry Michaux, *Poemas*).

Mencionábamos antes que la adolescencia tiene características vinculadas con un proceso universal condicionado por cuestiones exter-

---

Les proponemos...
Una canción: "Adolescente" Seguramente la recordarán de haberla escuchado en la televisión. ¿Se animan a cantarla? Reúnanse en grupitos, lean atentamente la letra y cada uno cuente con qué frase se identifica más y por qué.

Adolescente
Adolescente, es un bicho diferente
Adolescente, no te acerques porque muerde
Adolescente, ese gran bebé gigante
No me frenes: disfrutame
Página en blanco que estamos escribiendo
Con los apuntes del crecimiento
Bomba de tiempo
Explosiones sin aviso
Futuro incierto, esperanza en movimiento
Alma que baila llena de sentimientos
Vamos al rescate de nuestros secretos
Plantas que crecen
Caminos diferentes
Todo a su tiempo, somos adolescentes
Adolescente: ese gran bebé gigante
No me frenes: disfrutame
Protagonista
Nos buscamos en espejos
De nuestra vida, somos los dueños
Equilibristas en la soga de los sueños
Con o sin redes, a cruzarla, no te quedes.
No me frenes: acompañame
Autora: Cris Morena

"Pronto comenzó a pensar en las diversiones que habían proyectado para ese día, y sus pesares se multiplicaron. Los niños que tenían asueto no tardarían en pasar retozando, yendo hacia toda clase de expediciones, y se burlarían de él por tener que trabajar, y este solo pensamiento le quemaba como fuego".
(Twain, Mark; *Las aventuras de Tom Sawyer*, Buenos Aires, Editorial Norte, 1967).

Un canillita, figura emblemática de Buenos Aires a principios del siglo XX.
Extraído de *Revista Viva*.

"Le voy a contar algo. Quien comenzó este feroz trabajo de humillación fue mi padre. Cuando yo tenía diez años y había cometido alguna falta, me decía: 'Mañana te pegaré'. Siempre era así, mañana, ¿se da cuenta? Mañana… Y esa noche dormía, pero dormía mal, con un sueño de perro, despertándome a medianoche para mirar asustado los vidrios de la ventana y ver si ya era de día, mas cuando la luna cortaba el barrote del ventanillo, cerraba los ojos, diciéndome: falta mucho tiempo. Más tarde me despertaba otra vez, al sentir el canto de los gallos. La luna ya no estaba allí, pero una claridad azulada entraba por los cristales, y entonces yo me tapaba la cabeza con las sábanas para no mirarla, aunque sabía que estaba allí… aunque sabía que no había fuerza humana que pudiera echar a esa claridad. Y cuando al fin me había dormido para mucho tiempo, una mano me sacudía la cabeza en la almohada. Era él que me decía con voz áspera: 'Vamos… es hora' ". (Roberto Arlt, *Los siete locos*, Buenos Aires, Losada)

nas relativas a cada cultura, que lo favorecen o lo dificultan, según las circunstancias.

Durante siglos los niños se incorporaron muy tempranamente al mundo laboral, pues pocos eran los que estudiaban más allá de los 7 años y, si lo hacían, permanecían muy poco tiempo más en el sistema educativo.

Niños y jóvenes fueron consiguiendo muy lentamente algún reconocimiento de sus derechos. Durante el siglo XVII comienza a teorizarse acerca de la infancia y sobre el alcance y la importancia de la educación. Se los empieza a tener en cuenta y, de alguna manera, comenzaron a ser objeto de muestras de afecto. Hasta el momento, la adolescencia solo era una etapa fugaz de transición y de preparación para la adultez.

La Revolución Industrial del siglo XIX produjo cambios muy significativos en toda la sociedad. Para entrar en el mercado laboral se hicieron necesarios mayor capacitación, estudio y formación. Aunque en las clases populares los niños siguieron entrando muy tempranamente al mundo del trabajo, los hijos de clase media y alta permanecieron mucho mayor tiempo dentro del sistema educativo, que poco a poco se prolongó y se complejizó cada vez más.

La mejora de las condiciones de vida incidió en que también los hijos de los obreros accedieran paulatinamente a una mejor educación.

Todo esto significó el reconocimiento y la prolongación de la adolescencia, a la vez que se retrasó su entrada a la adultez.

¿Cuáles fueron las ventajas?

Permitió un tiempo de formación y experimentación de la propia autonomía y la búsqueda de la identidad.

Si bien hubo logros, no toda era color de rosa. Estamos hablando de una época con una educación burguesa basada en un fuerte control de los impulsos, en la cual el control de la conducta se ejercía a través de amenazas y castigos. El castigo físico era habitual.

La mujer era considerada más débil, por eso los castigos quedaban en manos del padre. Frases como «ya vas a ver cuando llegue tu padre», eran las que sostenían su autoridad, aunque el hombre pasara en realidad poco tiempo en la casa. La palabra del adulto no se discutía.

En esta época la adolescencia no era sinónimo de disfrute.

Todo lo que los adultos burgueses querían inculcar en sus hijos entraba en crisis en la adolescencia. El modelo social válido era el adulto, por lo cual la etapa adolescente era subestimada: no se quería entrar y todos querían salir cuanto antes de ella.

Se controlaba y reprimía todo lo que fuera espontáneo, desde un estornudo hasta la sexualidad, y se lograba así el autocontrol imprescindible para no desperdiciar energías en lo que no fuera productivo.

Parece mentira, pero este sistema persecutorio de control llegó a consolidarse en el siglo XIX de manera tal, que no solo se reprimió cualquier tipo de impulso de tipo sexual, sino también, por ejemplo, a los sistemas digestivo y osteoarticular. Lograr que el intestino funcionara a horas determinadas todos los días, como modo de imponer reglas al aspecto más "sucio" del funcionamiento humano, convirtió en adictos a laxantes y enemas a más de un miembro de esa generación. Por otra parte, era imprescindible mantener una postura rígida, que las mujeres lograban apretándose con corsés. Tal era su incomodidad, que hasta hacían dificultoso el respirar normalmente, debido a la opresión de las costillas. La supuesta "ventaja", era que ayudaba a las jóvenes a mantenerse de pie. Pero más importante que la justificación médica era su justificación social acerca de la correcta postura que una señorita debía mantener. La utilización del corsé provocaba la atrofia los músculos dorsales y la deformación de órganos internos.

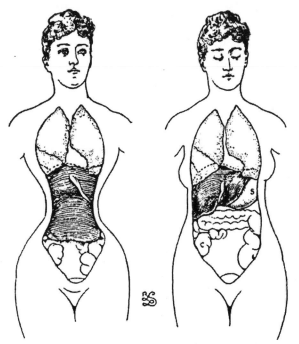 

Forma en la que se comprimían los órganos internos al colocar el corsé

Ya en el siglo XX la infancia se extendía hasta los 15-16 años, que era el límite marcado por una serie de rituales: la iniciación sexual del varón, el uso de pantalones largos, la adquisición de las llaves de la casa, afeitarse. Mientras que las chicas serían presentadas en sociedad con la esperanza de que consiguieran «un buen partido».

De esta manera entraban en la adolescencia, que duraría hasta los 21-23 años. Esta etapa se caracterizaba por la presencia evidente de todo aquello que supuestamente debía ser combatido: el desborde de la sexualidad y la agresión, el apasionamiento, el desorden, la rebeldía contra el poder de los adultos.

El acceso a la adultez, dice Silvia di Segni Obiols, estaba determinado por el matrimonio, aunque para el hombre era importante tener un trabajo.

Hasta avanzados los años 50, las normas de higiene se respetaron escrupulosamente, por razones de salud y, obviamente, porque había que ser limpio. A partir de la difusión y el abaratamiento de los antibióticos, la población comenzó a creer que todo podría curarse fácilmente, por lo que no era importante preocuparse por prevenir infecciones. Se generó la ilusión que todas las enfermedades serían prevenidas. En los años 60 y 70 la revolución sexual cambia profundamente al mundo occidental. Fueron unas pocas décadas en la historia del a humanidad –hasta la irrupción del sida en los 80– durante las cuales no hubo miedo a las enfermedades venéreas, que eran controladas por los antibióticos; ni a embarazos no deseados, gracias a los anticonceptivos. La sexualidad se había visto así liberada de viejas represiones.

La cultura adolescente se definiría por la rebelión a todo aquello que había instituido la burguesía.

Los jóvenes pasaron a ocupar un lugar privilegiado, estaban sobre un pedestal.

Poco a poco la adolescencia se fue extendiendo, ahora duraría hasta los 30 años. Fue la época de la realización de la mujer, concepto que significó que podía trabajar y generar recursos, podía proteger como necesitar protección; además del alcance de ciertas libertades: circular sola, estudiar, fumar y beber, administrar su dinero. Todo lo que hasta ese momento era únicamente posible para el hombre.

Dice Beatriz Sarlo: «Así, la juventud es un territorio en el que todos quieren vivir indefinidamente. Pero los jóvenes expulsan de ese territorio a los falsificadores, que no cumplen con las condiciones de edad y entran en una guerra generacional banalizada por la cosmética, la eternidad quinquenal de las cirugías estéticas y las terapias new age».

Vivimos en una sociedad caracterizada como posmoderna, que tiene un modelo predominante: la exaltación de la juventud. Muchos adultos viven en una "perpetua adolescencia", con su dificultad para tomar decisiones, la irresponsabilidad, el egocentrismo (ego: yo, "yo soy el centro") y el marcado **narcisismo**, (un amor desmesurado por uno mismo y por las propias necesidades) que caracterizan a esa etapa. ¿Qué piensan ustedes de los adultos que se "disfrazan" de jóvenes?

Se creó el mito de la libertad sin límites. Sin embargo, a pesar de creerse liberado de los sometimientos externos, el hombre se hace presa fácil de los mensajes de los medios, que le imponen cuidadosamente lo que conviene hacer, consumir y pensar.

Otra característica de la época es el consumo, avalado por un desarrollo tecnológico que invade el mercado con productos cada vez más intercambiables y de poca duración. La saturación de bienes produce la ilusión de que para ser hay que tener.

La imagen del rostro feliz, exaltado por los artículos comprados, pareciera transmitir el mensaje: "No pienses demasiado, eso podría entristecerte, no pierdas el tiempo preocupándote por lo que no podés cambiar."

Se vive en este último tiempo un fenómeno mundial que adquiere proporciones alarmantes: el desempleo. Esto expulsa a millones de personas de sus puestos de trabajo, por un lado y, por otro, no se crean las condiciones para insertarse en nuevas actividades.

Sabías que... La palabra **narcisismo** hace alusión a quien se admira excesivamente a sí mismo. Narciso era un hermoso joven hijo de un dios. Un día se inclinó para beber en un espejo de agua y al verse reflejado en él se enamoró de sí mismo. Cuando quiso alcanzar su propia imagen en el agua, cayó en ella y se ahogó. El mito de Narciso ejemplifica las consecuencias nefastas de esta actitud.

«Los medios de comunicación también nos muestran una contraimagen de la juventud: la de jóvenes y adolescentes que protagonizan las crónicas policiales, tanto en calidad de víctimas como de victimarios; son infractores de la ley, que pueblan cárceles, institutos de menores, juzgados, centros de rehabilitación, o son el blanco específico de los mensajes de prevención de las campañas contra las adicciones, contra el delito o de prevención del sida. La imagen condena a jóvenes y adolescentes: son la violencia, la marginalidad, la maldad, el hambre, el peligro, la vulnerabilidad, la enfermedad, la exclusión, las adicciones, son quienes nos transmiten miedo, a quienes hay que evitar, de quienes se sospecha ante crímenes y delitos, porque 'en algo andarán'». (*Proponer y dialogar*, UNICEF)

En esta situación, los adolescentes de hoy son menos crédulos y más realistas que los de generaciones anteriores. Se les quiere hacer creer que el mundo es para ellos, pero al mismo tiempo se les impide ocupar un lugar y se les niega la palabra, que otros interpretan. Sin embargo, ustedes inventan su propio lenguaje y buscan otros espacios para el encuentro entre pares, cuentan con las redes informáticas, los videojuegos, los recitales de rock, las FM.

Los chicos que carecen de recursos tanto afectivos como intelectuales y económicos, son más vulnerables frente a la vida. Sin embargo, muchos de ellos no reniegan de sus ideales y, a pesar de las dificultades, gestan proyectos y se preocupan por comprender y actuar en la realidad que les toca vivir.

En este proceso de reestructuración de la identidad interviene, silenciosa o estruendosamente, el contexto más amplio, al que llamamos macrocontexto, y que está representado por aquello que está por fuera del adolescente: escuela, familia, amigos, sociedad; y que, a través de normas de convivencia, de ideales puestos en valores, de creencias e ideologías, "marcan", imprimen su huella en esta personalidad que está buscando un lugar en el mundo, su propio lugar.

Y muchas veces la sociedad suele proyectar en él sus propias fallas, se convierte en el receptáculo propicio para hacerse cargo de los conflictos de otros y que a los jóvenes en general se les suele adjudicar. "La proyección es un mecanismo de defensa que consiste en expulsar de sí y localizar en el otro (persona o cosa) cualidades, sentimientos, deseos que no reconoce o rechaza en sí mismo" (*Diccionario de psicoanálisis*- Laplanche y Pontalis).

Gran parte de la sociedad piensa que la causa de casi todos sus males radica en la existencia de una juventud irresponsable, sin preguntarse en qué falla o qué lugar le está ofreciendo al joven, ya sea desde lo educativo o desde lo laboral.

Ustedes mejor que nadie saben cuáles son las características de un adolescente del siglo XXI.

Les proponemos realizar un cuadro que caracterice al adolescente de la posmodernidad, o sea, ustedes. ¿Cómo se definirían? ¿Qué datos incluirían? ¿Qué cosas les importan mucho, poco o nada? ¿Qué les da y qué les quita la sociedad? ¿Qué ofrecen los adolescentes a la sociedad?

Actividades de cierre:

1) Analizá y discutí con tu grupo el significado de las siguientes definiciones de adolescencia:

Adolescencia: época de desprenderse, crecer y ser

Adolescencia: período de normal anormalidad

2) Para reflexionar a solas: la libertad de elegir

Te proponemos que leas el siguiente cuento

Morir en la pavada (Autor: Mamerto Menapace en *Cuentos Rodados*. Editorial Patria Grande. Buenos Aires.)

Una vez un catamarqueño, que andaba repechando la cordillera, encontró entre las rocas de las cumbres un extraño huevo. Era demasiado grande para ser de gallina. Además hubiera sido difícil que este animal llegara hasta allá para depositarlo. Y resultaba demasiado chico para ser de avestruz.

No sabiendo lo que era, decidió llevárselo. Cuando llegó a su casa, se lo entregó a la patrona, que justamente tenía una pava empollando una nidada de huevos recién colocados. Viendo que más o menos era del tamaño de los otros, fue y lo colocó también a éste debajo de la pava clueca.

Dio la casualidad que para cuando empezaron a romper los cascarones los pavitos, también lo hizo el pichón que se empollaba en el huevo traído de las cumbres. Y aunque resultó un animalito no del todo igual, no desentonaba demasiado del resto de la nidada. Y sin embargo se trataba de un pichón de cóndor. Si señor, de cóndor, como usted oye. Aunque había nacido al calor de la pava clueca, la vida le venía de otra fuente.

Como no tenía de donde aprender otra cosa, el bichito imitó lo que veía hacer. Piaba como los otros pavitos, y seguía a la pava grande en busca de gusanitos, semillas y desperdicios. Escarbaba la tierra, y a los saltos trataba de arrancar las frutitas maduras del tutiá. Vivía en el gallinero, y le tenía miedo a los cuzcos lanudos que muchas veces venían a disputarle lo que la patrona tiraba en el patio de atrás, después de las comidas. De noche se subía a las ramas del algarrobo por miedo de las comadrejas y otras alimañas. Vivía totalmente en la pavada, haciendo lo que veía hacer a los demás.

A veces se sentía un poco extraño. Sobre todo cuando tenía oportunidad de estar a solas. Pero no era frecuente que lo dejaran solo. El pavo no aguanta la soledad, ni soporta que otros se dediquen a ella. Es bicho de andar siempre en bandada, sacando pecho para impresionar, abriendo la cola y arrastrando el ala. Cualquier cosa que los impresione, es inmediatamente respondida con una sonora burla. Cosa muy típica de estos pajarones, que a pesar de ser grandes, no vuelan.

Un mediodía de cielo claro y nubes blancas allá en las alturas, nuestro animalito quedó sorprendido al ver unas extrañas aves que planeaban majestuosas, casi sin mover las alas. Sintió como un sacudón en lo profundo de su ser. Algo así como un llamado viejo que quería despertarlo en lo íntimo de sus fibras. Sus ojos acostumbrados a mirar siempre el suelo en busca de comida, no lograban distinguir lo que sucedía en las alturas. Pero su corazón despertó a una nostalgia poderosa. ¿Y él, porqué no volaba así? El corazón le latió apresurado y ansioso.

Pero en ese momento se le acercó una pava preguntándole lo que estaba haciendo. Se rió de él cuando sintió su confidencia. Le dijo que era un romántico, y que se dejara de tonterías. Ellos estaban en otra cosa. Tenía que ser realista y acompañarla a un lugar donde había encontrado mucha frutita madura y todo tipo de gusanos.

Desorientado el pobre animalito se dejó sacar de su embrujo y siguió a su compañera que lo devolvió a la pavada. Retomó su vida normal, siempre atormentado por una profunda insatisfacción interior que lo hacía sentir extraño.

Nunca descubrió su verdadera identidad de cóndor. Y llegado a viejo, un día murió. Sí, lamentablemente murió en la pavada como había vivido.

¡Y pensar que había nacido para las cumbres!

3) Lean ahora la letra de la canción *Honrar la vida* de Eladia Blázquez. A partir de ella establezcan qué es y qué no es «honrar la vida». Hagan un paralelismo entre el mensaje que trasmite esta canción y el cuento que leyeron anteriormente.

Honrar la vida

¡No! ¡Permanecer y transcurrir
no es perdurar, no es existir, ni honrar la vida!
Hay tantas maneras de no ser,
tanta conciencia sin saber, adormecida...
Merecer la vida no es callar y consentir,
tantas injusticias repetidas...
Es una virtud, es dignidad
y es la actitud de identidad más definida.
Eso de durar y transcurrir
no nos da derecho a presumir.
Porque no es lo mismo que vivir... Honrar la vida.
¡No! ¡Permanecer y transcurrir
no siempre quiere sugerir
honrar la vida!
Hay tanta pequeña vanidad
en nuestra tonta humanidad enceguecida.
Merecer la vida es erguirse vertical,
más allá del mal, de las caídas...
Es igual que darle a la verdad
y a nuestra propia libertad
la bienvenida...
Eso de durar y transcurrir
no nos da derecho a presumir,
porque no es lo mismo que
vivir...
Honrar la vida.

4) Elegí una persona pública o no que para vos sea un modelo, alguien que «honra la vida». Describila y explicá por qué motivos la elegiste.

5) COMENZÁ A CONSTRUIR TU PORTFOLIO... Animate a mostrarte tal cual sos:
Confeccioná tu propia "carta de presentación". Tomá una hoja o cartulina en blanco, escribí tu nombre o sobrenombre de la manera que más te guste, luego hacé un despliegue creativo y adorná el espacio disponible con graffitis, dibujos, etiquetas, fotos, stickers, frases etc. Tu trabajo estará completo cuando al observarlo puedas decir "este soy yo". Podés incluir tu música o equipo de fútbol preferidos, contar tus pasatiempos, quiénes son tus ídolos. Tu estilo propio deberá reflejarse en ese póster. Después de hacer el trabajo individualmente, pueden colocar los de todo el grupo formando un gran mural para el aula, y divertirse encontrando cosas en común con otros compañeros.

6) Luego de este interesante intercambio te proponemos para lograr un mayor conocimiento entre ustedes que elabores en forma individual tu "Autobiografía". Incluí en ella todo lo que consideres importante que los demás conozcan de vos. Luego, el que tenga ganas de compartirlo con el resto puede leerlo en voz alta.

Capítulo 2

El adolescente y la salud
La salud como construcción social

Salud y enfermedad

Si nos pidieran una definición de la palabra *salud*, seguramente responderíamos sin dudar que salud es simplemente "no estar enfermo". Pero este concepto resulta insuficiente, porque limita a la persona únicamente a su condición de ser vivo. Sin embargo, es el que prevaleció desde épocas remotas en las que el hombre se enfrentaba con impotencia a la enfermedad investigando su causa para intentar su curación.

- Las sociedades primitivas le atribuían un origen misterioso de carácter mágico y creían que exorcizando a los espíritus malignos que se apoderaban del cuerpo, éste sanaría.

- Fue Hipócrates quien consideró que la enfermedad tenía causas naturales: estableció que la salud dependía del equilibrio entre los cuatro humores o fluidos del cuerpo: sangre, flema, bilis y bilis negra. Un "mal humor" (frase que habrás reconocido y que actualmente se utiliza con un significado diferente), sería el causal de la enfermedad. En el año 420 a de C., intentó desde esta perspectiva una mejora para la epilepsia. Varios siglos después su teoría fue continuada por Galeno (130- 200).

- Durante la Edad Media la principal preocupación era la relación del hombre con Dios, y se atribuyeron las causas de la enfermedad al castigo divino por la desobediencia a las leyes religiosas.

- A partir del siglo XIII, reapareció una tendencia iniciada por los griegos antiguos, la preocupación por el hombre en sí mismo o Humanismo, que en este período se llamó Renacimiento. Nuevamente se indagó en los orígenes naturales de la enfermedad. Comenzó la investigación científica con Vesalius y

Una pintura representa a Vesalius en pleno proceso de vivisección (operación de un ser vivo) (*Libro de la vida*).

Vocabulario:

Disección: División en partes de un vegetal o del cadáver de un animal para el examen de su estructura normal o de las alteraciones orgánicas.

Sistemático: que sigue o se ajusta a un sistema.

Caricatura de Grilley, en la que ridiculiza a los adversarios de la vacuna, que creían que la vacunación causaría deformidades. (*Libro de la vida*)

su descripción de la anatomía humana basada en **disecciones** que hasta el siglo XV estaban prohibidas por cuestiones morales y religiosas; luego se describió el sistema circulatorio (Harvey en 1628 – Malpighi en 1660).

- En el siglo XVIII, Morgagni, un médico italiano, determinó que la enfermedad se localizaba en órganos específicos.

- En el siglo XIX se pusieron en práctica **sistemáticamente** estas ideas, y se perfeccionaron métodos de diagnóstico clínico a través de la percusión (golpecitos para determinar el estado de los órganos), y la auscultación con ayuda del estetoscopio.

> Un dato curioso: el estetoscopio comenzó siendo un simple cono de papel que evitaba que el médico apoyara su oído sobre la piel de los pacientes, ya que la higiene corporal no era un hábito en esa época. De ese modo se logró, por añadidura, amplificar los sonidos provenientes del corazón y otros órganos y mejorar las posibilidades de diagnóstico.

- En 1796, Edward Jenner probó una manera novedosa de tratar una enfermedad propia de las vacas, llamada por eso **vacuna**, que se contagiaba al hombre. Esta enfermedad provocaba lesiones sobre la piel similares a las ampollas que aparecen en la varicela. Jenner extrajo líquido de una ampolla de una mujer enferma y se lo inoculó a un niño sano, que enfermó, pero quien dos meses más tarde, al serle inoculada nuevamente la enfermedad, permaneció sano. Este fue el comienzo de la medicina preventiva, y su descubrimiento recibió el nombre de la misma enfermedad que trató por primera vez: la **Vacuna**.

- Contando ya con microscopios para la investigación, Schwann (1810-1882) y Virchow (1821-1902) identificaron a la célula como unidad constitutiva de todo ser vivo y, por lo tanto, centraron en ella los procesos **patológicos**, pero no se conocían claramente las causas de las infecciones ni de las enfermedades contagiosas.

- Luis Pasteur (1822-1895) y Robert Koch (1843-1910) establecieron la relación entre microorganismos y enfermedad, pero recién fue Fleming quien en 1929 descubrió la penicilina y su capacidad para combatir bacterias. Ese fue el primer antibiótico, que tardó varios años más en ponerse a disposición del público.

Hasta ese momento, el médico en su recetario podía prescribir alguno de estos remedios:

> R/P (Significa Reciba y prepare.
>
> El boticario –antecesor del farmacéutico– era quien preparaba los medicamentos en el momento. Esa abreviatura se utiliza aun en la actualidad).
>
> *Quinina (para la malaria)*
>
> *Digitalis (para el corazón)*
>
> *Opio (para el dolor)*
>
> *Arsénico, antimonio y otras drogas de origen vegetal o animal...*

Una pintura que representa a un boticario de la Edad Media. (*Libro de la vida*)

Todas estas medicinas se preparaban en la botica, antepasado de la actual farmacia, que tenía un aspecto como muestran las imágenes. Para completar estos dudosos tratamientos curativos, existían otras indicaciones poco o nada eficaces: purgas, enemas, sangrías, vomitivos, masajes o baños. Seguramente algún familiar mayor te podrá explicar en qué consistían estas prácticas por haberlas "padecido" en carne propia, ya que algunas se siguieron utilizando hasta hace poco tiempo atrás.

- En 1846 se redescubrió la anestesia (que ya había sido usada por los romanos antiguos), y que contribuyó a mejorar las prácticas quirúrgicas.

- A fines del siglo XIX se abrieron campos como la radiología, la radioterapia, y a partir de allí creció vertiginosamente la utilización de la tecnología y la ciencia para crear nuevos métodos de diagnóstico y el tratamiento de enfermedades.

Ilustración que representa la estantería de una botica. (*Libro de la vida*)

- Durante el siglo XX hubo una gran acumulación de conocimientos, y la medicina se dividió en diferentes especialidades. Pero, a pesar de ello, su visión de la enfermedad se limitaba a lo biológico, y se dejaban de lado otros aspectos importantes, como su estado psíquico y sus vínculos sociales.

- El amplio campo abierto a fines del siglo XX por el conocimiento del genoma humano y la manipulación genética, dota a la medicina actual de nuevos logros para la detección y curación de enfermedades. Surgen ahora controversias éticas sobre los alcances de determinadas prácticas, que cuestionan la definición de lo que significa el estado de salud.

Un caso para debatir:
Un joven que en un futuro no muy lejano, podrá someterse a un mapeo genético como estudio de rutina, el cual permite averiguar las posibles anomalías heredadas que posea. Si en el mismo se determina que en su adultez desarrollará mal de Alzheimer (una enfermedad progresiva que inhabilita a la persona para trabajar o manejarse por sí misma) ¿Se puede considerar a esa persona como enferma si todavía no tiene síntomas de enfermedad? ¿Podrá obtener un trabajo sabiendo lo que padecería en el futuro? ¿Sería ético que se pudiera pedir este tipo de información en un examen médico preocupacional?

¿Qué es la salud?

La Licenciada Beatriz Carbonell en *Cultura y Diversidad en salud*, abre una nueva dimensión en la forma de definir el estado de salud/enfermedad:

"La enfermedad es un hecho sociológico, por lo tanto cualquier acción de prevención, de tratamiento o planeamiento de salud, deberá tomar en cuenta valores, actitudes y creencias de la población a la que está destinada".

"Sin embargo, cada cultura establecerá sistemas de salud-enfermedad según sus creencias, ocurre que lo que es considerado enfermedad en algunas poblaciones sociales, puede no serlo en otras".

Se plantea aquí una visión sociológica que dificulta la posibilidad de encontrar una definición de salud de validez universal.

Un ejemplo claro se puede observar estudiando las culturas indígenas actuales que han conservado usos y costumbres ancestrales que se ponen de manifiesto en la forma de abordar su visión sobre la salud y enfermedad y que contrastan con los actuales conocimientos adquiridos por las ciencias médicas.

La autora cita el ejemplo de la cultura mapuche: para ellos la figura referente encargada de los problemas de salud es la *machi*. Ella es la mujer que tiene el don de poder detectar la energía maléfica o *wekufu*, que es la responsable de romper el equilibrio del cuerpo y producir enfermedad física o trastornos psíquicos. Hay causas **endógenas** y **exógenas** de la enfermedad, entre las que figuran: comer animales o frutos sin haber pedido permiso para cazarlos o recolectarlos a *Nquen* (dueño de la naturaleza), ser víctima de una hechicería o *kalkutun*, ser poseído por el alma de un difunto que proyecta una energía negativa, recibir el castigo divino por no haber realizado ceremonias rituales de ofrenda, etc.

Seguramente te habrá sorprendido comprobar la gran brecha cultural entre su cultura y la nuestra. Sin embargo, en nuestra sociedad tan "avanzada" también recurrimos más de una vez a las famosas curanderas para ciertas prácticas que no tienen fundamentos médicos pero son eficaces. Averiguá, por ejemplo, qué son el *empacho* y la llamada *pata de cabra* y cuáles son las formas de curarlos, cuál es el remedio para el dolor de cabeza producido por el mal de ojo, o cómo un curandero logra sanar la culebrilla (Herpes zoster). Es significativo que, frecuentemente, sea el mismo médico quien recomienda recurrir a estas curiosas prácticas.

Ante tanta diversidad de culturas y de criterios en torno al tema de la salud, la OMS (Organización Mundial de la Salud) incorporó en su Constitución la definición que había sido propuesta en 1946 por Andrija Stampar, pionero croata de la salud pública: salud es «el estado de completo bienestar físico, mental y social, y no sólo la ausencia de afecciones o enfermedades.» Durante la Conferencia Internacional sobre Atención Primaria de Salud, convocada por la OMS y el Fondo de las Naciones Unidas para la Infancia (UNICEF) en 1978, se reafirmó expresamente esa definición y se planteó el objetivo "Salud para todos en el año 2000" con la certeza de que trabajar por la salud no solo involucra al ámbito de la medicina sino que abarca un compromiso social que incluye decisiones políticas, económicas, y la participación de todos los estamentos sociales (Revista *Perspectivas en Salud* OPS vol. 8 N° 1 2003).

Podemos realizar dos observaciones a partir del análisis de esta definición:

- Resulta prácticamente imposible lograr el bienestar completo en los tres aspectos, ya que estos no abarcan sólo a la persona, sino también sus vínculos sociales y afectivos. Por este motivo, en la actualidad se habla de un **Grado de bienestar físico, mental y social**: tener salud sería alcanzar el mayor grado posible de bienestar.

Vocabulario:

Endógeno: Que se origina o nace en el interior.

Exógeno: De origen externo.

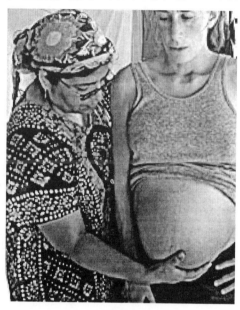

La machi atiende a una embarazada.

Logotipos de OMS (arriba) y UNICEF .

- Cada individuo y, más aún, cada grupo social tiene una percepción de lo que implica el "bienestar". En las sociedades desarrolladas, el bienestar se vincula normalmente con factores económicos, e implica "darse los gustos", poder consumir. Pero.. ¿el consumismo, es decir el vicio del consumo, refleja *realmente* bienestar?

Del consumo al consumismo

Consumir es una necesidad para la subsistencia: alimento, vestimenta, medicamentos, actividades culturales, etc.: el problema consiste en encontrar el equilibrio entre lo necesario y lo superfluo. El consumo irreflexivo, innecesario y compulsivo lleva a decir: "Lo quiero" sin preguntarse primero "¿Lo necesito?" Este es el perfil del consumismo. Beatriz Sarlo, en su libro *Escenas de la vida posmoderna*, compara a estas víctimas de la sociedad de mercado con "coleccionistas al revés": un coleccionista valora los objetos que obtiene, ya que cuantos más tenga más valor tendrá su colección. El coleccionista "al revés", en cambio, siente que el objeto en sí mismo no tiene tanto valor ya que pocas veces se plantea si le resultará necesario o no una vez adquirido. Una vez que se apropia de alguno, éste ya pierde su atractivo, se desvalorizó. El coleccionista al revés es un permanente insatisfecho, dominado por el deseo de obtener. Estas actitudes nos obligan a replantearnos qué tipo de sociedad queremos, y qué tipo de sujetos sociales queremos ser. Esta es, también, una cuestión de salud. Si no lo creen, lean el siguiente fragmento, extraído de *Patas arriba. La escuela del mundo al revés*, de Eduardo Galeano:

Un mártir

En el otoño del 98, en pleno centro de Buenos Aires, un transeúnte distraído fue aplastado por un autobús. La víctima venía cruzando la calle, mientras hablaba por un teléfono celular. ¿Mientras hablaba? Mientras hacía como que hablaba: el teléfono era de juguete.

¿Por qué haría eso este señor? ¿Reconocés a alguien de alguna manera en esta historia, desgraciadamente verdadera? ¿Hacemos, a veces, "como que tenemos", para aparentar? ¿Por qué?

La natural inseguridad del adolescente permite que la sociedad de consumo lo seduzca desde la publicidad, creándole necesidades, la mayor parte de las veces ficticias. El joven entra fácilmente en el vértigo del consumo sin límites, pero se encuentra con la realidad de que no siempre tiene los recursos económicos para eso, y se crea así una brecha entre el "exitoso" que tiene todo lo que quiere, y aquel que sólo puede soñar con conseguir ese objeto que quizás nunca logre adquirir. El primero quizá llegue a sentirse rápidamente aburrido de lo que le resulta tan sencillo de obtener, y el segundo acumulará frustración por querer y no poder, y habitualmente se sentirá en desventaja. Ninguno de estos sentimientos es sano, pero ¿cómo arrancar al adolescente del consumismo si los adultos ya "compraron" esta realidad y son presa de ella? Se dice también que "El dinero no hace a la felicidad, sino que la compra hecha" ¿Será verdad lo que dice esa frase? ¿Qué opinan? ¿Cuándo se convierten ustedes en "coleccionistas al revés"?

El bienestar del individuo

Cada individuo tiene una percepción personal sobre su sensación de bienestar, y ésta depende de diversos factores: tener trabajo, familia, vivienda, etc. son, indudablemente, condiciones que pueden aumentar esa sensación. Sin embargo, el ser humano está, además, condicionado por sus emociones y sus sentimientos, y puede sentir una insatisfacción que no se condice con la visión que suele tenerse de aquel que ha conseguido una gran cantidad de bienes materiales. ¿Qué implicará el bienestar, por ejemplo, para un adolescente de la comunidad mapuche de la que hablamos antes? ¿Y para una persona cuadripléjica? ¿Y para un anciano que vive en un geriátrico?

Teniendo en cuenta estos matices diferentes sobre el bienestar de las personas, la OMS definió en 1996 el concepto de **calidad de vida** como <u>la percepción del individuo sobre su posición en la vida dentro del contexto cultural y el sistema de valores en el que vive, y con respecto a sus metas, expectativas, normas, y preocupaciones.</u>

Medicina popular y tradicional

La salud es, entonces, un estado enmarcado en una compleja trama de factores y de actores, y necesariamente debe contemplar la diversidad cultural y social. Es así que estos organismos internacionales buscaron establecer criterios amplios también sobre las formas de curar. En los países en vías de desarrollo se utiliza comúnmente la llamada medicina *tradicional*. La OMS la define como *prácticas, enfoques, conocimientos y creencias sanitarias*, que incluyen las terapias con hierbas, partes de animales y/o minerales. Otras formas de esta medicina se aplican sin ninguna medicación, como la acupuntura o las terapias manuales o espirituales. La medicina indígena, la medicina china, la ayurveda hindú son sistemas curativos

---

Un juego: Les proponemos un cambio de roles: ya no serán ustedes consumidores sino quienes generan necesidades en la sociedad de consumo. Formen grupos en su clase, y primero diseñen un objeto que no exista hasta ahora y que sirva para cubrir determinada necesidad que, por supuesto, también deberán definir. Tienen que ser muy creativos, ya que además tendrán que hacer un afiche de publicidad que seduzca a la gente para que compre su producto. Se puede premiar al grupo más creativo o a quien más "ventas" haya logrado entre sus compañeros. Saquen conclusiones sobre cómo les resultó esta experiencia. Relacionen estas conclusiones con lo que hablamos anteriormente.

Vocabulario

Medicina alopática: La que se basa en la administración de fármacos o en la cirugía para la cura de enfermedades.

Medicina homeopática: Sistema curativo que aplica a las enfermedades, en dosis mínimas, las mismas sustancias que, en mayores cantidades, producirían al hombre sano síntomas iguales o parecidos a los que se trata de combatir.

Farmacia homeopática

También había charlatanes que promocionaban sus productos.

tradicionales cuyos orígenes datan de milenios atrás y se siguen aplicando en nuestros días.

En los países desarrollados prevalece la medicina **alopática**, es decir, la que se basa en la administración de fármacos o en cirugía, luego de la aplicación de diversos y sofisticados medios de diagnóstico, y es el médico quien la prescribe. Las medicinas tradicionales son poco usadas y por eso se las conoce como terapias alternativas o complementarias.

Los altos costos de la medicina alopática hacen dificultoso el acceso a este servicio a gran parte de la población en países no desarrollados, además de ser despersonalizados: la medicina actual se fragmentó tanto que cada especialista abarca sólo el área que le compete. Cada uno se ocupa de órganos diferentes que hay que curar sin tener una visión integral de la persona enferma. Además, hay un número importante de personas que podrían solventar tratamientos médicos pero se vuelcan hacia las terapias alternativas.

Es curioso que en la actualidad, y a pesar del gran avance científico, tenga lugar esta vuelta a las medicinas tradicionales. Quizás se esté revalorizando por fin el gran bagaje de conocimientos aportados por generaciones de grupos sociales que han vivido en estrecho contacto con la naturaleza, y que consideran a la persona como una integridad en armonía con su entorno. Estos conocimientos provienen de la sabiduría de quienes han probado y empleado estas formas de curar durante cientos de años. Además, en muchos casos, la industria farmacéutica no ha hecho más que tomar remedios naturales y explotarlos comercialmente bajo la forma de medicamentos. El ejemplo más claro es el de la aspirina: El ácido acetilsalicílico –lanzado al mercado en 1899– es el analgésico más usado en el mundo, y se lo vende bajo diferentes nombres comerciales. Sin embargo, tres mil años atrás, civilizaciones como la egipcia y pueblos de la Mesopotamia asiática utilizaban las cortezas y la savia del sauce (cuyo nombre científico, *Salix*, da el nombre a la droga <u>ácido acetilsalicílico</u>), sin saber qué contenía esta sustancia. Como vemos, las mal llamadas medicinas "alternativas" muchas veces son la base de la medicina alopática.

Vale más prevenir

Actualmente la lucha por la salud pone especial énfasis en la prevención, es decir, en las **acciones tendientes a evitar que la enfermedad aparezca**. Una vez declarada ésta, no solo ocurre que las personas están expuestas a sus consecuencias. Enfrentar una situación de enfermedad implica la necesidad de utilizar servicios médicos y medicamentos cuyos costos son elevados, y no todos tienen acceso a ellos. Algunas enfermedades dejan secuelas físicas y/o psicológicas que pueden inhabilitar a las personas, otras se pueden tratar pero no curar, por lo cual se hacen crónicas, y hay dolencias que no dejan secuelas incapacitantes pero requieren de largos tratamientos de rehabilitación. En todos los casos no sólo resulta afectado el enfermo, sino también su entorno cercano, familiares, amigos, que deben actuar como contenedores de esa complicada situación, y que en numerosas ocasiones sufren la angustia de no saber cómo hacerlo.

Las enfermedades **transmisibles** o contagiosas, por otra parte, pueden perjudicar a un gran número de personas, por lo tanto hay especial empeño en evitar que se manifiesten y propaguen intentando su erradicación.

Teniendo en cuenta las consecuencias negativas que la enfermedad trae aparejadas, se establecieron tres niveles de prevención:

- **Prevención primaria:** Su objetivo es impedir que las enfermedades se manifiesten, para lo cual centra su acción en reducir las conductas de riesgo de los individuos y los factores predisponentes a la enfermedad. La educación juega un papel preponderante en este sentido. Se planifican, por ejemplo, campañas informativas o vacunaciones masivas. También se incluye la protección de la salud mediante saneamiento ambiental, controles bromatológicos de alimentos, etc.

- **Prevención secundaria:** Su objetivo es la detección temprana de enfermedades cuando permanecen aún **asintomáticas**, es decir, cuando no aparecen síntomas; mediante chequeos de rutina, y métodos de diagnóstico precoz. Por ejemplo, el cáncer de próstata en los hombres puede ser detectado muy tempranamente mediante una prueba en sangre denominada PSA (detección de antígeno prostático).

- **Prevención terciaria:** Su objetivo es tratar enfermedades ya declaradas, que pueden ser curadas total o parcialmente, y participar en la rehabilitación de aquellas que dejan secuelas.

Promoción de la salud como parte de la prevención primaria

Para reducir el impacto personal y social que causa la enfermedad y teniendo como objetivo la prevención primaria, se planteó un nuevo enfoque de las políticas sanitarias, centrándolas en la **promoción de la salud**, que se definió en 1986 en la llamada Carta de Ottawa como un "proceso mediante el cual se les proporcionen a las personas los medios necesarios para aumentar el control sobre su propia salud y mejorarla." Este proceso abarca diferentes aspectos:

- adquirir hábitos de cuidado del cuerpo.
- eliminar comportamientos de riesgo que nos predisponen a padecer ciertas enfermedades.
- obtener información y conocimientos necesarios para estos fines.

La **educación para la salud** desde diferentes ámbitos, como la escuela, los medios de comunicación, etc., aporta los conceptos que deben incorporarse para lograr que las personas valoren lo que significa vivir con salud.

La salud, entonces, está condicionada por múltiples **factores determinantes**: políticos, económicos, sociales, culturales, ambientales, conductuales y biológicos, que pueden ser modificados por estrategias adecuadas de promoción. La promoción en salud implica también modificar condiciones ajenas a la persona y que influyen decisivamente en su bienestar físico, mental y social. En ellas están comprometidos los niveles políticos que manejan la economía y las políticas sociales de un país, las entidades de gobierno provinciales y municipales, los organismos de salud, las ONG (organizaciones no gubernamentales), instituciones como escuelas, sociedades de fomento, clubes; también las empresas privadas. En conclusión, la intención es involucrar a todos los actores sociales desde sus diferentes roles, para crear las llamadas opciones saludables. En primer lugar, con el objeto de tomar conciencia de que la salud dejó se ser un asunto individual, y pasó a ser un objetivo colectivo que exige participación comunitaria. En segunda instancia, para procurar acciones concretas y consensuadas a favor de la preservación de la salud.

Analicemos un caso:

La anorexia es un trastorno alimentario que se manifiesta como un cuadro de desnutrición. Un médico puede determinar que su paciente está por debajo de los rangos normales de peso, y recetará una dieta especial, quizás algunas vitaminas. Lo que el médico hizo no está mal, pero resulta incompleto. No evaluó el aspecto psicológico de su paciente, que en el caso de la anorexia influye notablemente. Habría que analizar qué le ocurre a esa persona internamente, pero también con respecto a sus vínculos familiares y sociales. Más allá de esto ¿no hay también una presión cultural por responder a este modelo corporal de extrema delgadez? Los medios de comunicación son en parte responsables de promover este tipo de belleza. Por otro lado estos mensajes son aceptados e incorporados como "mandatos" por espectadores pasivos –adolescentes y adultos –que no cuestionan. Por eso, si se quiere acabar con la anorexia, no basta con tratamientos médicos. Para eso se crearon instituciones como ALUBA (Asociación de Lucha contra la Bulimia y Anorexia), para atender a quienes ya padecen estos trastornos, pero también para intentar prevenir su aparición. Desde el ámbito gubernamental, por otra parte, se dictaron medidas en el ámbito de la provincia de Buenos Aires como la que obliga a los fabricantes de prendas de vestir a proveer también talles grandes.

Les proponemos...

1) Elijan alguna comunidad indígena argentina e investiguen sobre su forma de curar las enfermedades. Comparen con los datos que leyeron sobre los mapuches e intercambien opiniones.

2) Realizar un trabajo de campo para relevar datos sobre las opciones más usadas como terapia en la comunidad en la que viven. Para eso pueden armar grupos y visitar diferentes farmacias. En estos comercios se expenden medicamentos pero también preparados homeopáticos, hierbas o "yuyos", flores de Bach, que se consideran medicina alternativa. Deberán averiguar qué son la Homeopatía y las terapias florales, qué medicamentos de ese tipo son los más vendidos y para qué dolencia se usan, cuál es la proporción de consumo de éstos frente a los alopáticos, qué tipo de público los consume (sexo, edad, nacionalidad...). Luego procesen los datos de todo el curso y saquen conclusiones.

3) Proyecto: Utilización de medicinas alternativas en otras culturas. En cualquier comunidad, especialmente en el interior de nuestro país y en Bolivia, Paraguay y Perú, es sumamente frecuente el uso de hierbas para tratar diversas enfermedades, que se ingieren generalmente mediante infusiones. Charlen con sus familias y vecinos y, a partir de los datos que obtengan, elaboren un "vademecum de medicina alternativa". El **vademecum** es un registro de todos los medicamentos alopáticos que existen en el mercado. Todas las farmacias lo tienen. En el que ustedes confeccionarán debe figurar el nombre de cada "yuyo", cuál es su forma de administración, para qué enfermedad se usa y en qué regiones se lo emplea habitualmente. Consigan muestras de cada planta usada y una vez aplastada entre dos hojas de diario durante unos días, inclúyanla en su vademecum. Pregunten de dónde provienen los conocimientos que poseen sobre estas formas de curar. Con lo trabajado en estas actividades pueden organizar una muestra en el colegio.

¿Por qué hablar de salud con los adolescentes?

I) ¿Qué dicen las estadísticas?

Los adolescentes constituyen alrededor del 20% de la población mundial. Es decir que además de vos en el momento de escribir estas líneas hay otras 1.308.891.502 personas que transitan tu misma realidad con diferentes matices según su historia personal y su entorno sociocultural (Fuente: Reloj de la Población Oficina de Censo de Estados Unidos, registra la variación diaria de la población mundial).

La adolescencia es el período de la vida con tasas de mortalidad más bajas. Sin embargo, las estadísticas muestran una gran predisposición a la muerte por causas externas, muchas de ellas evitables.

En nuestro país, las causas de muerte asociadas a violencia –incluidos los suicidios– representaron el 38,4% del total de individuos de entre 15 y 24 años que fallecieron durante 2003 (Ministerio de Salud, 2004).

Argentina posee un 27% de su población entre los 10 y 24 años, lo cual representa aproximadamente a 10 millones de adolescentes y jóvenes. Dentro de la franja de 15 a 19 años, el 18% no estudia, ni trabaja, ni colabora en su hogar. Esto condiciona seriamente el cuidado de su salud por la falta de fuentes de información y contención que sufren, y cuestiona su futuro como actores sociales adultos.

41

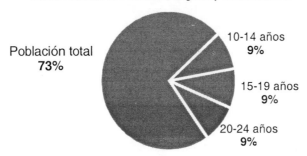

Censo Nacional de Población, Hogares y Vivienda 2001.

Población total
73%

10-14 años
9%

15-19 años
9%

20-24 años
9%

Fuente: *Proponer y dialogar* (UNICEF)

II) La vulnerabilidad del adolescente

Una mirada psicoanalítica plantea que existe una relación íntima entre el estado de salud de una persona y el momento vital que atraviesa, y que depende de los recursos con los que ésta cuente para protegerse frente a los múltiples factores que enfrenta (H. Ferrari. *Salud mental en medicina*). Durante la adolescencia la persona es muy vulnerable. Si bien biológicamente ya puede autoabastecerse: caminar, alimentarse, asearse, etc., la vulnerabilidad en este momento pasa por la falta de consolidación de la personalidad, y de ahí que no siempre cuente con los recursos suficientes para enfrentar los nuevos conflictos que se le presentan. Francoise Dolto compara a la adolescencia con la muda de algunos insectos. Éstos, para poder crecer, deben cambiar la rígida cobertura externa. Al desprenderse de este "caparazón", otro lo reemplaza, pero pasa un tiempo hasta que endurece y se adapta a su nueva medida. Es ese el momento en que pueda convertirse en "presa fácil" de algún depredador. Para el insecto este riesgo es imprescindible para crecer. Para el adolescente es la transición crucial llena de oportunidades y de amenazas que le hará encontrar su "lugar en el mundo" y que incluye el crecer y el "ser". Se siente todopoderoso, y le cuesta imaginar que exista algo que puede amenazar su integridad. Y al ser más independiente incursiona en nuevos lugares, y en nuevos grupos de pares que pueden promover tanto opciones sanas como comportamientos de alto riesgo, y más aún teniendo en cuenta la necesidad de aceptación que lo lleva a imitar los hábitos del grupo.

Muchos adolescentes acostumbran "marearse" con estímulos que cambian permanentemente: zapping, chat, juegos electrónicos, música con auriculares, mensajes de texto. Con ellos se construyen una magnífica burbuja electrónica que invade cada vez más espacios y que los mantiene incomunicados, disfrazando a menudo bajo una máscara de aparente desinterés, un sentimiento de desamparo, incertidumbre y desesperanza. Es un "caparazón temporario" que les crea un mundo paralelo donde se prueban vínculos virtuales, no reales, que en el mejor de los casos los informa sin formarlos, y los mantiene convenientemente alejados de la realidad que ya perciben y que les resulta difícil de comprender. Cuando "apagan" su burbuja, se dedican a dormir, curiosamente en momentos en que los adultos no lo hacen: largas horas de siesta para permanecer durante la noche en el ciberespacio. ¿Cuándo sienten ustedes que están dentro de una "burbuja"?

III) El desafío de abordar al adolescente

Frente a estos adolescentes voluntariamente aislados, cuando un padre intenta indagar sobre las actividades de su hijo se encuentra frecuentemente ante la consabida frase "no te metás, es mi vida" que le da un final rotundo a lo que nunca llegó a ser un verdadero diálogo. Los adultos no están preparados para enfrentar esta realidad, muchas veces porque no saben cómo penetrar esta barrera que exige una gran paciencia y tolerancia, para saber cuándo y cómo hay que volver a intentar el diálogo, y en qué momento deben aplicarse los límites necesarios.

Por otra parte, muchos adultos son conscientes de que por diferentes motivos que a veces son válidos y otras no tanto, de índole laboral, conflictos personales, etc., no le brindan al adolescente los tiempos y los espacios de encuentro necesarios; ni tampoco alternativas sanas y trascendentes para ocupar su tiempo libre. Frente a esta realidad resulta incluso "conveniente" que él esté ocupado "en su mundo", en lugar de cuestionar y enfrentar a sus padres, sus propios errores y falencias. La familia no siempre logra revertir esta situación, y se convierte en un conjunto de "islas" que viven bajo el mismo techo, para evitar el conflicto y la confrontación, tan necesarios en la formación integral de la persona.

La escuela es un transmisor de información que complementa a la familia, aunque a menudo no cumple ese rol de manera completa. Si bien no puede decirse que el adolescente no tenga acceso a la información, falta compartirla, discutirla, socializarla y aplicarla a cada momento de su vida.

No todos somos iguales - Factores de riesgo

No todas las personas tienen igual posibilidad de mantener su estado de salud. Cada persona y cada etapa de la vida tienen sus características propias, que pueden exponerla en mayor o menor grado ante determinados factores de riesgo:

Desde el entorno: los *factores ambientales*, como la contaminación del aire y el agua o la contaminación sonora típica de las grandes ciudades, perjudican la salud, ya que causan problemas respiratorios, de piel, auditivos, etc.

Desde el trabajo: los *factores laborales*, incluyen todos los riesgos relacionados con las actividades que se desempeñen para lograr el sustento económico. Éstos dependen del tipo de trabajo.

Desde la persona:

a) **Constitución biológica**: Los factores genéticos producen la aparición de enfermedades hereditarias, o la predisposición a ciertas dolencias. Por ejemplo, el alto nivel de colesterol en sangre se registra a menudo en varios miembros de la misma familia. Lo mismo ocurre con ciertos tipos de anemia (reducción del número de glóbulos rojos).

Actividad

1) Indaguen qué perjuicios puede traer a la población la instalación de una industria papelera. Pueden recurrir a noticias publicadas sobre el conflicto de las papeleras uruguayas.

2) Averigüen en sus familias si existen alteraciones cuyo origen sea de constitución biológica y quiénes lo padecen. Confeccionen un árbol genealógico para visualizarlo mejor.

b) **Constitución psicológica**: las *conductas de riesgo* son factores que tienen que ver con la toma de decisiones y los comportamientos consecuentes que pueden hacer peligrar la integridad de la persona. Un ejemplo de estas conductas son las adicciones, altamente peligrosas, ya que producen deterioro físico y psicológico. Las conductas que manifiesta una persona no dependen enteramente de ella sino también del entorno familiar y social en los que se desenvuelve y de la etapa vital que transite.

¿Qué ocurre cuando nos enfermamos?

En contraposición a lo que definimos como estado de salud, se podría decir que la ruptura del estado de bienestar físico, mental o social nos expone a la enfermedad. La enfermedad es una manifestación generalmente observable en el individuo a través de una alteración orgánica y/o mental, cuyas causas o **etiología** pueden ser internas o externas (estas últimas llamadas **noxas**).

Algunas enfermedades evolucionan hasta su curación total, pero otras requieren largos tratamientos ya que se vuelven crónicas o, en otros casos, a pesar de curarse totalmente pueden dejar secuelas que requieren tratamientos de rehabilitación.

En el siguiente cuadro se resumen los diferentes tipos de enfermedades según su etiología más frecuente.

ORIGEN	Etiología (causas)	CLASIFICACIÓN	EJEMPLOS
Interno	Alteraciones genéticas, cromosómicas y hereditarias.	Enfermedades hereditarias. Enfermedades **congénitas** (las que se padecen desde el nacimiento).	Albinismo, algunas anemias, síndrome de Down.
Interno	Alteraciones del metabolismo celular o del funcionamiento normal de órganos que pueden presentar fallas degenerativas.	Enfermedades metabólicas Enfermedades degenerativas Enfermedades funcionales, inmunológicas, cardiológicas, etc.	Gota, hipercolesterolemia, diabetes. Artrosis, cáncer, infarto cardíaco o cerebral, insuficiencia renal.
Externo	NOXAS sociales: crisis económicas, guerra, atentados, exclusión social NOXAS culturales: modas, presión mediática	Enfermedades mentales y enfermedades sociales (También funcionales, nutricionales)	Stress, depresión, trastornos de personalidad, impotencia sexual. Anorexia, vigorexia, adicciones, quemaduras solares.
Externo	NOXAS físicas: fuego, calor, frío, radiación ultravioleta, presión, descargas eléctricas, ruido, agentes mecánicos. NOXAS químicas: Contaminantes ambientales del aire, agua, suelo, conservantes de alimentos, venenos.	Enfermedades profesionales (consecuencia del tipo de trabajo) Enfermedades traumáticas. Enfermedades funcionales (metabólicas o degenerativas)	Saturnismo y otras intoxicaciones por metales pesados, hipoacusia, disfonía, quemaduras, enfermedad por descompresión de los buzos, hipotermia. Fracturas, luxaciones, heridas, contusiones.
Externo	NOXAS biológicas Virus, bacterias, parásitos externos o internos unicelulares (protistas) o pluricelulares (hongos, gusanos planos etc.).	Enfermedades infecciosas e infecto contagiosas, parasitarias. Enfermedades de transmisión sexual (ETS). Enfermedades de transmisión alimentaria.	Cáncer, alergias, erupciones en la piel, asma. Hepatitis, gripe, angina, sarampión, rubéola, Chagas, lombriz solitaria (teniasis). Pediculosis. SIDA, sífilis, herpes genital, hepatitis B, papiloma humano, gonorrea. Botulismo, Síndrome urémico hemolítico, salmonelosis.

Debemos aclarar que existen múltiples factores causales, inclusive internos y externos a la vez para que se manifieste una determinada enfermedad. El cáncer es un caso claro en el que intervienen factores externos como la adicción al tabaco, pero también hay ciertos predisponentes internos para enfermar, aún en quienes nunca fumaron. Además, una enfermedad puede ser clasificada de varias formas: por ejemplo: la anorexia es una afección nutricional y metabólica, pero también puede ser tomada como enfermedad social.

Las noxas y los causales internos de enfermedad implican factores de riesgo. Es claro que no es posible intervenir desde la prevención sobre todos ellos por igual. Es más fácil tomar medidas frente a la exposición a las noxas, pero es imposible prevenir, por ejemplo, una enfermedad que ya está condicionada genéticamente.

La adolescencia en salud

La adolescencia es una etapa de exploración, de conquista de nuevos espacios. Como adolescente que sos, estás lleno de energía y tenés un gran potencial por desarrollar. Estás dando los primeros pasos de tu vida independiente, que llevarás adelante con aciertos y equivocaciones. Tu cuerpo no tiene repuesto, porque vos sos único e irrepetible. Tenés el deber de cuidarlo porque es lo que guarda en su interior la riqueza de la persona que sos.

Es importante que sepas que en esta aventura de ser más libre, te vas a encontrar con situaciones nuevas por resolver y que más de una vez las opciones que elijas pueden poner en riesgo tu bienestar. Algunos espacios, como éste de Adolescencia y salud, te permiten el acceso a la información necesaria para protegerte, pero es imprescindible que la valores y la pongas en práctica en tu vida cotidiana. Evitá las conductas de riesgo. El primer responsable por tu salud sos vos mismo.

Vocabulario

Etiología: Estudio de las causas de las enfermedades.

Noxa: Significa daño, perjuicio y, aplicado a medicina, constituye la causa de una enfermedad.

Para charlar en familia
Investiguen en qué consistió la crisis económica de diciembre de 2001 y cuáles fueron sus causas y consecuencias. Pregunten entre sus familiares, amigos, vecinos, cómo influyó este hecho en la salud física y mental de los adultos. ¿Qué enfermedades y trastornos aparecieron en la gente?

Por Maitena

Actividad:
Confeccionen en grupo un afiche donde se vea lo que representa al adolescente de hoy. Usen imágenes, palabras, graffitis, publicidades, de revistas y diarios. Luego reflexionen: ¿Cuántas cosas que volcaron en los afiches implican conductas de riesgo? Pongan en común mostrando los afiches a sus compañeros. Saquen conclusiones.

Actividad para tu portfolio

Te proponemos que reflexiones sobre la posibilidad de vivir tu adolescencia en salud, y los obstáculos y ventajas con las que contás para lograrlo. Para eso completá un cuadro como éste:

VIVIR MI ADOLESCENCIA EN SALUD	DEBILIDADES	FORTALEZAS
Desde mí mismo: mi forma de ser, hábitos, uso del tiempo libre, etc	Ej.: Paso mucho tiempo en la calle.	Ej.: Tengo buena relación con mis padres para dialogar sobre cualquier tema.
	¿Cuáles son las amenazas? (cosas negativas).	¿Cuáles son las oportunidades? (lo positivo).
Desde lo que me rodea: familia, escuela, sociedad	Ej.: Vivo en un barrio sin lugares seguros (club, sociedad de fomento) para hacer actividades recreativas.	Ej.: En mi escuela hay un equipo de orientadores que me ayuda si necesito charlar sobre algo que me preocupa.

¿Qué propósito concreto podés plantearte para mejorar tu estado de bienestar? ¿Cómo lo vas a lograr?

La salud como construcción social

Como dijimos, el concepto de salud no puede reducirse únicamente a la biología, debe ser rescatada del campo puramente médico, concebirla como una construcción social y cultural.

Los antiguos enfoques son denominados **reduccionistas** porque limitan únicamente a la esfera biológica todo lo concerniente al estudio sobre salud y enfermedad.

Ahora bien: Si pensamos en la escuela y su función fundante, podemos considerar que su función principal sigue siendo la "transmisión de cultura". Por lo tanto, no podemos dejar de asociar salud y educación, y a ésta desde un lugar formal: la escuela. La **educación para la salud** tiene una gran importancia para instruir a las personas de modo tal que puedan tomar el control y logren así la capacidad de optar por todo aquello que mejore su calidad de vida y preserve su estado de salud.

El desafío hoy es integrar este legado pedagógico en relación con la salud.

De esta manera entramos en el plano de la *promoción de salud*, lo cual supone abrir las puertas de la escuela a la comunidad. Ello implica, por otra parte, poder construir una visión compartida de la realidad, en este caso de la salud.

Hoy no podemos hablar de *una* infancia y *una* adolescencia, sino que nombramos "infancias y adolescencias", ya que hay múltiples estilos de ser niño o adolescente. Pensamos en la singularidad de cada ser que tenemos frente a nosotros. Hoy los actores del escenario educativo enfrentan problemáticas complejas: jóvenes embarazadas, alumnos que se drogan, que son violentos, que trabajan, que dejan la escuela, que la retoman, que están solos.

De esta manera también apuntamos a la salud de las instituciones, y la propuesta para lograrla es la elaboración de **proyectos** que nos convoquen a todos.

Piensen juntos en el significado de la palabra Proyecto: Es una idea que se tiene de algo que se piensa hacer y de cómo hacerlo. Pero también hay otra forma de usarla, "abrigar un proyecto". ¿Qué les parece que significa esta frase?

> "Lo que aprendemos les puede servir a otros, que también pueden aprender, y de paso yo aprendo a enseñar, y enseño aprendiendo".

Esto se logrará si los proyectos promueven la reflexión, las situaciones críticas, si respetan los saberes previos, las experiencias que atraviesan las personas, si permiten desarrollar la capacidad de expresión, la de tomar decisiones en grupo.

Si hablamos de proyectos debemos tener en claro dos conceptos que a nuestro criterio vienen muy enlazados, éstos son **comunidad** y **red**, los cuales desarrollaremos a continuación.

Pensar y actuar sobre salud dentro de la comunidad

Cuando hablamos de comunidad ("común unidad"), necesariamente se deben integrar tres miradas: la comunidad como lugar físico, como un conjunto de personas y como sistema social (Saunders y Brownlee citados por González, y otros en *Nuevos conceptos de salud en psicología comunitaria*). Estos tres aspectos inciden sobre la salud de sus integrantes.

- El entorno físico o ambiente posee características particulares: urbanización, industrias, contaminación, etc.

Vocabulario

Comunidad: grupo social caracterizado por un vínculo generalmente territorial y de convivencia con una afinidad de intereses o convicciones ideológicas.

Red: conjunto de diferentes tipos de instituciones u organizaciones de una sociedad que trabajan unidas con un objetivo común.

Reflexionen acerca de esta frase:
"El futuro no tiene un solo camino, un solo modo de ser mujer, hombre, ciudadano, profesional, obrero..." (Sivia Serra). ¿Qué significa para ustedes?

- La comunidad como conjunto de personas implica ciertos usos y costumbres que determinan la cultura que caracteriza a ese grupo humano. Por ejemplo, en la India no se matan vacas para consumo ya que son consideradas animales sagrados. Paradójicamente, en este país el hambre es una realidad que golpea duramente a los sectores sociales más bajos que conforman la mayoría de la población. Para la cultura occidental esto sería un problema de fácil solución pero para los hindúes, matar vacas no constituye una opción a considerar aunque se trate de paliar el hambre.

- La tercera mirada tiene que ver con los individuos que integran la comunidad con sus roles específicos dentro de ella, lo que conforma un sistema social con sus correspondientes subsistemas: sanitario, educativo, religioso, etc. Comprender a una comunidad como un conjunto de subsistemas implica la posibilidad de trabajar sobre los vínculos sociales entre ellos potenciando así lo que cada uno desde sus funciones específicas puede aportar. El objetivo es la preservación de la salud de todos.

Se define entonces **salud comunitaria** como el trabajo colectivo de los miembros de una comunidad junto con sus servicios sanitarios sobre los problemas de salud. El trabajo está planteado a través de programas ejecutados con participación de la comunidad.

El concepto de salud comunitaria no implica solo una acción destinada a la comunidad, sino que la compromete en un doble rol: es generadora y a la vez destinataria, y requiere el compromiso activo de cada integrante para preocuparse y ocuparse de su propia salud pero también de la de su entorno.

El trabajo en red

Pensemos en una red, ¿qué se les ocurre? Seguramente, compararla con un entretejido, una telaraña, una red de voley o de pesca, por ejemplo. Algo que permite sostener, el entramado de una tela. Con pequeñitas celdas que se comunican: cada una por separado no constituiría todo este entretejido. Esta es la metáfora de Red que utilizaremos.

Si trasladamos esta definición a la comunidad, significa pensar el mundo, el universo, como este entramado que constituye la red, donde todos de alguna manera interactuamos. Es pensar la realidad en términos de relaciones. No somos sujetos solitarios, y aunque quisiéramos serlo, formamos parte de este entretejido en el que las instituciones no se quedan afuera e interactúan todo el tiempo con el medio. Cuando los alumnos llegan a la escuela no dejan su bagaje de experiencias afuera, sino que a partir de esta carga, la escuela empieza a relacionarse con el medio: de ella dependerá cómo capitalizan todas estas experiencias y necesidades para la creación de un proyecto que los convoque, en el que se escuchen las voces de todos y que apunte a responder las necesidades de quienes forman parte de la comunidad.

Desde este lugar la escuela debe compartir ciertas decisiones y reconocer ámbitos específicos de accionar: el del docente, el de los padres, el de los alumnos, el del resto del personal, etc.

También pensar la participación diferenciando la **autogestión** de la **cogestión**. Esta última entendida como la posibilidad de hacer con otros, de compartir derechos y responsabilidades. Es una búsqueda vital entre los integrantes de la red social.

Elina Dabas propone el término **autoría**, y lo contrapone al principio de autoridad, ya que la autoría permite crear algo nuevo, diferente, para tomar decisiones y para asumir responsablemente lo que se elige.

Las redes sociales

¿Qué es una *red social*? Es un sistema abierto de intercambio entre los integrantes de un grupo: familia, equipo de trabajo, barrio, organización, escuela, hospital, centro comunitario, parroquia, una ONG, etc., con diferentes integrantes de otros colectivos, de otros grupos, que permitan potenciar los recursos que cada uno tiene en función de construir alternativas para la resolución de problemas o la satisfacción de necesidades. Una posibilidad es generar convenios entre ellos para implementar proyectos educativos solidarios y llevar a cabo voluntariados con participación de los alumnos, por ejemplo. En la red cada miembro se enriquece, mejora y optimiza los aprendizajes, porque estos se comparten socialmente. El trabajo en redes permite ejercitar y consolidar otros valores útiles para la convivencia en una sociedad sana y bien estructurada.

La escuela debe enseñar desde un lugar que posibilite el aprendizaje de maneras de buscar la información, el saber interrogar, cuestionar, preguntarse y preguntar a otros, es la posibilidad de brindar un servicio mientras se

> **Vocabulario:**
>
> *Cogestión*: Participación de dos o más personas en la administración de una empresa.
>
> *Autogestión*: sistema de organización de una empresa en la que quienes la integran participan de su gestión.

Proyectos para todos

49

aprende. Este accionar implica una labor de cogestión en la que la escuela no sea la única que planifique, sino que integre al conjunto de la comunidad educativa. Por otro lado, el trabajo mancomunado entre educadores y comunicadores sociales permite que la información circule fluidamente y colabora así a anticiparse, a evitar situaciones de riesgo y a preservar el bienestar de una vida saludable. Revistas, televisión, radio, pueden desarrollar su potencial como herramienta educativa que asegure la llegada de la información a una innumerable cantidad de público. Existen, además, formas alternativas de comunicar: ferias de ciencias, teatro, recitales, y otros eventos que se pueden instrumentar desde la escuela.

El Dr Mario Rovere en su obra *Hacia la construcción de redes* en salud, propone niveles de acción para la conformación de redes sólidas y funcionales, mediante una secuencia que implica el compromiso creciente por parte de sus miembros.

El siguiente cuadro permite visualizar esos niveles de acción y los valores puestos en juego:

Nivel de compromiso (de mayor a menor)	Acciones	Valor
5 ASOCIARSE	Lograr acuerdos, compartir objetivos y proyectos.	CONFIANZA
4 COOPERAR	Co-operar: operar juntos, compartir actividades y/o recursos. Reconocer problemáticas comunes. Trabajo sistemático.	SOLIDARIDAD
3 COLABORAR	Co-laborar: trabajar juntos, prestar ayuda esporádica, espontánea, no organizada.	RECIPROCIDAD
2 CONOCER	Conocimiento de lo que el otro es o hace.	INTERÉS
1 RECONOCER	Darse cuenta de que el otro existe.	ACEPTACIÓN

Lecturas compartidas

Según los médicos argentinos De Luca y Arrosti, los multiplicadores, retransmisores o mediadores de la tarea educativa sanitaria son todos: la familia, el equipo de salud, los docentes, los empresarios y trabajadores, los miembros de las organizaciones sociales intermedias, etc. Entre ellos debe circular la comunicación en forma horizontal, ya que no hay arriba ni abajo, o superior e inferior. No existen jerarquías dentro de una red social: todos sus integrantes son piezas clave para garantizar su óptimo funcionamiento y la concreción de las metas que se planearon en conjunto.

¿Sabías que...

... existe una Ley de Protección Integral de los Derechos de las Niñas, Niños y Adolescentes? Se trata de la ley 26.061.

Esta Ley fue sancionada el 28 de septiembre del año 2005 y promulgada de hecho el 21 de octubre del mismo año. Hay dos artículos que es muy importante que conozcas y que se relacionan tanto con la salud como con la educación.

Artículo 14-Derecho a la Salud. Los organismos del Estado deben garantizar:

a) El acceso a servicios de salud, respetando las pautas familiares y culturales reconocidas por la familia y la comunidad a la que pertenecen siempre que no constituyan peligro para su vida e integridad.

b) Programas de asistencia integral, rehabilitación e integración.

c) Programas de atención, orientación, y asistencia dirigidos a su familia.

d) Campañas permanentes de difusión y promoción de sus derechos dirigidas a la comunidad a través de los medios de comunicación social.

Toda Institución de salud deberá atender prioritariamente a las niñas, niños y adolescentes y mujeres embarazadas.

Las niñas, niños y adolescentes tienen derecho a la atención integral de su salud, a recibir la asistencia médica necesaria y a acceder en igualdad de oportunidades a los servicios y acciones de prevención, promoción, información, protección, diagnóstico precoz, tratamiento oportuno y recuperación de la salud.

Artículo 15- Derecho a la Educación. Las niñas, niños, adolescentes tienen derecho a la educación pública y gratuita, atendiendo a su desarrollo integral, su preparación para el ejercicio de la ciudadanía, su formación para la convivencia democrática y el trabajo, respetando su identidad cultural y lengua de origen, su libertad de creación y el desarrollo máximo de sus competencias individuales, fortaleciendo los valores de solidaridad, respeto por los derechos humanos, tolerancia, identidad cultural y conservación del ambiente.

Tienen derecho al acceso y permanencia en un establecimiento educativo cercano a su residencia. En el caso de carecer de documentación que acredite su identidad, se los deberá inscribir provisoriamente, debiendo los Organismos del Estado arbitrar los medios destinados a la entrega urgente de este documento.

Por ninguna causa se podrá restringir el acceso a la educación debiendo entregar la certificación o diploma correspondiente.

Los niños, niñas y adolescentes con capacidades especiales tienen todos los derechos y garantías consagrados y reconocidos por esta ley, además de los inherentes a su condición específica.

Los Organismos del Estado, la familia y la sociedad deben asegurarles el pleno desarrollo de su personalidad hasta el máximo de sus potencialidades, así como el goce de una vida plena y digna.

Es tarea de todos que estos derechos no sean palabras vacías. Es importante conocerlos para poder reclamar por ellos.

Movilizar al adolescente para un proyecto escolar ¿Una misión imposible?

Una anécdota verídica:

Un alumno llega tranquilamente media hora tarde a una mesa de examen en la que no sólo se jugaba la materia sino el repetir de año. Pide disculpas: "Profe, perdone, me entretuve viendo Pinky y Cerebro en la tele".

La profesora asiente resignada, y le toma la evaluación. Luego de corregirla, le pregunta: "¿Sos consciente de que la nota que te voy a poner te va a hacer perder el año?" Esta vez es el alumno el que asiente resignado (¿o quizás indiferente?). La docente insiste luego de entregarle la nota: "¿Y ahora qué vas a hacer?"

"Nada" responde él. "Me voy a mi casa".

Ella se da cuenta de que ambos interpretaron la misma pregunta de forma diferente: para la profesora, el "¿Ahora qué vas a hacer?" pretendía hacerle medir la magnitud de lo que había perdido sin luchar, sin esforzarse, sin inmutarse: un año completo de estudio que de repente vuelve a fojas cero. Madrugones, esfuerzo de los padres, compañeros perdidos...

Para él, la pregunta significaba algo que no podía proyectar más allá de los siguientes 5 minutos: los que necesitaba para irse a su casa y seguir viendo la tele.

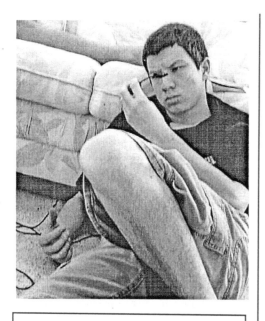

> **Vocabulario**
>
> *Altruista*: es aquella persona que se ocupa del bienestar ajeno y decide dedicar a esto algún esfuerzo.
>
> *Idealista*: es aquel que tiene ideas y pretende que la realidad se ajuste a lo que él piensa que debe ser.

Algunos adolescentes de hoy no quieren comprometerse. Les cuesta aceptar todo lo que implique esfuerzo sostenido, y voluntad de su parte y que no ofrezca resultados inmediatos. No es de extrañar este comportamiento, dada la cultura en la que están inmersos, que promueve el individualismo, el **narcisismo**, la superficialidad y el aislamiento extremos, la búsqueda de momentos instantáneos de placer egoísta. En este marco es sumamente complicado encontrar cosas que los motiven, que empujen la acción, más aún si se pretende que esa acción contemple a los demás, a su entorno social, y que los resultados se obtengan a largo plazo.

Sin embargo, el adolescente es en esencia **idealista y altruista**. Tiene un gran potencial de energía debido a su juventud y, además, mucho tiempo disponible. El desafío en principio es para los adultos, y consiste en encontrar el modo de "conquistarlo" para integrarlo a una acción voluntaria a través, por ejemplo, de un proyecto solidario. Para el educador esto implica repensar la relación docente-adolescente, indagar en las inquietudes, intereses y necesidades que los movilizan, escuchar sus propuestas, y hacerlos sentir protagonistas y valiosos a partir del rol que se les encomiende. Cuando un adolescente se compromete, lo hace con entusiasmo, creatividad e incondicionalmente. Vale la pena convocarlos para descubrir la calidad humana que pueden demostrar más allá de sus capacidades intelectuales, que parecen ser las únicas que se valoran como prioritarias en muchas instituciones educativas.

La palabra **solidaridad** tiene su raíz latina en el verbo *solere,* que significa "ser estable o íntegro". Es indudable que este valor es un pilar importante para fortalecer lazos sociales. Según el psicoanalista Silvio Crosera, el verdadero sentido de la solidaridad es relacionarse para recibir y dar. Surge de lo afectivo, responde ante todo a una necesidad, a una expectativa de relaciones significativas en las que se ejercita la capacidad de ponerse en el lugar del otro. La solidaridad es un vínculo y por eso crea una obligación que culmina con la plenitud de la realización de uno mismo y de los demás. Genera un sentimiento duradero, enriquecedor y gratificante en contraposición al placer inmediato, breve, vacío y egoísta del que ya hablamos antes.

Proyectos de intervención comunitaria: aprendizaje-servicio solidario:

¿Qué se entiende por proyecto de aprendizaje-servicio?

El aprendizaje servicio es una propuesta metodológica a través de la cual los jóvenes desarrollan sus conocimientos y competencias con una práctica de servicio a la comunidad (Nieves Tapia, 2000).

Se trata de conservar la misión pedagógica que tiene la escuela, mejorando la calidad de los aprendizajes y con la intención solidaria de

Les proponemos:

Rastreo en la WEB: Movimientos de voluntariado:

Indaguen en las páginas del Centro Latinoamericano de Aprendizaje y Servicio Solidario, www.clayss.org, y en la de la Cruz Roja Argentina www.cruzroja.org.ar.

Averigüen cómo pueden participar jóvenes como ustedes en sus actividades voluntarias. Rastreen otras entidades y ONG que organicen acciones para voluntarios. ¿Les gustaría visitar alguna de ellas e intentar esta nueva experiencia?

Ventana sobre la Memoria (I)
(Eduardo Galeano)

"A orillas de otro mar, otro alfarero se retira en sus años tardíos.

Se le nublan los ojos, las manos le tiemblan, ha llegado la hora del adiós. Entonces ocurre la ceremonia de la iniciación: el alfarero viejo ofrece al alfarero joven su pieza mejor. Así manda la tradición, entre los indios del noroeste de América: el artista que se va entrega su obra maestra al artista que se inicia.

Y el alfarero joven no guarda esa vasija perfecta para contemplarla y admirarla, sino que la estrella contra el suelo, la rompe en mil pedacitos, recoge los pedacitos y los incorpora a su arcilla."

ofrecer una respuesta participativa a una necesidad social. Para poder detectarla será necesario realizar un diagnóstico comunitario, que permitirá entender mejor la realidad sobre la que se va a operar. Es la etapa de diagnóstico, en la cual es importante evaluar las necesidades de los alumnos y las de la comunidad. En el proyecto tratará de darse respuesta a ambas problemáticas. Se intentará formar una red en la que todos se vean beneficiados y no pierdan su función específica.

Pueden desarrollarse cuatro tipos de experiencias educativas bien delimitadas:

a) Trabajos de campo: son aquellas actividades de investigación que toman a la realidad como objeto de estudio pero sobre la cual no se puede intervenir. Se trata de una buena actividad de aprendizaje pero no de servicio.

b) Iniciativas solidarias asistemáticas: se definen porque tienen intención solidaria pero no se realiza integración con el aprendizaje formal, por eso se las llama asistemáticas. Por ejemplo: cuando se colectan alimentos y ropa para las víctimas de una inundación. Decimos que son actividades de tipo **asistencialista**: asisten ante una necesidad concreta.

Este tipo de actividades es un buen punto de partida para el desarrollo de un proyecto de aprendizaje servicio.

c) Servicio comunitario institucional: En este caso hay una decisión institucional de llevar adelante este tipo de experiencias. Hay mayor peso en cuanto al servicio pero, si bien se desarrollan aprendizajes en valores, no se articula con los programas de estudio. Algunos ejemplos son los voluntariados juveniles, los grupos misioneros. Esta experiencia sí se puede sostener mucho mejor en el tiempo que las anteriores.

d) Aprendizaje servicio: son experiencias que ofrecen al mismo tiempo una alta calidad de servicio y una real integración con los contenidos de los programas.

Una experiencia solidaria se convierte en aprendizaje servicio cuando logra que forme parte del proyecto de la institución, que participe toda la comunidad educativa y cuando está al servicio de una demanda sentida por la comunidad y que a la vez puedan atender los estudiantes de forma eficaz y valorada. El siguiente esquema permite visualizar estos cuatro aspectos diferentes de experiencias educativas (Tomado de CLAYSS: Centro Latinoamericano de Aprendizaje y Servicio Solidario).

Actividad

¿Conocés alguna experiencia que pueda encuadrarse en alguno de los cuatro tipos que se nombraron? En grupos den un ejemplo de cada una de estas cuatro experiencias: trabajo de campo, actividades solidarias asistemáticas, servicio comunitario institucional, proyectos de aprendizaje servicio.

Esto les permitirá luego poder pensar en un proyecto que realmente sea efectivo para su comunidad y en el que ustedes se sientan realmente cómodos.

Experiencias colectivas de pintura mural contribuyen en Estados Unidos a la reinserción de jóvenes hispanos sin trabajo.

El Programa de Educación solidaria define al aprendizaje servicio como:

* Un servicio solidario protagonizado por los estudiantes,
* destinado a atender necesidades reales y efectivamente sentidas de una comunidad,
* planificado institucionalmente en forma integrada con el currículum, en función del aprendizaje de los estudiantes.

Dos experiencias de aprendizaje servicio coordinadas por las autoras:

"Un encuentro con-sentido" El carrito biblioteca.

La experiencia ganó el Premio Presidencial Escuelas Solidarias 2003. Es llevada adelante por alumnos de segundo y tercer año de polimodal que recorren las calles de su barrio visitando diferentes instituciones: hogares de ancianos, escuelas especiales, jardines de infantes, en los cuales genera espacios de lectura.

¿Cómo lo hacen? Los adolescentes se presentan en alguna de esas instituciones con un carro biblioteca, lo dan a conocer y leen cuentos e historias a quienes los reciben.

¿Por qué espacios de lectura? A partir del diagnóstico se detectó que la preocupación de los vecinos y de la gente de la comunidad era la falta de bibliotecas cercanas. Por otro lado, los alumnos tenían problemas en diferentes materias por su escaso hábito de lectura. Se aunaron así dos necesidades: la de la escuela y la de la comunidad. Así nació la biblioteca ambulante.

Los estudiantes de José C. Paz recorren el barrio con un carrito biblioteca

¿Cómo se articuló con contenidos curriculares?

Los alumnos realizaron pasantías en biblioteca y allí aprendieron todo lo relacionado con la promoción de la lectura, la clasificación de los libros, la restauración de los libros donados, etc. Por otro lado, en un espacio curricular llamado Rol docente, aprendieron a planificar cada salida que realizaban, conocieron las características evolutivas de las personas que iban a visitar. Todo ello contribuyó a ofrecer un servicio de calidad. En el espacio curricular Proyecto y metodología de la investigación desarrollaron todo el proyecto y analizaron la realidad sobre la que iban a operar.

Un ejemplo de proyecto de aprendizaje-servicio en salud:
"Creación de un registro de donantes voluntarios de sangre para la comunidad escolar"

Este proyecto concursó para el Premio Presidencial Escuelas Solidarias 2005, y se realiza ininterrumpidamente desde hace varios años en dos colegios privados del mismo barrio. Consiste en la confección de un registro permanente de donantes voluntarios de sangre dentro de cada comunidad educativa, para resolver los pedidos de dadores que surjan en cada una de ellas. El proyecto se generó a partir de la necesidad urgente de contar con dadores de sangre para una delicada intervención quirúrgica a la que se debía someter la madre de una alumna. Se trasladó la inquietud a los alumnos, quienes instrumentaron formas de implementarlo.

A través de diferentes actividades los alumnos de 9º EGB llevan a la práctica los contenidos aprendidos en el área de Ciencias Naturales sobre inmunidad, composición de la sangre, anticuerpos, transfusiones y rechazos. Ellos difunden información extraída de páginas web y bancos de sangre, concientizan a los adultos sobre la necesidad de ser donantes, sus beneficios y limitaciones, y entrevistan a quienes se suscriben al listado de voluntarios completando formularios diseñados por ellos en Word durante sus clases de Computación.

Esta tarea se realiza principalmente a través de stands montados en cada evento del colegio. Participa también una bioquímica (cuyos hijos son alumnos de la escuela), quien determina grupo y factor sanguíneo y entrega a cada interesado su credencial con esta información, la cual fue confeccionada por los mismos alumnos. Se observan preparados de sangre al microscopio, y se exhiben cánulas, bolsas y agujas de extracción así como los formularios oficiales para donantes. También se realiza un rastreo de información personalizado sobre inquietudes concretas cuyas respuestas se envían vía e-mail a cada interesado. En estos eventos se integran también los alumnos de 1º de polimodal desde el espacio curricular Adolescencia y salud.

Después de llegar a tener más de cien inscriptos, los alumnos de 3º polimodal iniciaron la elaboración de una base de datos en la que establecieron los parámetros que era necesario recabar para cada donante, seleccionaron e interrelacionaron la información y con ella construyeron las tablas que constituyeron la base de datos. Para eso se sumó su docente de Tecnología de la información y la comunicación (TIC) quien los instruyó en el manejo de *Access* como parte del contenido curricular de la materia. Paralelamente, un alumno que estudiaba programación diseñó especialmente un software para registrar a los donantes.

A partir de este proyecto se pudo dar curso a muchos pedidos de sangre para atender intervenciones quirúrgicas y enfermedades. Las familias que recibieron donaciones dan su testimonio por escrito para los alumnos quienes de esta forma toman conciencia de la importancia de su trabajo. Por otra parte, hay ex alumnos que ya son donantes, lo que significa que incorporaron a su vida ese gesto solidario aun habiendo terminado la escuela. Se establecieron contactos en el área municipal con la Dirección de Entidades de Bien Público, con bancos de sangre para requerir asesoramiento, y se intenta formar una red de dadores que integre varias instituciones educativas.

Proyecto de creación de un registro de dadores de sangre.

El proceso para realizar un proyecto de aprendizaje-servicio

Sólo hay que animarse…

Como todo proceso, recorre un itinerario con **varias etapas**:

a) Diagnóstico y planificación: aquí se evalúa la **motivación** que permite llevar a pensar en el desarrollo de proyectos de aprendizaje-servicio, la conceptualización y el diagnóstico participativo.

El desarrollo del proyecto debe partir de las siguientes preguntas, cuyas respuestas deberán ser debatidas y consensuadas en clase:

QUÉ se quiere hacer - Definición del proyecto (solución elegida).

POR QUÉ se quiere hacer- Problema original y fundamentación.

PARA QUÉ se quiere hacer- Objetivos y propósitos.

CUÁNTO se quiere hacer- Metas.

DÓNDE se quiere hacer- Lugar.

CÓMO se va a hacer- actividades y tareas.

CUÁNDO se va a hacer- Tiempo y fechas.

A QUIÉNES va dirigido- Destinatarios.

QUIÉNES lo van a hacer- Equipo responsable.

CON QUÉ se va a hacer- Recursos materiales y financieros.

CON QUIÉNES se va a hacer - Análisis de alianzas posibles con otras organizaciones.

CUÁNTO va a salir- Determinación de costos y presupuesto.

Actividad

Comencemos con el diagnóstico.

Para el diagnóstico se pueden utilizar diferentes instrumentos.

Por un lado se puede realizar una encuesta dirigida a padres, vecinos del barrio, docentes, organizaciones de la comunidad u otras instituciones, en la que se incluyan preguntas que permitan detectar cuál es la problemática más relevante de la comunidad. Por otro lado, después de discutirlo en el aula, armen su propia lista.

Les proponemos que armen una entre todos, la administren y tabulen.

Luego, divididos en grupos, armen una lista ordenada de mayor a menor según el grado de gravedad o de necesidad de respuesta que a su criterio tenga cada una.

De todas las situaciones planteadas, elijan aquella con la que les resulte más interesante trabajar, dramatícenla, y piensen entre todos qué solución le darían, si coincide con la problemática vista por el resto de la comunidad y las organizaciones y cómo se podría desarrollar un proyecto que aúne la posibilidad de solución. Es importante que comuniquen al resto de la escuela los resultados obtenidos acerca de la problemática más destacada.

Respetados estos pasos están en condiciones de definir la planificación del proyecto

Es muy importante que éste:

- Sea el resultado de la elaboración conjunta del grupo y los miembros de la comunidad.
- Sea coherente en sus propuestas.
- Sea viable de concretar.
- Sea flexible frente a los imprevistos de la realidad.
- Sea dividido en etapas para facilitar su ejecución.

Actividad de portfolio

En forma individual escriban ¿Qué expectativas tienen con respecto al proyecto?

¿Qué objetivos personales se proponen?

Piensen en sus características personales, las necesidades del proyecto y las tareas que podrían realizar en él. Recuerden que todos tienen la posibilidad de participar y que cada uno debe aprovechar sus fortalezas y realizar las actividades con las que se sienta cómodo, con un compromiso que ayude a llevarlo adelante.

b) Ejecución: esta es la etapa en la que se implementa el proyecto.

Deben armar una grilla de actividades con fechas y pasos a seguir.

Traten de articular con ayuda del docente cada contenido nuevo al proyecto.

También la actividad sugerida en cada capítulo puede ser adaptada al tema que ustedes abordarán.

Durante toda la etapa de ejecución es conveniente elaborar una grilla de evaluación para quienes reciben el servicio que ustedes brindan.

Actividad

Elaboren entre todos un instrumento que deberá ser entregado a las personas que reciban el servicio. Incluyan preguntas, o lo que a ustedes se les ocurra que les permita luego reflexionar acerca de su calidad.

Y también una para ustedes para visualizar qué aprendieron, qué sintieron, para qué les sirvió y qué modificarían. Guárdenla en su portfolio.

c) Evaluación y sistematización final: es importante la evaluación para poder visualizar el grado de compromiso que hubo por parte de todos los involucrados, el impacto que produjo en la comunidad, la calidad del servicio realizado. Hablamos de una evaluación final, más allá de que durante todo el proceso se vayan realizando evaluaciones parciales para hacer los ajustes pertinentes.

La sistematización permite reconstruir lo sucedido. Pueden utilizar registros como carpetas, informes, aquí es sumamente importante el registro que cada uno haga para su portfolio, aparte de los registros grupales, las fotografías, filmaciones y testimonios de quienes reciben el servicio.

En esta etapa se incluyen también la continuidad y multiplicación del proyecto. Es una buena manera de compartir el conocimiento y de socializar las prácticas. En general en los diarios uno suele encontrar noticias en las que los adolescentes son protagonistas de hechos trágicos, ya sea como víctimas o victimarios. Por eso es importante que la gente conozca este tipo de iniciativas y la única manera es a través de la difusión que ustedes puedan realizar durante todo el proceso, y no solamente al final de la experiencia.

Realicen una evaluación individual y compárenla con la que hicieron al principio, con sus expectativas y objetivos; y luego, una puesta en común con los resultados. Esta evaluación permite, además, darle continuidad al proyecto, ya que la participación de las personas no es "eterna".

Como reflexión final, vale la pena repetir las palabras del doctor Ramón Carrillo, primer Ministro de Salud de la Nación, quien hace 50 años decía:

"Frente a las enfermedades que genera la miseria, frente a la tristeza, la angustia y el infortunio social de los pueblos, los microbios como causas de enfermedades son unas pobres causas..."

Y agrega el Dr Francisco Maglio, quien trabajó en el Hospital Muñiz de enfermedades infecciosas de Buenos Aires desde la epidemia de polio de 1955:

"¿Descubriremos una cura que se llama esperanza y una vacuna que se llama solidaridad?"

Actividad 1:
Planifiquen entre todos la manera en que difundirán los resultados de su proyecto, las fotos, gacetillas, etc.
Por último no se debe olvidar la etapa de celebración, fiesta y reconocimiento hacia quienes participaron y colaboraron.
¡Y ahora sí a armar la fiesta!

Actividad 2:
Festejen sus logros y agradezcan a quienes formaron parte de él.
Organicen con creatividad la manera en que les gustaría compartir este momento, para ello deberán diseñar invitaciones, realizar presupuestos y organizar y planificar cada paso prolijamente.
Pidan ayuda a los docentes de otras áreas que les permitan aplicar conocimientos más específicos. Por ejemplo, al profesor de tecnología para el armado de invitaciones, o al de lengua para la redacción de los testimonios, etc.

Capítulo 3

Salud mental

En el capítulo anterior hemos definido el concepto de salud. Nos toca ahora profundizar un concepto no tan sencillo de precisar: el de salud mental.

"El hecho de captar bien la realidad y de estar adaptados al ambiente no es prueba suficiente de una buena salud mental. Para que esta exista, será necesario un equilibrio que conduzca a la satisfactoria resolución de los conflictos internos" (*Consultor de Psicología infantil y juvenil*).

Pensemos ahora con mayor detenimiento en esta definición ¿Qué significa captar bien la **realidad**? ¿Qué es estar **adaptados**?

Si bien no hay "una sola realidad", sino que ella está, de alguna manera, construida por cada uno de nosotros, en principio, captar bien la realidad es poder dar cuenta de ella, es decir, de aquello que nos está sucediendo; de entenderla y de no tergiversar los hechos que la conforman. Cuando esto no sucede diremos que no se ha captado bien la realidad; aunque no de manera intencional. El sujeto no es consciente de ello, sino que cree que las cosas son de la manera en que el las ve, está convencido, no hay en ello conductas mentirosas o hipócritas.

Ahora bien: la adaptación es la respuesta más equilibrada que da el ser humano frente a la realidad que se le presenta.

Pero la definición nos dice que esto no es suficiente ¿Y por qué? Por ejemplo: piensen en alguien que enfrenta diferentes situaciones con las que no está de acuerdo usando mecanismos como la violencia. O en quien frente a un conflicto actúa como que "aquí no ha pasado nada". Esto en psicología se llama **negación del conflicto**, la persona lo niega y cree que tal conflicto no existe, por eso decimos que es inconsciente.

61

Propuesta para debatir:

Film: *Un día de furia.*

Director: Joel Schumacher (1993).

Piensen en cómo aparece allí representada la resolución de los conflictos. ¿El protagonista puede adaptarse? ¿Cuál sería el conflicto externo y cuál el interno? ¿Por qué el resto de las personas no reaccionaron como el protagonista frente al mismo hecho?

No se trata pues de negar los conflictos sino de poder resolverlos de manera equilibrada, sin violencia ni daño para uno ni para quienes nos rodean.

Pero también se menciona la palabra conflicto y se hace referencia al conflicto interno. El conflicto externo sería el hecho en sí, por ejemplo: un accidente, una muerte, la elección de pareja, de una carrera, determinadas situaciones de injusticia, etc. El interno es el que nos afecta y modifica a nosotros en relación con el hecho concreto y por el cual no todos reaccionamos de la misma manera. ¡Por suerte!

Determinados acontecimientos, palabras, gestos, actitudes, nos movilizan por cuestiones personales y nos llevan a tratar de resolverlos de una u otra manera.

¿De qué hablamos cuando pensamos en jóvenes en situación de riesgo?

Podemos pensar la conducta de riesgo desde dos lugares bien diferenciados: el de aquellos que ya están involucrados en ellos, ya sea porque están vinculados a la droga, por ejemplo, o porque tienen graves problemas de alimentación. Son situaciones en las que el riesgo dependerá de la intensidad de la conducta a seguir, que puede llevarlos a una sobredosis o a una intoxicación, etc. Aquí se debe trabajar sobre la disminución del riesgo.

El otro lugar sería el que ocupa el grupo de aquellos adolescentes que no están involucrados aún, pero que por características propias de la edad (recordemos duelos patológicos, capítulo 1) podrían iniciarse en alguna conducta riesgosa. Es decir, cuando la existencia de múltiples factores (psicológicos, culturales, biológicos, sociales, ambientales, educativos, etc.) llevarían a un joven a una situación de riesgo y a elecciones que atentan contra su vida o su integridad.

"Cuando se habla de riesgo, hablamos de factores vinculados a la estructuración o conformación de cierto tipo de conductas o comportamientos humanos que se manifiestan de forma voluntaria, con resultados que tienen alta probabilidad de provocar consecuencias negativas en lo referido a cuestiones de salud, tanto en su perspectiva personal-subjetiva como social-comunitaria" (*Adolescentes en riesgo*, María Martina Casullo).

Se pueden considerar como comportamientos riesgosos, aquellos asociados a:

- Uso de tabaco.
- Problemas de la alimentación.
- Consumo de alcohol.
- Consumo de drogas.
- Actitudes e ideaciones suicidas.
- Accidentes no intencionales.
- Delincuencia.
- Violencia.
- Embarazo adolescente.
- Enfermedades de transmisión sexual.
- Abandono del hogar paterno.
- Fracasos en los aprendizajes escolares.
- Episodios depresivos.
- Conductas antisociales.

Podemos pensar el riesgo desde diferentes enfoques: un **enfoque biológico** que pone el acento en efectos hormonales en esta etapa del desarrollo y en las predisposiciones genéticas; por ejemplo, en el caso del alcoholismo, podría sostenerse la hipótesis de cuestiones **neurogenéticas** de transmisión familiar.

Luego se plantea un **enfoque psicológico** a través del cual se hace hincapié en los estilos de personalidad y sus consecuencias directas: autoestima, depresión, dificultades para aprender por causas emocionales y sentimientos de tristeza, de soledad o aislamiento.

Los **modelos socioculturales** también cobran un valor muy importante. Variables tales como la familia, el grupo de pares, el papel de los medios de comunicación, las normas, los valores y las creencias del contexto sociocultural en el que se habita.

En este sentido, es menor la posibilidad de riesgo cuanto mayor apoyo afectivo se tenga de la familia. Como así también según el manejo que se haga de los conflictos. No tendrá mayor predisposición al riesgo quien tenga mayores conflictos sino por el contrario quien logre comprender que éstos constituyen parte de la vida. Lo importante es considerarlos, hablar de ellos y tratar de buscar una vía de posible solución.

Muchas veces las familias aparentemente "perfectas" son ámbitos en los que hay mayor posibilidad de riesgo; y aquellas en la que parecería que el riesgo fuera una constante, se cuenta con una fortaleza tal que permita sobreponerse de una situación difícil. Esto nos remite al concepto de **resiliencia**.

Vocabulario

Teorías cognitivas: Teorías del conocimiento que consideran que en todo aprendizaje intervienen ciertos mecanismos internos del individuo. El aprendizaje es un proceso de comprensión de las relaciones entre las condiciones externas y los esquemas internos del individuo.

Dentro de estas teorías encontramos autores como Jean Piaget, Jerome Bruner, David Ausubel y Lev Vigotsky.

Pensamiento Formal: Período comprendido desde los 12/15 años y la vida adulta.

Forma parte del desarrollo cognitivo postulado por Jean Piaget.

Este autor divide este desarrollo en diferentes estadios:

- Estadio Sensoriomotor (0-2 años)
- Estadio Operacional Concreto: 2-12 años, dividido en subperíodo preoperatorio (2-7 años) y subperíodo de las operaciones concretas (7-12 años)
- Estadio Operacional Formal: caracterizado por un tipo de pensamiento adulto en el que el adolescente ya no razona sólo sobre los hechos u objetos que tiene delante de sí, sino también sobre lo posible.

Es un tipo de pensamiento que le permite anticipar situaciones, consecuencias, efectos.

Puede pensar en abstracto, es decir, sin el objeto delante.

Su razonamiento adquiere un carácter hipotético deductivo, es decir que somete las situaciones a comprobación experimental y saca conclusiones que le servirán para verificar o refutar sus hipótesis.

Jaime Valero

¿Qué significa este concepto?

La resiliencia puede constituirse en un factor protector en una época de riesgo.

¿De dónde surge? En física, resiliencia es la característica mecánica que define la resistencia de un material a los choques. La fragilidad es tanto menor cuanto mayor sea la resistencia.

Este término es utilizado en psicología y nos permite explicar por qué determinados niños y jóvenes pueden sobrellevar determinadas situaciones conflictivas y otros no. Estamos haciendo referencia a ciertas condiciones personales que son capaces de neutralizar o de ofrecer una resistencia mayor a los efectos de la exposición al riesgo. Es lo que cada persona puede hacer para modificar su propio destino.

Desde el ámbito escolar, la elaboración de proyectos de intervención comunitaria en los que los jóvenes se sienten protagonistas constituye un buen canal para fortalecer la resiliencia. El Ministerio de Educación, Ciencia y Tecnología desarrolla en la Unidad de Programas Especiales, el Programa Nacional de Educación solidaria. Dicho programa impulsa la realización en las escuelas de proyectos de aprendizaje de servicio solidario en los que se intenta fortalecer este factor resiliente en niños y jóvenes.

Luego tenemos las **teorías de orientación cognitiva**. Éstas apuntan a la posibilidad de parte del sujeto de anticipar consecuencias, analizando las situaciones y las elecciones futuras.

Esto tiene que ver con lo planteado por Jean Piaget [1] acerca de los niveles de pensamiento que se desarrollan en el niño y que en la adolescencia llegan a su grado máximo, coincidiendo con el pensamiento adulto, en términos de inteligencia. Este tipo de pensamiento, denominado **pensamiento formal**, permite pensar en abstracto, idear, y anticipar actos y consecuencias.

[1] El mérito esencial de Piaget fue el de haber renovado completamente la concepción del pensamiento del niño.

Enfermedades mentales y conductas de riesgo: ¿Es o se hace?

Cuando hablamos de enfermedades mentales encontramos dos grandes grupos: **Neurosis** y **Psicosis**.

Entendemos por **neurosis** al conjunto de síntomas psíquicos y emocionales producidos por un conflicto psicológico que se han hecho crónicos, aunque se conserve la capacidad para razonar coherentemente. Es aquella forma en la que el individuo se relaciona con el mundo externo, pero sobre todo lo que no funciona en su mundo interno. Entre sus deseos y lo que a veces **reprime** de estos deseos, surge un **síntoma**. Este síntoma será la expresión de aquel conflicto entre el mundo externo y el interno. En la mayoría de los casos la persona sufre y debe recibir tratamiento psicopterapéutico.

La **psicosis**, por su parte, es un trastorno psicológico caracterizado por una pérdida de contacto con la realidad.

El neurótico establece un tipo de relación con la realidad en la que su enfermedad podría pasar más desapercibida. El psicótico no tiene contacto con la realidad, puede creerse otra persona, desde Napoleón a Jesús; presenta lo que en psicología se llaman delirios.

Pocos adolescentes se convierten realmente en psicóticos, a pesar de que muchos de ellos atraviesan períodos de desequilibrio cuyo diagnóstico en numerosos casos es difícil de precisar dadas las características propias de esta etapa.

Realizaremos primero un recorrido por las patologías de la infancia.

I) Clasificación de las **Neurosis infantiles**

a) **Estados de ansiedad**:
   - Ansiedad aguda y crónica.
   - Síndrome hipocondríaco.

Ansiedad Aguda: Suelen ser producto de una crisis de pánico intenso. Los síntomas son palpitaciones y sudores, palidez, dificultades en la respiración, opresión en el pecho, dolores de cabeza, estómago y vientre.

En el adolescente están a menudo asociados a sentimientos de **despersonalización** y de miedo a la muerte inminente, se manifiestan con ataques a los compañeros, llanto, refugio en los adultos, sentimientos contradictorios.

Síntomas asociados: trastornos del sueño, pesadillas.

Ansiedad crónica: La padecen niños generalmente infelices, con miedo a todo. Sufren, en general, de insomnio, y por su estado de angustia permanente pueden presentar problemas en su aprendizaje, ya que no pueden concentrarse en sus tareas.

Las dos formas más habituales de ansiedad son: la **ansiedad de separación** y la ansiedad excesiva que, según estadísticas[2] afectan al 12% de los niños y adolescentes de 8 a 17 años.

---

[2] extraídas de la *Guía práctica de la salud y psicología del adolescente.*

El trastorno por angustia de separación es la angustia que experimenta el adolescente frente a su separación de los padres. Los síntomas son: dolores de cabeza, palpitaciones, náuseas, vértigos y desmayos. Poseen un intenso temor a quedarse solos, a que les pase algo a sus padres, al secuestro, etc.

El grado máximo del estado de ansiedad desemboca comúnmente en una crisis de angustia o en un ataque de pánico, en el que se tiene una sensación de muerte inminente. Quienes están afectados por este trastorno suelen modificar su vida restringiendo salidas y actividades por miedo.

Es una **patología** que comenzó a hacerse más conocida en estos últimos tiempos, sobre todo por el alto grado de estrés al que están sometidos los adultos.

Síndrome hipocondríaco: Toda la angustia es depositada en el cuerpo. La enfermedad es la expresión de esta angustia. Aparecen dolores como resultado de su sufrimiento mental.

Son supuestas dolencias. Algo así como "inventarse" la enfermedad, por supuesto que en forma inconsciente. No es premeditado ni se trata de un invento: la persona realmente cree estar enferma.

b) **Histeria**: "es un estado en el que se hacen presentes una serie de trastornos psíquicos unidos a una sintomatología corporal sin causa orgánica verificable". (*Consultor de psicología infantil*, Océano).

Las manifestaciones histéricas pueden tener diferentes formas:
- Crisis, explosión emocional, llanto, furia, pérdida del control.
- Trastornos sensitivos y motores, por ejemplo: anestesias, sordera histérica, ceguera histérica, parálisis, tics, crisis respiratorias, vómitos, hipos, etc.
- Alteración o pérdida de la conciencia, desmayo, sonambulismo.
- Pérdidas temporales del sentido de la realidad, por ejemplo: alucinaciones.

Los adolescentes son más propensos a la crisis histérica a causa de los conflictos propios de esta etapa, pero la afección suele tener carácter transitorio.

c) **Obsesiones**: Este tipo de patología se presenta a partir de los 6, 7 años. Antes de esta edad pueden ser considerados como actos lógicos repetitivos de aprendizaje de rutinas y hábitos de conducta.

Los niños obsesivos son perfeccionistas, ordenados y meticulosos en exceso. Han sido llamados "pequeños adultos". Poseen un excesivo autocontrol y un rasgo compulsivo: la repetición de tareas o ritos, por ejemplo asegurarse de que las cosas se mantengan siempre en la misma posición, o lavarse las manos repetidamente. Son acciones cotidianas pero que le quitan al sujeto la energía para realizar otras actividades, porque vive preso de ellas. La creatividad se bloquea debido a esa personalidad sumamente rígida y estructurada.

En el caso de los adolescentes está muy relacionada con las ideas y el razonamiento, es decir, hay una gran energía puesta en el aspecto intelectual y en su control excesivo. La síntesis podría ser: "Demasiado pensamiento".

d) **Depresión y Manía**: La depresión y la manía son dos caras de la misma moneda, suele pasarse de un estado al otro con facilidad.

En el estado depresivo aparecen tristeza, sentimientos de culpa que no tienen explicación lógica. También **inhibición**, fatiga, falta de entusiasmo y de energía, retraimiento, insomnio, jaquecas, hipertensión, anorexia.

El maníaco, en cambio, presenta una exageración de ciertas conductas: euforia, excitación psicomotriz, es decir, mucha actividad física.

En los adolescentes se debe distinguir entre la condición típica variable del humor y la depresión propiamente dicha. La depresión no está asociada al mal humor sino a la falta de actividad, una persona depresiva presenta un cansancio mayor que el normal y no tiene deseos de realizar actividad. Una persona malhumorada no es, necesariamente, una persona depresiva. También aparecen en ellos sentimientos de autodesprecio: no están conformes consigo mismos, se ven feos, no les gusta la imagen que el espejo les devuelve. Hay un freno a las actividades vitales y profunda tristeza.

e) **Fobias**: Se trata de un temor angustioso e irracional (es decir, sin razón aparente) ante un objeto o situación exterior que es vivido como amenazante por el sujeto.

Las más frecuentes pueden ser la fobia a la escuela, a los animales, a los medios de transporte.

Las causas de las fobias pueden estar relacionadas con algún hecho traumático real o con alguna situación fantaseada pero vivida como real.

En muchos casos, para un niño o un joven, la fobia a la escuela tiene que ver con un miedo al crecimiento, ya que los compañeros aparecen como un espejo de aquello que le está sucediendo a él mismo. En otros, la escuela es percibida como un "enemigo". El rechazo puede ser a la escuela en su totalidad, o abarcar al grupo de profesores o al de compañeros, y suele manifiestarse de distintas maneras: como a menudo no puede expresarlo verbalmente, lo hace mediante reacciones de tipo pasivas, en las que muestra desinterés hacia el material de estudio, falta de curiosidad por aprender, o se olvida rápidamente de todo lo que aprende. Alicia Fernández, Psicopedagoga, lo denominó "inteligencia atrapada". Es decir, la inteligencia se encuentra en buen estado pero por otras cuestiones "no puede aprender". También se los denomina *problemas de aprendizaje reactivos*; hay una situación de reacción a la situación escolar.

Dentro de las reacciones de tipo activo la más frecuente es la actitud provocadora, desafiante y despreciativa hacia los docentes, que representan la autoridad: desobediencias, peleas, discusiones, mentiras, etc.

El riesgo en estos casos es la deserción escolar, ya que el alumno quiere romper todo tipo de lazos con la institución si ésta no ha sabido contenerlo.

BULLYING o acoso moral "en la escuela me tienen de punto"

Es un fenómeno que suele darse cada vez con mayor frecuencia en las escuelas y que contribuye en gran medida a que los niños y jóvenes que lo padecen presenten una negativa a asistir a clases, tomando la forma de una fobia escolar.

Esta denominación, *Bullying*, fue dada por Dan Olweus, catedrático de Psicología en la Universidad de Bergen, Noruega, y significa torear, patotear.

Para este médico psiquiatra de niños y miembro de *Bullying Cero Argentina*, el acoso escolar está considerado hoy como un problema de salud pública, una verdadera epidemia.

Él dice: "es un factor de psicopatología grave por el alto riesgo que conlleva, pues crea vulnerabilidad en los chicos. Darle un nombre específico es identificarlo como un problema al que hay que buscarle solución".

Se trata de un hostigamiento que se produce no solo entre los niños y los jóvenes, aunque su impacto no es el mismo que el que tiene entre los adultos, que suelen poseer mayores recursos para reponerse de una situación de sufrimiento o para poner un límite frente a una situación no deseada.

> "Los casos que se conocen tienen lugar en los ámbitos en los que conviven los chicos: el jardín de infantes, la escuela primaria, secundaria o clubes. Cualquier espacio es propicio para que un líder influya sobre un grupo de manera de lograr consenso en el acoso hacia quien reúne ciertos rasgos que lo presumen indefenso."

Diario *Clarín*, 29/12/06

¿Cuáles son estos rasgos? Generalmente tienen que ver con prejuicios arraigados respecto de ciertas características físicas o de carácter: la gordura, ser un buen estudiante, tener dificultades de aprendizaje, ser tímido, usar anteojos, etc.

Es un proceso de abuso e intimidación, en el que hay mucho sufrimiento por parte de la víctima, que se encuentra en una situación de riesgo y que de esta manera puede transformarse en un riesgo para los demás.

En la revista "Viva" del Diario Clarín del 6 de agosto del año 2006, hay un reportaje a Miguel Ángel García Coto, Psiquiatra de niños, en el que se mencionan tres tipos de manifestación de *bullying*: el físico, el psíquico y el verbal. Es más común encontrar en las niñas el psíquico y el verbal; y el físico entre los varones.

¿Existen señales?

Por supuesto que sí. En general, los chicos acosados presentan un descenso del rendimiento escolar, ausentismo frecuente, falta de integración grupal. En la casa pueden aparecer nerviosismo, lesiones físicas, tristeza, llanto sin motivo aparente, cambio de carácter, baja autoestima, negativa a asistir a la escuela. También el pedido de dinero o la pérdida reiterada de sus pertenencias, en realidad utilizados para el "pago" de extorsiones.

¿Cuál es la misión de la escuela?

Fomentar la convivencia armoniosa entre los alumnos. Trabajar en el aula con estos conflictos del grupo. El docente debe estar atento e intentar desarrollar en los alumnos actitudes no discriminatorias.

En una sociedad en la que los modelos aparentemente exitosos se construyen a partir del amedrentamiento, la extorsión, o el chantaje, el *bullying* entre chicos no desentona. Resulta una consecuencia lógica de una sociedad enferma.

En el mismo artículo, García Coto sostiene: "El modelo social en los últimos tiempos ha incrementado el *bullying* directo (hostigamiento directo) e indirecto (a través de otros, como declarar 'invisible' a alguien). Éste representa en realidad una maqueta del modelo social, político y cultural. Es un método para que ciertos grupos logren mayor poder entre sus compañeros. Vemos una reproducción de un modelo social y, por lo tanto, en el caso de los chicos y adolescentes, las víctimas son tanto los hostigadores como los hostigados".

En nuestro país podemos recordar varios casos, como el de Javier Romero, apodado "Pantriste" por sus compañeros, que juró que se haría respetar y mató a varios de ellos en Rafael Calzada en el año 2000. O el alumno apodado *Junior* o Rafael, que hizo lo mismo en Carmen de Patagones el 28 de septiembre de 2004.

No se trata de un fenómeno nuevo, lo que sucede en estos últimos tiempos es que se ha incrementado el número de víctimas y victimarios.

Película para debatir y analizar conductas en riesgo:
Bang-bang hombre muerto.
Director: Guy Ferland (2002).
¿Por qué creen ustedes que estas conductas fueron incrementándose?
¿Qué papel jugaron la familia, la escuela y el grupo de pares?
¿Qué contribuyó a buscar, por parte de los alumnos, una salida diferente?
¿Recuerdan situaciones de su propia experiencia en la que algún compañero haya pasado por estas situaciones?

Actividad

Análisis de los hechos de Carmen de Patagones.

Leer las siguientes noticias y luego analizar cada artículo y revisar la doble vertiente: En primer lugar, el lugar del victimario: ¿cuáles fueron las conductas que lo llevaron a actuar así?, ¿cómo era su personalidad? Por otro lado, las víctimas, ¿qué indicadores de riesgo había para cada uno?

Coinciden en que era un joven «tranquilo y tímido»
Clarín, 28/9/2004 (texto abreviado por las autoras)

«Era muy tranquilo e introvertido», aseguró este mediodía su tía. «No entiendo qué fue lo que pasó», dijo abatida por la tristeza. «Jamás hablamos de armas entre nosotros», reveló la mujer en declaraciones radiales.

«Eran las 7.30 de la mañana. De pronto, escuchamos un montón de gritos y salimos del aula. En el pasillo había tres chicas tiradas en el piso con balazos en el estómago», aseguró un alumno, todavía impactado por lo que había visto.

Según la versión del alumno, el chico «entró al aula y empezó a amenazar con el revólver. Todos se escondieron debajo de los bancos. Y él empezó a disparar a quemarropa», reveló. «Nos sorprendió mucho lo que pasó, era un chico demasiado tranquilo», coincidió sobre el agresor. Y según reveló, ayer habría tenido una discusión con algunos de sus compañeros.

Lo mismo aseguró la Subsecretaria de Educación de la provincia de Buenos Aires, Delia Méndez. «Era un chico tímido, al que le costaba integrarse con sus compañeros, pero que nunca había tenido actitudes violentas que pudieran hacer predecir una conducta de este tipo», expresó.

Rafael presenta diversos problemas psíquicos, pero sabía que había matado
Clarín, 1/ 10/2004 (texto abreviado por las autoras). Guillermo Villarreal

Se arrepintió de lo que había hecho, pero cuando apretaba el gatillo y ejecutaba a sus compañeros de clase «comprendía perfectamente lo que estaba haciendo». También sabía que había matado, pero no a cuántos», informó ayer la jueza Alicia Georgina Ramallo durante una conferencia de prensa. «No es un chico que está en su sano juicio», agregó.

«Sólo crucé con él dos palabras», contó la jueza: «Estoy arrepentido; todo pasó muy rápido y no me acuerdo nada», le dijo él.

Para determinar qué fue lo que impulsó a Rafael a cometer los asesinatos de Sandra, Evangelina y Federico y herir a otros cinco compañeros (uno de ellos, Pablo Saldías, está gravísimo), un equipo de dos psicólogas y un psiquiatra comenzó a tratarlo el miércoles. En el informe preliminar que le entregaron a la Justicia, aseguran que el chico padece de «síntomas obsesivos y fóbicos» y que tenía «comportamientos poco usuales», aunque no aclararon cuáles eran. Además, dijeron que desde hace dos años había experimentado un retroceso en su desempeño escolar, que rechazaba «los hábitos de los demás» y que desde su primera infancia «evidenció severas dificultades para integrarse activamente en el medio social de sus pares».

El mismo informe indica que Rafael padece una marcada dificultad para expresar sus emociones primarias. A modo de hipótesis, se evaluó la posibilidad de que la reacción homicida de Rafael pudiera estar relacionada con la relación que mantenía con su padre, un suboficial de la Prefectura (los crímenes los cometió con su arma reglamentaria, una 9 milímetros), con quien habría discutido un día antes de la masacre. Pero la jueza Ramallo entiende que ése no fue el detonante, aunque dijo que «le tenía cierto temor a su padre» y que la relación era «medianamente buena».

Serán los peritos quienes evaluarán si se lo destina a una comunidad terapéutica o a un instituto psiquiátrico y de qué manera será asistido.

Por lo pronto, comprobaron que en la familia del menor no hay antecedentes de deficiencia mental, aunque lo que para otros es normal, para él no. Y que el martes, para él, «fue un día más».

¿Cómo se puede ayudar a las víctimas de este tipo de acoso?

En la casa:

- Ayudarlos a expresar lo que les pasa.
- Jamás llamar a los padres del intimidador: esto puede incrementar las agresiones.
- Contactar a los directivos de la escuela y pedir que se trate como un problema de la institución y no del niño damnificado.
- Buscar aliados para empezar a hablar del tema y ver cómo proceder sin exponer a su hijo.

En la escuela:

- Nunca silenciar lo que sucede.
- Observar al grupo.
- En privado, ayudar al niño agredido a que hable. Resguardarlo como a un testigo protegido.
- Crear espacios para el debate, sin mencionar a la víctima.
- Apoyarse en cuentos, películas, etc.
- Utilizar buzones de preguntas, dramatizar las situaciones.
- Hacer ver a los chicos que, si no hay quien celebre el maltrato, los agresores suelen desistir.

Pensamos en *Bullying* y no podemos dejar de relacionarlo con la violencia.

Violencia y jóvenes en riesgo

Etimológicamente, la palabra violencia deriva de "vis" que significa *poder*. Según Juan Alberto Yaría en su libro La *existencia tóxica*, la violencia es un abuso de poder, mediante el cual se busca anular o acallar al otro, de algún modo "hacerlo desaparecer". Este autor establece una diferencia entre la agresividad y la violencia. La agresividad es una conducta que forma parte del adolescente de su proceso de separación, necesaria incluso para crecer y posibilitar ese doloroso corte en su historia de vida que es el fin de la infancia. Los animales se agreden al competir por el territorio, por el alimento o por la búsqueda de pareja, pero no buscan el daño del otro, sino no *perder la propia vida*. La violencia, sin embargo, es la manifestación de una imposibilidad de concretar el proceso de separación; el violento se hace adicto a este comportamiento, por lo cual siempre se convierte en dependiente de alguien: de la policía, de algún líder negativo de su grupo, del juez, etc... El violento busca deliberadamente dañar al otro y consigue por añadidura abrirse el camino hacia la autodestrucción.

La agresión y la **transgresión** (la desobediencia a los límites generalmente impuestos por los adultos) –ambos comportamientos comunes en la adolescencia– pueden conducir a la violencia, pero para ello se necesitan ciertos factores condicionantes. Luis Rojas Marcos, un psiquiatra sevillano, plantea que "La violencia florece allí donde reina el desequilibrio entre aspiraciones y oportunidades o existen marcadas desigualdades económicas. Especialmente fecundas para el cultivo de la

Pati, para Sátira/12

delincuencia son las subculturas abrumadas por la pobreza, el desempleo, la discriminación, el fácil acceso a las armas, un sistema escolar ineficaz y una política penal deshumanizada y revanchista que ignora las medidas más básicas de rehabilitación" (*Guía práctica de la salud y psicología del adolescente*).

Violencia y medios de comunicación

Hay otros condicionantes que predisponen a la gestación de situaciones violentas: uno de ellos está constituido por los medios de comunicación. Más allá de lo que brinda la información gráfica en diarios y revistas, es sabido que los adolescentes tienen especial fascinación por las pantallas, y que cada vez resulta más difícil para los padres controlar los mensajes que reciben a través de ellas. Televisión, videojuegos e Internet invaden sus vidas a toda hora. La violencia es una privilegiada protagonista de programas televisivos, noticieros, publicidades, juegos de video, páginas web, blogs.

Tan presente está que se integró a la cotidianeidad de sus vidas; se ve, en un determinado punto, a la violencia como parte de la normalidad, como una forma de vida. Según dos estudios realizados en Gran Bretaña y Estados Unidos publicados por el diario *Clarín* el 20 de febrero de 2005, quienes tuvieron mayor exposición a la violencia a través de la televisión durante su niñez resultaron ser más agresivos, insensibles y temerarios al llegar a adultos. La UNESCO determinó en 23 países estudiados que los niños en edad escolar gastan la mitad de su tiempo libre en ver televisión. Justamente es en esas edades en las que los niños copian las conductas e incluso las formas de expresarse de lo que reciben a través de la pantalla.

La realidad de que los medios de comunicación usan como un recurso útil a la violencia porque vende y proporciona *rating*, se complica debido a la ausencia del diálogo por parte de la familia. A pesar de contar muchas veces con la presencia física de los padres o hermanos, existe –en muchos casos– una situación de abandono, de falta de comunicación, que no permite cumplir adecuadamente con uno de los roles más importantes de este núcleo social que es establecer vínculos basados en el afecto y la protección para que el niño crezca y se identifique a sí mismo como persona, para que construya la escala de valores con la que podrá desenvolverse en su vida. Los mensajes que imparten los medios de comunicación pueden ser buenos para promover la discusión, el intercambio de ideas y opiniones, para discernir entre lo bueno y lo malo, pero se requiere de la presencia de un adulto cercano que funcione como referente. Es imposible en la era de las comunicaciones impedir que un chico vea televisión, o navegue en Internet. Hay que monitorear y acompañar, hay que trasmitir valores para que él mismo pueda discriminar y apropiarse de lo que le será útil o positivo. De la misma manera, estos valores no se transmiten únicamente con la palabra.

Les proponemos:
Actividades

1) "Una de cal, una de arena"
   Reúnanse en grupos y consigan una buena cantidad de diarios y revistas. Busquen y recorten diez titulares que hablen de hechos violentos y diez titulares relacionados con cosas positivas. Péguenlos en una cartulina. ¿Cuáles les resultaron más fáciles de encontrar? ¿Qué conclusión podrían sacar entre todos?

2) Un artículo del diario *Clarín* del día 28 de diciembre de 2006, realiza un análisis sobre la violencia juvenil, en el cual propone otra vara para medirla.
   Léan con atención la nota en la siguiente página y respondan: ¿Coincide o se contrapone la postura de la socióloga Silvia Guemureman con la del Psiquiatra Luis Rojas Marcos, vista en el punto anterior? ¿Cuál es tu propia postura?
   Elaborar un informe de lectura con las dos opiniones y otro con la personal extraída luego de las lecturas. Debatir en clase.
   ¿Qué otras clases de violencia conocés? ¿Existe la violencia sin agresión física? ¿Existe violencia en el deporte?

La violencia juvenil, con distinta vara
Silvia Guemureman

Lectura

Las respuestas disímiles frente a hechos que involucran a adolescentes de distintas clases delatan la dificultad que la propia sociedad tiene para reconocer la violencia que emana de ella misma (Artículo abreviado).

En los últimos meses, se han producido algunos episodios con gran repercusión pública que deben convocarnos a la reflexión. Sólo por ejemplificar, cabe hacer mención de los casos de Ariel Malvino, de Matías Bragagnolo, y el mucho más reciente de Martín Castelucci.

En todos los casos se trata de jóvenes muertos, víctimas de violencia. En los dos primeros, si bien la violencia fue entre pares, las circunstancias los diferencian. En el último, que integra un ya negro listado, aparece la violencia sutilmente promovida a través de rígidos cánones de admisión absolutamente discriminatorios y regidos por la lógica de las distinciones y las diferencias.

Estos episodios operan como emergentes de una violencia estructural, cuyo origen está en otro lado. Ubicar la violencia en vez de la delincuencia parece una invitación a interpelar a otros actores como protagonistas estelares.

En el caso de Malvino, la circunstancia de haberse visto involucrados miembros procedentes de familias prominentes de la clase gobernante (...) convoca a desplazar el eje del análisis de la vinculación siempre compleja entre el delito y el poder político y económico, en vez de situarse en la cuestión que interesa aquí, y es la de la violencia juvenil.

Lo que importa aquí es desentrañar el porqué de la violencia juvenil como violencia gratuita, desproporcionada, antiutilitaria, negativa y hasta letal.

Los ecos de la muerte de Matías han despertado al aletargado coro de aquellos que braman por el endurecimiento punitivo hacia los jóvenes y por la baja de imputabilidad penal, aun cuando en este caso, no sea el disparador un episodio que involucre a esos «feos, sucios y malos» de siempre, sino a otros sujetos jóvenes, que aun con leyes más duras, siempre estarán preservados de la selectividad del sistema penal.

Las explicaciones que se han dado sobre las subculturas adolescentes, aun las que aportan mayor cantidad de elementos para pensar el fenómeno de la violencia juvenil, no resultan suficientes para abordar inteligiblemente los hechos de violencia protagonizados por jóvenes que no ingresan en ninguna de las categorías de déficit, de privación, carencia o frustración que subyacen en todas las explicaciones consagradas que pretenden analizar el fenómeno, sino que denuncian otro tipo de problemáticas vinculadas al «malestar en la cultura», como pronosticó Freud, o como agudamente caracterizó un sociólogo contemporáneo, Fernando Mires («malestar en la barbarie») o como recientemente conceptualiza Silvia Bleichmar como el «malestar sobrante».

Cuando el vandalismo es cometido por los niños ricos con tristeza, se apela a la ausencia de políticas de juventud y políticas sociales que tengan al segmento joven como destinatario. Cuesta hablar de acciones delictivas, de vandalismo, de alevosía, de violencia desmesurada, y se ensayan otras explicaciones más afines a los determinantes estructurales que promueven una cultura adolescente en la cual el neoliberalismo ha impreso su huella indeleble: flexibilidad, provisoriedad, «amor líquido» (Bauman), y «corrosión del carácter» (Sennet).

Cuando los mismos actos vandálicos son cometidos por los chicos pobres con hambre, se habla de inseguridad, de pánico social y de la necesidad de endurecer el sistema penal y bajar la edad de imputabilidad penal, y habilitar medidas más duras para quienes pasan al acto.

Las respuestas disímiles tienen que ver con la dificultad que la propia sociedad tiene para mirarse al espejo, interrogarse por la violencia que emana y reconocerse en sus consecuencias. Mientras se siga apelando a las fáciles respuestas de ampliar la «red de caza» para capturar a aquellos perdedores sociales, individualistas negativos por defecto y no elección, «el problema resta intacto, los caracteres estructurales permanecen inobservables: los proyectos sirven para legitimar la demanda de nuevos proyectos en virtud de que las patologías siguen subsistiendo» (De Giorgi, 1997:87).

Los fantasmas del miedo y la injusticia se fortalecen ante la impunidad y el descrédito de las instituciones. El malestar sobrante, redunda; la violencia, agradecida.

Suicidio y adolescencia

Susana Quiroga en su libro *Acerca de la adolescencia* diferencia manifestaciones suicidas del suicidio propiamente dicho. Ella dice que de esta manera se pueden abarcar un conjunto de síntomas y no solamente la propia agresión con pérdida de la vida. Se incluyen aquí las amenazas de suicidio, el intento sin desenlace de muerte y los actos inconscientes que ocurren en forma de "accidentes".

Es muy común encontrar en los adolescentes actitudes que pueden llegar a llevar a una muerte lenta, tales como dejar de comer, como es el caso de la anorexia, o los cuadros de sobredosis en la drogadicción.

Aparece también toda una problemática relacionada con las exigencias del medio, diferentes a la que se dan en la infancia, ya no se acompaña al adolescente y sin embargo se le exige más. Si la distancia percibida por el joven entre lo que se aspira de él desde lo social y lo familiar y los logros alcanzados es mucha, sumada a una autoestima que no está en condiciones de afrontar la frustración, y la existencia de poca contención desde lo familiar, puede aparecer como más atractiva la idea del suicidio.

Es así que la depresión está muy ligada a esta idea. Sin embargo, hay además componentes sociales que parecen empujar al adolescente hacia la poca valoración de la vida: lo que Juan Yaría llama "apetito de muerte" como la búsqueda de situaciones de riesgo, adicciones, abortos, relaciones sexuales sin preservativo, etc.

En la actualidad el suicidio es la segunda causa de muerte en la adolescencia en los países desarrollados.

Por eso es muy importante que, tanto adultos como pares, estemos atentos a este tipo de síntomas ya que, de manera especial en un adolescente, si bien estas actitudes pueden ser pasajeras son, en muchos casos, la antesala de un intento de suicidio. Éste parece como una salida

En este fragmento de *Adán Buenosayres*, de Leopoldo Marechal, se describen claramente estos sentimientos de los que hablamos. Pancho recibe un castigo por parte de su madre delante de su amigo (y rival) luego de haber cometido una travesura:

"Con las mejillas rojas y la frente nublada, Pancho había salido al aire libre, no sin rumiar el oprobio de aquellos dos moquetes recibidos tan afanosamente delante de su rival; y en su imaginación bullían ominosos proyectos de venganza, enderezados a castigar ese abuso materno que, a su juicio, había llegado esta vez más allá de lo tolerable. A decir verdad, Pancho fluctuaba entre dos proyectos igualmente seductores: no sabía si huir de la casa paterna o envenenarse con una caja de fósforos. El primer designio lo tentaba con la promesa de aventuras que ni el propio Salgari se hubiese atrevido a soñar; pero el segundo, tan rico en efectos dramáticos, ejercía sobre su alma una irresistible fascinación; y saboreaba desde ya, con amargo deleite, la noción de aquel remordimiento que pesaría sobre sus familiares cuando él, Pancho Ramírez, no estuviese ya en el mundo proceloso de las bofetadas y yaciera en su pequeño ataúd blanco, hasta el cual se allegarían sus condiscípulos de la escuela primaria, tal vez con bandera y todo."

mágica y "gloriosa", de alguna manera existe la fantasía de poder presenciar el momento posterior a la muerte, y el dolor de aquellos que los rodeaban; no pueden prever que de mágica esta salida no tiene nada, y menos aún de gloriosa.

No es cierto que aquel que avisa su suicidio no lo va a concretar: de cada 10 adolescentes que se suicidan, de 5 a 8 habían dado avisos previos de su intención.

Tampoco que la mejoría después de una tentativa de suicidio significa que el riesgo ha desaparecido, muchas veces los actos suicidas se dan después de la aparente mejoría.

Hablemos de números

En el libro *Proponer y dialogar*, editado por UNICEF, se plantea a la adolescencia como una etapa a la que es imposible considerar exenta de riesgos. Basta con analizar las cifras arrojadas por el Censo Nacional de Población, Hogares y Viviendas, realizado por el INDEC (Instituto Nacional de Estadística y Censos) en 2001 y las Estadísticas vitales, 2003 - 2004 del Ministerio de Salud, para constatar dicha afirmación. Según estas estadísticas sobre causas externas de defunciones en una población comprendida entre los 15 y 24 años encontramos que:

- El 17% son causadas por accidentes de tránsito de vehículo automotor.
- 2%, por accidentes en otros medios de transporte.
- 22% otras causas externas de traumatismos accidentales.
- 23% agresiones.
- 13% eventos de intención no determinada
- 23% suicidios.

Como se puede observar, tanto las agresiones como el suicidio forman parte de la mayor causante de muerte adolescente. Es un dato que debería llevarnos a la reflexión y a la toma de conciencia.

Actividad

En el libro *Proponer* y dialogar se propone el siguiente texto. Analícenlo, traten de determinar cuál es la propuesta, y busquen en la Convención de los Derechos de los Niños, Niñas y Adolescentes qué artículos corresponderían a la protección para una mayor disminución de riesgos en los jóvenes:

"Toda propuesta que se formule debe apoyarse en la convención sobre los derechos de los niños, las niñas y los adolescentes, la cual define un sistema de protección integral, para el acceso a la educación, a la salud y, en general, a los bienes y servicios públicos, así como la participación, sin distinción de género o de edad, es decir, que ponen foco en la democratización y la construcción de ciudadanía. El desafío que la Convención impone a los Estados que la han suscripto, como es el caso de Argentina, es el de llevar a la práctica su mandato; ello implica una importante serie de transformaciones en las concepciones, las actitudes y conductas de las personas así como los diseños institucionales y sus desempeños".

II- Clasificación de las **Psicosis**

a) **Autismo**: Según el DSM III (Manual de psiquiatría), presenta las siguientes características: Falta de capacidad de respuesta hacia otros seres humanos, deterioro en las habilidades comunicativas y respuestas extrañas. Recuerden que en la psicosis aparece una falta de contacto con la realidad, por lo tanto para estos sujetos los "otros" son como objetos con los que no pueden establecer ningún tipo de vínculo, en algunos casos sólo lo hacen con el terapeuta o con algún otro sujeto significativo.

Niño autista. Los autistas pasan gran parte de su tiempo tocando objetos con sus dedos, realizando movimientos sin naturalidad.

b) **Psicosis simbiótica**: La característica es la imposibilidad del niño de separase de su madre. El niño se comporta como si él y su madre fueran una unidad. Frente a la separación real entra en estado de pánico, aún si por su edad estuviera en condiciones de elaborarla. Los indicadores de este mal aparecen en aquellas etapas puntuales en las que los niños normalmente empiezan separarse de su madre. No debe confundirse con ansiedades típicas del niño cuando ingresa a un lugar diferente como el jardín de infantes, este tipo de ansiedad luego se puede manejar.

> **Actividad:**
> Proponemos ver el film: *Rainman*, Director: Barry Levinson (1988), en el cual el actor Dustin Hoffman personifica a un adulto autista, con rasgos como los que acabamos de describir. Realizá una lista con las conductas llamativas que presenta el personaje. Esto permitirá visualizar las características de las personas diagnosticadas como autistas.

c) **Esquizofrenia**: Esta enfermedad es rara antes de los 15 años y después de los 40-50. A menudo se trata de adolescentes reservados, que progresivamente se aislan del entorno familiar y de sus amigos, volviéndose indiferentes a toda emoción, desinteresados, menos activos, demasiado serios para su edad, que realizan actividades muy absorbentes y solitarias o, en algunos casos, se trata de buenos alumnos que de pronto sin motivo aparente empiezan a presentar dificultades de aprendizaje.

Aclaramos nuevamente que estos trastornos pueden aparecer en la adolescencia sin que supongan la existencia de la enfermedad.

Una curiosidad:

Un artículo de divulgación científica de reciente publicación (Freidemberg: 1997) relata que un niño austríaco llamado Adolf Hitler fue derivado por su médico de cabecera, Ernest Bloch, a una consulta con su colega Sigmund Freud debido a sus muy frecuentes pesadillas nocturnas en las que aparecían monstruos malignos, caídas en abismos profundos y oscuros, persecuciones en las que inevitablemente era capturado y azotado hasta desear morir. Freud, según investigaciones realizadas por el escritor inglés Marks con ayuda de Forrester (1990) fue terminante en su apreciación diagnóstica: la patología era severa y eran necesarios la internación y el tratamiento. El padre de Adolf se opuso terminantemente; la relación con su hijo se caracterizaba por el maltrato y disfrutaba humillándolo.

La crisis psicológica del futuro Fuhrer hizo eclosión cuando entre 1907 y 1908, ya adolescente, no fue admitido como alumno de la Academia de Artes de Viena. Estaba absolutamente convencido de su talento artístico.

El responsable del atroz genocidio del siglo pasado pudo haberse asistido psiquiátricamente cuando lo necesitaba y haber vivido como un pintor más, con sus angustias sublimadas o canalizadas a través de lo que él mismo denominaba "su vocación para el dibujo" (Extraído del libro *Adolescentes en riesgo*, de María Martina Casullo).

Esto nos permite ver que un buen diagnóstico y su posible tratamiento permiten a la persona tener otra calidad de vida y resultar menos riesgosa para sí misma y para los otros.

d) **Estados Borderline**: Son cuadros que presentan dificultades de clasificación que oscilan entre un grado grave de neurosis o un tipo leve de psicosis.

Los síntomas que aparecen son:

- Escasa tolerancia a la frustración.
- Inmadurez emocional.
- Impulsividad incontrolable.
- Fobias y toda clase de rasgos neuróticos.

Propuesta:
Buscar información sobre el hecho ocurrido, presentando un informe que permita rescatar la voz de las jóvenes víctimas, de aquellos que no asistieron, de los padres, de Omar Chabán (dueño del local) del grupo *Callejeros* y relacionar con todo el material teórico de este capítulo.

III- Trastornos por estrés postraumático:

Ustedes, adolescentes, hoy están expuestos a una serie de circunstancias que atentan contra su seguridad y su estabilidad emocional. Son posibles víctimas de agresiones, asaltos callejeros, violaciones. Podemos incluir aquí a los que han vivido alguna guerra, incendios, catástrofes. Todas estas situaciones pueden dejar una secuela: el estrés postraumático; cuyo síntoma puede ser la reexperimentación persistente y reiterativa del acontecimiento estresante, el sólo recuerdo puede producir sueños angustiantes, conductas como si el hecho volviera a suceder, intenso malestar psicológico ante situaciones o lugares que producen el recuerdo.

Seguramente ustedes recordarán como un hecho de este tipo lo sucedido en "República de Cromañón", el día 30 de diciembre del año 2004. Aun los adolescentes que no estuvieron presentes en la tragedia comenzaron a tener sentimientos de suma inseguridad con síntomas que llamaron la atención: ataques de pánico, fobias, etc. Una generación se sintió vulnerable frente a la seguridad que deberían brindar los adultos.

IV- Otros trastornos: Déficit de atención con hiperactividad

Los alumnos con problemas de atención han constituido, durante mucho tiempo, un motivo de preocupación para los docentes.
El trastorno comienza antes de los siete años (Manual de Psiquiatría DSM-IV)
Para diagnosticar a un adolescente con este problema hay que ceñirse a un criterio diagnóstico: tiene que presentar seis o más síntomas de desatención, o seis o más síntomas de hiperactividad-impulsividad.

¿Cuáles son los síntomas?

Desatención
- No presta atención suficiente a los detalles
- Tiene dificultades para mantener la atención en tareas o en actividades lúdicas.
- Parece no escuchar cuando se le habla directamente.
- No sigue las instrucciones, no finaliza tareas escolares, encargos u obligaciones.
- Tiene dificultades para organizar tareas y actividades.
- Extravía objetos necesarios para realizar tareas u otras actividades (por ejemplo ejercicios escolares, libros o herramientas).
- Se distrae fácilmente por estímulos irrelevantes (se distrae con el vuelo de una mosca, dicen padres y maestros)

Hiperactividad
- Mueve en exceso manos y /o pies, o se mueve en su asiento.
- Abandona su asiento en las clases o en otras situaciones en que se espera que permanezca sentado.
- Corre o salta excesivamente en situaciones en que es inapropiado hacerlo
- Habla en exceso.

Impulsividad
- Precipita respuestas antes de que le hayan completado las preguntas.
- Tiene dificultades para guardar el turno.
- Interrumpe o se inmiscuye en las actividades de otros (por ejemplo, se entromete en conversaciones ajenas)

El ADHD (déficit de atención e hiperactividad), tiene también un componente físico. Investigaciones sugieren que una disfunción cerebral puede contribuir a este desorden, una perspectiva neuroanatómica plantea que es ocasionado por una dis-

Actividad para tu port-folio
(extraída de *Vamos que venimos*)

Línea de la vida

Individualmente, piensen en los distintos grupos de los cuales formaron parte a lo largo de su vida. ¿A qué tipología de grupo pertenece cada uno de ellos? ¿Primario o secundario? ¿Por qué? Enumeren las características que les permitieron llegar a cada conclusión.

En un papel afiche tracen una línea de tiempo que represente su propia vida. Ubiquen en ellas los períodos que compartieron con cada uno de esos grupos. Marquen con un color los grupos primarios y con otro color los secundarios. Recuerden respetar el orden cronológico.

Por otra parte, una línea de la vida debe contar algo sobre la historia personal. Piensen:

a) Una anécdota que recuerden haber vivido con cada uno de esos grupos.

b) Una persona –que por alguna razón positiva o negativa– deseen resaltar de cada grupo.

c) Una sensación o un sentimiento correspondiente a cada momento.

Completen el gráfico con esta información. También pueden incluir fotografías, dibujos, graffitis y todo lo que se les ocurra.

También, con la colaboración de sus padres o de otros parientes, armen su árbol genealógico. Es una buena manera de conocer la historia de uno de los grupos más importantes de nuestra vida: la familia.

Recuerden que también pueden completarlo con anécdotas y fotografías.

función en un sector cerebral, especialmente el lóbulo frontal, posiblemente debido a que esta área se desarrolla con mayor lentitud o de manera anormal.

En el tratamiento de estos niños y jóvenes se incluye el mantenimiento de ciertas pautas de orden en el ambiente, que favorezcan el aprendizaje, y el empleo de medicación. Dicha medicación incluye drogas cuya eficacia radica en la posibilidad de disminuir el grado de actividad de estos sujetos y el aumento del acatamiento a la norma.

La pregunta es la siguiente: ¿significa que padece ADHD un niño del siglo XXI, sobreestimulado por los medios, en plena era del zapping, que presenta varios de los criterios enunciados?

En la Argentina se plantea que existen 250.000 niños con esta enfermedad neurólogica. Una cifra alarmante, ¿no?

Nos resulta llamativo que tantos niños hoy estén expuestos a recibir medicación. Hay que preguntarse por qué hay tantos niños medicados. Lo importante es revisar desde otro lugar este mal que aqueja a tantos niños y jóvenes.

Sabemos que para que un niño tenga dificultades de aprendizaje puede haber múltiples causas: familiares, institucionales, en la visión, de alimentación, de falta de recursos, así como también dificultades atencionales. La lic. Gisela Untoiglich, investigadora de la Universidad de Buenos Aires, plantea una mirada diferente y más humanizante. Poder ver en ese niño o joven a un sujeto que debe ser comprendido y no anulado mediante la medicación:

"No se trata por otro lado de demonizar la medicación, ya que en algunas ocasiones es necesaria como complemento. Pero debemos observar que, ante problemáticas complejas, no existen respuestas rápidas y mágicas. Por esto, a pesar del tiempo y la dedicación que nos llevaría a médicos, psicólogos, psicopedagogos y docentes asistir el sufrimiento singular de cada uno de estos niños, realizarlo permitiría prevenir, entre otras cosas, el estímulo encubierto a la drogadicción que podría promover en ellos la ingesta diaria de un comprimido que, en forma pasajera, sin curar, podría mejorar la atención y parecería erradicar el padecimiento. Las familias, las escuelas, los docentes, los médicos, los terapeutas, los encargados de las políticas públicas tendremos que trabajar, cada uno desde su especificidad pero mancomunadamente, para otorgarles a nuestros niños un espacio en el cual puedan crecer con salud"

El adolescente y los otros: los grupos

Es importante en primer lugar definir qué entendemos por grupos.

Que un montón de gente esté junta no significa que conformen un grupo. Por ejemplo, la gente dentro de un cine, o de un supermercado, o en la parada de colectivos no forma un grupo, son sólo agrupamientos de personas.

Un grupo es "una estructura formada por personas que interactúan en un mismo tiempo y espacio, que tienen conciencia unas de otras y que poseen ciertos objetivos comunes, grupo, por lo tanto, es más que la suma de individuos" (Viviana Minzi *Vamos que venimos*)

Encontramos dos tipos de grupos: grupo primario y grupo secundario.

El grupo primario es aquel conformado por las personas más íntimas, unidas por lazos afectivos. En general son pequeños y están basados en los sentimientos y tienen un objetivo común: estar juntos. Encontramos dentro de ellos los amigos, las barras y la familia.

En el grupo secundario, las relaciones son más formales y por ende más frías. Son más grandes, con más integrantes. Y sirven como medio para lograr diferentes fines. Son ejemplo de ello: las asociaciones barriales, los grupos de trabajo, los gremios, etc.

Nosotros abordaremos aquí el tema de los grupos primarios. Aquellos que servirán de sostén y de consolidación de la personalidad del adolescente.

- "Los grupos ofrecen a adolescentes y a jóvenes un apoyo importante para lanzarse al mundo, compartir sus problemas, preocupaciones, inquietudes y temores."

- "Los grupos estén o no contenidos en una organización, sean formales o informales, tengan una historia o sean circunstanciales, son espacios para la participación juvenil".

- "Los grupos juveniles son un espacio de pares donde cada adolescente y joven encuentra afecto y contención, aprende a relacionarse y obtiene apoyo y ayuda".

- "Los grupos comparten modos de vestirse, de actuar, de pensar, de estar en la vida".

- "Los grupos se caracterizan por una doble dinámica: la construcción de una identidad grupal y un cierto grado de renuncia, por parte de sus integrantes a algunas preferencias personales, al aceptar determinadas normas y pautas constitutivas". (*Proponer y Dialogar*, UNICEF ")

Las barras y los amigos

Los jóvenes encuentran en su grupo de pares la posibilidad de hallar un lugar de pertenencia con quien compartir sus gustos por la música, el deporte, la moda y cualquier tipo de expresión cultural. Y hoy, en pleno siglo XXI, debemos incluir la tecnología, con el uso de las computadoras a través del chat y demás recursos como los juegos en red, etc.

A veces, el uso que hace el joven del tiempo libre y en el que incluye este tipo de actividades puede no ser aceptado por sus padres, quienes ven allí actividades que no están asociadas al uso productivo del tiempo.

El tiempo de ocio es importante, y bien utilizado suele ser un arma importante para desarrollar la creatividad y el aumento de la autoestima. El problema surge cuando el tiempo de ocio supera el tiempo destinado a actividades denominadas de producción, como por ejemplo las escolares. O cuando el adolescente no sabe qué hacer con su tiempo de ocio. El riesgo está en que sea utilizado con actividades y acciones que atenten contra su propia vida: drogadicción, delincuencia, prostitución.

Esto sucede cuando no encuentran un "motor" que guíe su vida. Sabemos que es una etapa caracterizada por la incertidumbre, pero también es una etapa en la que se comienzan a delinear los primeros esbozos del proyecto de vida adulto.

La familia ocupa aquí un lugar de contención importante, aunque paradójicamente el adolescente huya de todo tipo de consejos, de ayuda y de acercamiento. Esta ambigüedad que mencionamos en otros capítulos entre dependencia-independencia.

Tribus urbanas

Los sociólogos chilenos Zarzuri y Ganter citan a Michel Maffesoli (1988) quien es el primer sociólogo que diagnostica el proceso de **neotribalización** en las sociedades de masa. Éste plantea que el eje fundamental de estas nuevas agrupaciones gravita sobre una contradicción básica y característica de la sociedad moderna: el auge de la **masificación** versus la proliferación de pequeños grupos. Por un lado, la masa, la gente que actúa como una unidad, carecería de una identidad concreta y definida. Es simplemente una multitud anónima, cuyos miembros no tienen conciencia de sí mismos, ya que son simplemente un número (Davini y otros, *Psicología general*). Precisamente en este anonimato colectivo, se refugian a menudo los miembros violentos de la sociedad para llevar a cabo hechos vandálicos. Por el contrario, el fenómeno de las Tribus Urbanas constituye una respuesta al proceso de **desindividualización** atribuible a las sociedades de masas, cuya lógica consiste en fortalecer el rol de cada persona sintiendo la pertenencia a la agrupación.

Según Maffesoli (cita de Zarzuri y Ganter), los valores específicos de estos grupos están asociados a:

• Autoafirmación de la persona a partir del grupo.
• Apropiación y defensa de la territorialidad, de la ciudad como espacio simbólico donde se construye identidad.

- Predominio de las experiencias emotivas y sensoriales (lo corporal, lo táctil, lo visual, la imagen, lo auditivo, etc.).
- La Tribu Urbana supone un conjunto de juegos, rituales y códigos que un individuo corriente no conoce o no maneja. Estos patrones suponen la transgresión a las reglas socialmente instituidas. El proceso de tribalización supone toda una apropiación de símbolos y máscaras que reafirman la pertenencia grupal y marcan los límites y las diferencias con respecto al resto de la sociedad.

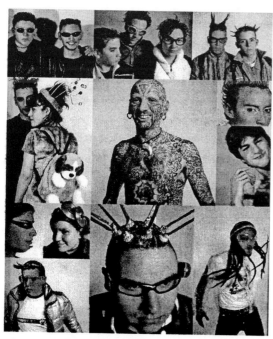

Tribus urbanas, de *Argentinos, retratos de fin de milenio, Clarín.*

Vocabulario

Neotribalización: fenómeno actual en el que se observan nuevas formaciones de grupos muy característicos llamados tribus.

Desindividualización: pérdida de la individualidad que caracteriza a cada persona como ser único y particular.

Despersonalización: proceso a través del cual el sujeto deja de ser persona, alude a la muerte.

Actividad

Encuesta: ¿En qué usa el tiempo libre un adolescente?

Proponemos trabajar sobre la distribución de los tiempos para diversas actividades a lo largo del día. Pueden hacer un pequeño gráfico en papel cuadriculado, dividido según las horas del día y marcando con diferentes colores pautados de antemano, el tiempo dedicado a dormir, ir al colegio, a hacer tareas o estudiar, a hacer deportes o actividades fijas (estudiar inglés, algún instrumento), estar con amigos, estar frente a la pantalla (tele, ciber,), etc. Hagan esta encuesta gráfica a muchos adolescentes y peguen luego las tiritas coloreadas en un afiche. Observen y saquen conclusiones. Pueden hacer otra encuesta paralela sobre las actividades de fin de semana.

Actividad

1) Investigar sobre diferentes tribus urbanas: Punks, *Alternativos, Rolingas,* Skaters, Hard cores, *Rastas, Pibes chorros,* Darks... *Seguramente conocerán algunas de estas tribus, quizás entre ustedes habrá alguien que se sienta parte de alguno de estos grupos de características bien distintivas.*

Cada grupo de trabajo tendrá que investigar sobre alguna tribu en especial: características generales e historia, vestimenta, hábitos, tipo de música que escuchan, lugares que frecuentan, símbolos que utilizan, etc.

Pueden vestirse según los códigos de la tribu que eligieron, y exponer a los demás lo que cada grupo investigó mediante afiches, fotos, recortes, etc...

2) Las mochilas personalizadas: una nueva forma de identidad.

Organicen una muestra (puede ser entre todos los cursos de tu escuela) de mochilas personalizadas. Pueden premiar la más original de todas. ¿Qué tipos de adornos usan y qué significan?

Capítulo 4

El adolescente frente a las adicciones

Ser adicto: una forma de esclavitud

En su sentido etimológico, la palabra *adicción*, deriva de *a*: no y *dicción*: decir. Esta expresión refleja una de las características de todo adicto: la imposibilidad de comunicarse, de exteriorizar sus conflictos, lo que implica en muchos casos la imposibilidad de pedir ayuda. Como consecuencia surge un aislamiento creciente y la instalación de un círculo vicioso de difícil resolución.

Es adicta la persona que cree que no puede vivir sin la influencia de cierta sustancia química, por lo cual la consume en forma permanente y compulsiva. El adicto no controla su adicción sino que vive en función de su droga: éste es el eje y el condicionante de toda su rutina. La situación más extrema es la de *dependencia*, en la cual la droga se consume ya no por el placer que ésta parece brindar sino por el displacer que provoca la privación de ella. La dependencia es psíquica y física, y genera, en sus casos extremos, el llamado *síndrome de abstinencia*, cuyos síntomas muy desagradables y difíciles de tolerar por parte del drogadependiente, aparecen cuando el cuerpo avisa que necesita más droga. Por lo general, el sistema nervioso manifiesta el efecto contrario al que produce la droga consumida, ya que produce cambios en el comportamiento, como agresividad, hiperactividad o aletargamiento y confusión. Este síndrome también va acompañado por otras alteraciones según el tipo de sustancia de la que se trate, como sudoración, temblores,

movimientos descoordinados, mareos, vómitos, ojos enrojecidos, delirios, alucinaciones, y una intensa necesidad de consumir una nueva dosis. El cuadro producido por la abstinencia puede ser tan grave como para llegar al estado de coma.

¿Cómo se llega a este estado?

Si usamos un poco de sentido común, inmediatamente nos preguntamos ¿Cómo es
posible que una persona caiga voluntariamente en esa situación? ¿No lo pudo prever? ¿No lo puede controlar?

Lo cierto es que el límite entre la casi ineludible transición de manejar uno a la
droga para pasar a ser manejado por ella, es muy sutil. El adicto no puede describir con precisión cómo pasó de esta ficticia libertad química de volar, "flashear" y
desinhibirse, a la trágica esclavitud que le impide ser dueño de su persona y de su
voluntad. Lo divertido deja de serlo de un momento a otro, y cuando repara en
esta situación, está en las peores condiciones para salir de ella. Se siente la soledad, en muchos casos, de haber perdido los amigos verdaderos, los vínculos familiares, el trabajo, el estudio. Se vive la amargura de reconocer el error y, a la vez, la
necesidad de contención y ayuda para intentar el durísimo camino que le permita
a la persona ser nuevamente dueña de su vida. Este camino es cuesta arriba, muchos son los obstáculos, y nadie lo puede transitar solo. El adicto recuperado, cada
día al levantarse necesita prometerse a sí mismo que vencerá su deseo de consumir; debe perseverar poniendo en juego su voluntad día a día, porque en la mayoría de los toxicodependientes la necesidad de reincidir nunca más los abandona.
La recuperación consiste en la dura lucha diaria por vencer las ganas de drogarse.
Podríamos decir entonces que esta enfermedad no tiene cura, sólo tratamiento.

Es sorprendente constatar lo simples que son los motivos por los cuales un adolescente ingresa al mundo de la droga. La mayoría lo hace por curiosidad y por abu-
rrimiento. Obviamente, sabemos que todos los adolescentes usan frecuentemente
la muletilla del "me aburro", lo cual no significa que invariablemente recurran a
sustancias adictivas para compensar su apatía. Para ese adolescente que un día
decide incursionar en la barrita que se junta en la esquina porque no tiene nada
mejor que hacer, hay un entorno condicionante, una serie de factores que confluyen para que se vea envuelto en esa situación. En *Proponer y Dialogar 2* (UNICEF),
se clasifican de la siguiente manera:

- Factores individuales: Frustraciones, problemas, carencias afectivas, crisis de
  crecimiento.
- Factores familiares: Dificultades para comunicarse, ausencia de pautas y límites
  claros, falta de momentos para compartir, escasa contención.
- Factores sociales: Indiferencia institucional, ausencia de proyectos, falta de compromiso, descreimiento.

En la adolescencia, el manejo del abundante tiempo libre del que disponen es un
tema especialmente preocupante. Lean la siguiente nota periodística:

¿Enigma o problema?

Clarín, 26/ 3/ 06. Marcelo Urresti. Sociólogo (UBA), especialista en juventud.

Lectura

El tiempo libre es importante para los adolescentes, que tienden más que ningún otro segmento etario a **moverse en grupos muy estrechos**, con los que exploran la ciudad, viven pequeñas aventuras y procuran el encuentro, muchas veces realizado en fogosas relaciones amorosas. Los adolescentes viven, además, una profunda crisis por la que se ven socialmente obligados a forjar una identidad adulta, dejando atrás una niñez que empiezan a vivir culposamente. Un momento problemático por el que suelen estar ávidos de identificación. Los lugares de encuentro, la moda en todas sus variantes, los amigos, **todo funciona dentro de la lógica del reconocimiento**. El mercado, la industria del tiempo libre, lo aprovechan.

Por otro lado, se afianza un fenómeno técnico de indudable impacto en la cultura: el avance de los medios de comunicación audiovisual y más recientemente de la atmósfera Internet. Estos medios suponen un tipo de relación altamente libidinal con sus usuarios: exigen tantos esfuerzos como los que el consumidor esté dispuesto a conceder, se centran en el entretenimiento, funcionan dentro del mítico pero exitoso rango de la **satisfacción garantizada**. En ese terreno, la cultura del sacrificio, del esfuerzo, tiene un gran oponente. No es difícil imaginar el estrecho sendero que esta cultura le deja a la escuela, pensada para el trabajo, la disciplina y la inversión a largo plazo.

Hay que sumar la crisis de algunas instituciones de la sociedad civil, esas que viven sobre la base del aporte de sus socios, hoy vapuleadas por el ajuste que sufrieron en los noventa sus antiguos sostenedores. La crisis de los clubes barriales y de las sociedades de fomento conduce a plañideros pedidos de subsidios, cruel desenlace para uno de los sectores más pujantes de la actividad social destinada al desarrollo de los adolescentes. Sin lugar para encontrarse, hacer deportes, moverse, conocer amigos, la calle y sus extensiones semipúblicas de consumo, bares, discotecas, shopping malls, ganan en peso específico.

De modo tal que siendo fin de semana, tratándose de adolescentes, con magra oferta de actividades por parte de la comunidad y el Estado, y viviendo en primera persona esta experiencia libidinal ampliada que proponen los nuevos medios técnicos audiovisuales, no debe extrañar que las actividades realizadas y las preferencias anheladas e incumplidas que declaran se orienten en el modo en que lo hacen.

Actividad

Respondan y debatan sus opiniones: ¿Qué factores de los analizados en la nota les parece que facilitan al adolescente el ingreso al mundo de las drogas? Intenten clasificarlos como individuales, familiares y sociales. ¿Qué responsabilidad les corresponde a los adultos en esta realidad que viven los jóvenes hoy? ¿Por qué la escuela ya no es tomada como un referente para el adolescente? ¿Está bien que sea así? ¿Qué soluciones concretas se les ocurren a ustedes para revertir esta realidad con respecto al uso del tiempo libre?

¿Quién tiene la "culpa"?

Lo que hace un adolescente que se droga es manifestar un síntoma de otra enfermedad subyacente: está dando la señal de alarma de un estado emocional particular, de una familia alterada y/o de una sociedad enferma. Para el mundo adulto resulta sencillo ignorar esta realidad de la cual es responsable y culpabilizar a un objeto -la droga- como causante de todos los males. Estamos acostumbrados a ver *slogans* publicitarios como estos:

"El alcohol al volante mata" o "La droga mata", "La droga te atrapa" Se personifica a la droga como causante de los males, se la demoniza. (Taber y Urresti, en *Proponer y dialogar 2* UNICEF) Sin embargo es importante aclarar que las drogas no son en sí mismas ni buenas ni malas. Lo que puede ser malo o enfermizo es el <u>vínculo</u> que cada persona establece con esa sustancia.

Las drogas son buenas o malas según el uso que se les dé. Si tomás aspirina cuando te duele la cabeza, esa sustancia te alivia un síntoma. Si cada día tenés que consumir aspirina porque te parece que te sentirás mal si no lo hacés, te estarás transformando de a poco en un dependiente de ese medicamento pero... ¿la aspirina es mala?

Es muy probable que no sea así: en el primer caso se la usó como un <u>medio</u> con la finalidad de aliviar un malestar. En el segundo se la busca como un <u>fin</u> en sí misma: "si no la tengo no podré sentirme bien". Ese es el momento en que se transforma en un problema.

Esta cómoda modalidad adoptada por la sociedad de decretar que la droga es mala, identificándola como única culpable del padecimiento de tantos jóvenes, es altamente nociva.

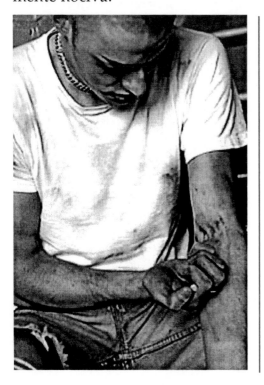

Se crea la ilusión de que promoviendo conductas basadas en la prohibición de tener contacto con esas sustancias, no salir, etc. se evitará que el mal se extienda. La verdadera solución no está en subestimar a los adolescentes sino en fortalecerlos, promover en ellos la autonomía y la libertad de elección responsable de lo que quieren para su vida. Las conductas restrictivas, lamentablemente, lo único que hacen es perjudicar la situación porque segregan y discriminan a quien consume, los aleja cada vez más de la posibilidad de reintegrarse a la sociedad como personas sanas en algún momento y despierta la curiosidad ante lo prohibido y lo oscuro que todo adolescente por su naturaleza transgresora siente. Esto no hace más que aumentar el riesgo potencial de que más adolescentes ingresen al hábito de consumir drogas.

El alcohol como puerta de entrada

El momento de tomar contacto con la droga por primera vez es tan simple y por ello parece tan inocente, que la persona cree que su relación con ella siempre va a ser igual de sencilla y manejable. La característica omnipotencia del adolescente no es, por otra parte, una buena aliada cuando se trata de adicciones. Él siente que puede y que podrá dominar la situación, y que sólo busca pasar un buen momento cuando está con amigos, pero supone que podrá prescindir de la droga cuando lo decida.

El comienzo suele tener relación directa con el consumo de alcohol. Para los jóvenes, las borracheras junto a su grupo de amigos parecen ser una especie de rito iniciático que marca el comienzo de la vida independiente, y ocurre durante las primeras salidas lejos de la mirada represiva de los padres. Si no se alcoholizan cuando salen, según ellos, "no hay diversión". Se ha transformado en una moda ampliamente difundida aún entre preadolescentes el no respetar los límites del propio cuerpo. Para ellos, lo divertido es tomar para desinhibirse, reírse, decir pavadas, marearse, aún cuando muchos terminan con vómitos, grandes dolores de cabeza o desmayos casi al borde del coma. Los hábitos de diversión actualmente se han volcado a frecuentar bares y pubs, donde claramente se predispone al consumo de bebidas alcohólicas. En los boliches donde van a bailar suelen hacer mezclas peligrosas agregándoles bebidas energizantes, medicamentos, etc., que crean un riesgo adicional. En ese marco de confusión mental, incapacidad de decisión, presión grupal, suele suceder que se les ofrece la oportunidad de probar otro tipo de droga como por ejemplo el "porro" (cigarrillo de marihuana), que les abre las puertas a alternativas cada vez más poderosas con la promesa de encontrar sensaciones nuevas, que van "hipotecando" la salud psíquica y física del adicto, e inclusive le crean la obligación de obtener los recursos económicos para abastecerse de

Alcoholismo: problema de todas las clases sociales y de todas las edades.

El alcohol crea dependencia. Engancharse es una esclavitud.

89

sus dosis. Lamentablemente, es en este momento en el que luego de haber abandonado sus responsabilidades laborales, estudiantiles, familiares, etc., cuando el recurso ineludible para conseguir dinero es el robo. Comienzan los problemas legales, las peleas, la violencia y el consumo en situaciones potencialmente peligrosas. Los problemas se amplían, y trascienden el ámbito familiar.

Actualmente hay otro tipo de adicto que no responde a las características de descuido, vagancia, marginación, inestabilidad emocional con los que nuestros preconceptos rotulan a los tóxicodependientes. Estas personas son formadas, profesionales o estudiantes universitarios con buenos trabajos y nivel social bastante alto, de alrededor de 30 años, quienes se "desconectan" de sus rutinas de tanta presión laboral mediante el consumo de pastillas de éxtasis u otro tipo que ingieren en los *after office*.

Estas son reuniones para bailar o compartir tragos a la salida de sus lugares de trabajo, y suelen realizarse ciertos días de semana en diferentes boliches. Fuera de esos momentos "recreativos", bajo los efectos euforizantes del éxtasis, estas personas no dan signos de ser adictos, ya que su rendimiento laboral e intelectual es intachable. Diríamos que son consumidores sociales pero... ¿Hasta qué punto pueden mantener esta relación tan "correcta" con la droga?

Otro fenómeno que recientemente llegó a nuestro país, comenzó en los años '80, y se puso de moda como la "cultura de la fiesta" o *rave*. Se trata de fiestas multitudinarias de hasta 24 horas de duración. En ese ámbito se comenzaron a difundir las llamadas drogas de club o recreativas destinadas en principio a combatir el sueño y el cansancio. Se trata de drogas de diseño, o sintéticas (ver clasificación más adelante), que se procesan en laboratorios clandestinos y frecuentemente se mezclan entre sí produciendo efectos cada vez más peligrosos poniendo en serio riesgo la vida de quien las consume.

En el clima de fiesta y euforia colectiva, se crea el ambiente propicio para inducir al consumo sin pensar, por simple "contagio": si todos los demás lo hacen... ¿Qué puede pasar?

¿A qué llamamos droga?

Cuando se le pregunta a los adolescentes sobre el alcohol, es curioso que casi ninguno lo considere una droga, por lo cual no lo asocian con una posible dependencia o riesgo de vida.

Es necesario entonces aclarar qué es en realidad una droga.

Según el manual *Jóvenes en prevención* **droga** es toda sustancia que al ser consumida produce:

- Una acción sobre el sistema nervioso que modifica cualquiera de sus funciones (psicoactiva).

- El acostumbramiento compulsivo a no poder interrumpir su uso (adictiva).

- Un daño o deterioro evidente en el organismo y en la calidad de vida de las personas (tóxica).

En resumen, cuando hablamos de drogas, hacemos alusión al tipo de sustancias tóxicas, psicoactivas y capaces de crear tolerancia y dependencia física y psíquica en quien las toma, que son consumidas con fines distintos a los terapéuticos y, por ende, sin supervisión médica.

Relean una vez más lo que acabamos de decir. ¿Siguen pensando que el alcohol no es una droga?

La transición desde el uso a la dependencia y las posibilidades de rehabilitación

En una primera fase, tanto el alcohol, el tabaco y la marihuana como cualquier otra droga, producen un efecto de bienestar, y se las puede consumir esporádicamente o en ocasiones puntuales. Una medicación durante una enfermedad, un vaso de vino acompañando la comida, son ejemplos de uso normal de una sustancia. Gradualmente y casi sin notarlo se puede pasar de la situación de uso al abuso. El *abuso* se caracteriza por el consumo de droga en exceso y con cierta periodicidad: por ejemplo, quien consume pastillas para dormir, bebe demasiado alcohol, o incursiona en las drogas ilegales. El ciclo sigue complicándose y se termina cayendo en la fase de adicción y luego en la dependencia de las que hablamos más arriba. Juan Alberto Yaría, en su obra *La existencia tóxica* grafica las fases de la caída en las drogas y el alcohol y la posibilidad de recuperación de la siguiente forma:

FASES DE LA CAÍDA EN LA DROGA Y EL ALCOHOL

Se visualiza con claridad el precipicio que culmina en lo que llamaríamos la dependencia declarada, la fase de crisis aguda en la que se "toca fondo". Y, desde ese momento, el camino "cuesta arriba" al que antes nos referíamos, para quien decide recuperar el sentido de la vida.

Vocabulario:

Disvalores: (*Dis*: deriva del griego y significa dificultad, imperfección, desorden). Se refiere a los valores alterados, o la pretensión de estipular como valores cosas que en realidad no lo son.

Valor: alcance de la significación o importancia de una cosa, acción, palabra o frase.

La adicción: una enfermedad en aumento

El adolescente actual, fruto de la posmodernidad, tiene características distintivas, algunas de las cuales fueron tratadas en otros capítulos, y que constituyen en sí mismas factores de riesgo frente a la adicción.

El adolescente es el emergente de una cultura caracterizada por una nueva ética en la cual la insatisfacción permanente, el desenfreno, el comportamiento irreflexivo y la meta del disfrute máximo y la posesión de todo tipo de objetos son los nuevos referentes que parecen promover los **disvalores**. La falta de modelos identificatorios a imitar como ejemplos de vida, junto con la masificación de costumbres impuestas por los medios de comunicación, acompañan a esta cultura de los disvalores.

En medio de este aturdimiento, de este bombardeo incesante de estímulos, se ve al adolescente cada vez más solo. Mejor dicho, está inmerso en una ambigüedad de soledad en compañía de otros. Un *vacío existencial*, es la expresión que mejor describe a este sentimiento. Algunos no pueden manejar esta realidad y lo demuestran a través de la agresividad, la rebeldía, la transgresión a los límites. Muchos intentan rellenar ese vacío con droga, pretendiendo ignorar la crisis disfrazándola de aparente placer, indiferencia y felicidad ficticia. Estos últimos son las jóvenes víctimas de una escasa contención social y familiar y, consecuentemente, de una personalidad que no logró estructurarse adecuadamente.

Recordemos que "No existen problemas de la juventud, sino la repercusión de los problemas globales en la sociedad de los jóvenes". (*Correo de la UNESCO* 1975, tomada de *Proponer y Dialogar 2* UNICEF).

En su transición hacia la adultez, el adolescente sufre un proceso de **individuación**: descubre su yo, traza su plan de vida y adhiere a valores determinados. Todo este proceso queda trunco cuando se incursiona en las adicciones. J. A. Yaría habla del "joven crónico", que acepta la "existencia tóxica" como propuesta de vida. Este joven sobrevive sin rumbo en la vorágine de la droga, es provocador, tiene problemas para comunicarse, de débil voluntad, atención fugaz y baja **autoestima**. No tolera la frustración, y se ve a sí mismo como un objeto, no como un sujeto.

Como vemos, la droga esclaviza y despersonaliza, a veces en forma irreversible.

Pero… ¿qué es la autoestima?

"La autoestima es el concepto que tenemos de nuestra valía y se basa en todos los pensamientos, sentimientos, sensaciones y experiencias que sobre nosotros mismos hemos ido recogiendo durante nuestra vida; creemos que somos listos o tontos; nos sentimos antipáticos o graciosos; nos gustamos o no. Las millares de impresiones, evaluaciones y experiencias así reunidas se conjuntan en un sentimiento positivo hacia nosotros mismos o, por el contrario, en un incómodo sentimiento de no ser lo que esperábamos."

De *Cómo estimular la autoestima en niños y adolescentes.*

El lugar de la drogas en la sociedad

En Argentina existen restricciones al consumo de determinadas drogas. Éstas se clasifican en legales o socialmente aceptadas, e ilegales o prohibidas. Un tercer tipo, las drogas intermedias, son las que se obtienen a través de prescripción médica:

- Drogas legales : café, té, mate, tabaco, alcohol, coca (en la zona del noroeste argentino).

- Drogas intermedias: medicamentos (desde los de venta libre hasta los psicofármacos que se venden únicamente con receta).

- Drogas ilegales : marihuana, cocaína, hachís, éxtasis, LSD, heroína, crack, etc.

Les proponemos:
Acerca del uso de drogas en diferentes culturas y momentos sociales: Investiguen qué relación tiene con el consumo de drogas la cultura islámica. Qué drogas están permitidas y cuáles no se pueden consumir. Investiguen cuál era el objetivo del uso de drogas que caracterizó a la cultura hippie en Estados Unidos durante los años '60. ¿Qué sustancias se utilizaban en esa época?

- ¿Se debe legalizar la droga?
Lean esta opinión: ¿está a favor o en contra de la legalización o despenalización del consumo de drogas? ¿Cuáles serían según él las consecuencias? "Su legalización no debe aceptarse como una ideología cómplice del fracaso de la sociedad para evitar esa desembocadura alienada. Será, apenas, una conveniencia práctica dentro de un esquema terapéutico sancionado y controlado oficialmente. Y ojalá que enseguida se torne abstracta: un mundo que no requiera drogas malsanas debe ser nuestra utopía posible. Una sociedad que desespera a su gente y luego no sabe dar continente a sus desesperados, que han optado por evadirse bioquímicamente, debe ser revisada en sus fundamentos."
Tomado de *Ciencia hoy en línea.*
Vol 11 nº 63 jun / jul 2001
Correo de lectores: Marcelo Aftalión.

Investiguen qué otras posturas surgieron con respecto a este tema y si existe algún proyecto de ley que las considere.
Luego de analizar y discutir en clase cada una, hagan una votación en el aula para ver cuál es la más apoyada.

Otras formas de clasificación de las drogas

A.- Por su origen

Drogas naturales: Son aquellas que se recogen indirectamente de la naturaleza para ser consumidas por el individuo, tales como: marihuana, hoja de coca, hongos, opio, etc.

Drogas semisintéticas: Cuando por procesos de laboratorio de las drogas naturales se obtiene otra sustancia. Ejemplo: heroína, cocaína. La primera se obtiene a partir de sustancias extraídas de la savia de la amapola, y la segunda a partir de las hojas de la planta de coca.

Drogas sintéticas: Son aquellas sustancias producidas o elaboradas sólo en laboratorios a partir de elementos químicos, ejemplo: éxtasis, barbitúricos, etc.

B.- Por su forma de uso

Drogas sociales: Son drogas cuyo consumo es aceptado en el entorno social; es decir, están vinculadas con las costumbres de una población o grupo social. Ejemplo: alcohol, cigarrillo, cafeína (cuando ingerimos café en exceso).

Drogas folclóricas: Son sustancias cuyo uso forma parte del legado cultural de algunos pueblos y en su gran mayoría se asocia su uso a un origen místico, utilizado por los ancestros en forma continua. Ejemplo: la costumbre de masticar hojas de coca (coquear) entre los habitantes de la puna (noroeste argentino).

Drogas terapéuticas: Aquellas sustancias de uso médico legal, son prescriptas por un profesional de la salud, y consumidas con fines terapéuticos. Se las debe llamar medicamentos y no drogas, ejemplo: valium, morfina.

Les proponemos

1) Investigar nuestras raíces culturales:

   Drogas folclóricas: Busquen datos sobre la historia del consumo de hojas de coca: Quiénes lo hacían y para qué, si se usa en la actualidad esta costumbre y en qué zonas del país se aplica. El hábito de **cebar mate** es también una costumbre íntimamente ligada a nuestra cultura. Pueden investigar sobre este hábito popular, y rastrear sus orígenes.

2) **Las drogas y el deporte:** Investiguen qué son los esteroides anabolizantes y para qué se usan en el deporte. ¿Cuáles son las consecuencias a largo plazo de su uso indebido? También averigüen con qué finalidad usaría la efedrina un deportista. ¿Qué es y cómo se hace un control antidoping? Busquen noticias sobre deportistas sancionados por consumo de drogas y expongan su opinión al respecto.

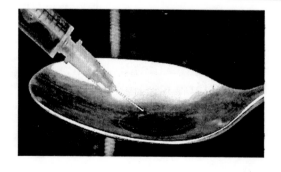

C.- Por sus efectos

Cuando definimos *droga* aclaramos que sus efectos se producen invariablemente sobre el sistema nervioso, es decir que se las considera sustancias psicoactivas. Los síntomas neuropsicológicos son tan variados que se las clasificó en cuatro grandes grupos:

Estimulantes: Aceleran el funcionamiento del sistema nervioso.

Depresoras: Disminuyen la transmisión de estímulos en el sistema nervioso.

Alucinógenas: Generan percepciones distorsionadas de la realidad: visiones, audiciones y sensaciones irreales.

Narcóticos: la palabra deriva del griego y significa "cosa capaz de adormecer y sedar": Ejemplos: tranquilizantes, somníferos, anestésicos.

En el siguiente cuadro encontrarán una breve caracterización de cada una de las drogas más usadas:

Clasificación	Obtención Ejemplos	Usos	Dep. Psíq.	Dep. Fís.	Efectos	Sobredosis
Depresora	**Alcohol (etanol):** A partir de fermentación de frutas.	Bebidas alcohólicas.	Alta	Alta	Son inmediatos: Euforia inicial y desinhibición Luego, embotamiento y confusión mental, Ebriedad.	Marcha tambaleante, descoordinación del habla, delirio, coma, muerte por accidentes.
Depresora	**Inhalantes**: Solventes volátiles: Nafta, bencina, kerosene derivados del petróleo. Desde los años '50 pegamentos derivados de plásticos tipo cemento de contacto.	Se inhalan colocadas dentro de bolsa de nylon o botellas. Frecuente uso entre personas de bajos recursos económicos, sobre todo niños.			Mareos, somnolencia, euforia, alucinaciones, distorsión de la percepción visual, sensación de volar.	Cirrosis. Asfixia dentro de la bolsa, paro cardíaco.
Depresora	**Medicamentos Barbitúricos, sedantes, tranquilizantes**	Pastillas.	Alta	Alta	Depresión sistema nervioso. Temblor, ansiedad.	Adicción, dependencia psicológica, posibilidad de muerte.

Clasificación	Obtención Ejemplos	Usos	Dep. Psíq.	Dep. Fís.	Efectos	Sobredosis
Depresora	**Nitrato de isobutilo:** Líquido para limpiar cassetes, usado inicialmente entre homosexuales buscando estímulo sexual.	**Popper:** Se inhala.			Afrodisíaco, piel enrojecida y caliente, vasodilatación, transpiración.	Taquicardia e hipotensión, convulsión, coma, espasmo corazón.
	Gama hidroxibutirato: Líquido incoloro, inodoro e insípido	**GHB (Éxtasis líquido):** Se ingiere en gotas en dosis muy precisas. Si se sobrepasa es letal			Similar al alcohol	Envenenamiento. Pérdida de conciencia, coma y muerte rápida
Alucinógenos	**Marihuana o hachís:** A partir de hojas de *Cannabis sativa*, se usaba desde antes de Cristo con fines medicinales o religiosos.	**Porro** (cigarrillo)	Alta	Media	Dilata pupilas, irrita ojos desorientación, pérdida de apetito, agitación y temblor, luego somnolencia y cansancio. A las 2 hs alucinaciones visuales.	Abulia, apatía, pensamiento persecutorio, muerte.
Alucinógenos	**L.S.D.:** Ácido lisérgico A partir de hongo llamado cornezuelo del centeno. Contaminaba harinas y por eso se detectó en 1943.	Se lo toma diluido sobre terrones de azúcar, por ejemplo.	Alta	Media	Ilusiones alucinógenas, euforia, confianza en sí mismo, falta de sentido de espacio-tiempo.	Depresión, suicidio, psicosis crónicas.
Estimulantes menores	**Cafeína:** Usados desde la antigüedad Café originario de Etiopía, chocolate de Mexico prehispánico, té de China	En infusiones: Café (granos molidos del cafeto), té (hojas de la planta de té), chocolate (granos tostados del cacao).	leve	leve	Leve excitación. Insomnio.	Taquicardia nerviosismo, pérdida de apetito.

Clasificación	Obtención Ejemplos	Usos	Dep. Psíq.	Dep. Fís.	Efectos	Sobredosis
Estimulantes menores	**Tabaco**: Obtenido de planta de Nicotiana tabacum (hojas) Contiene nicotina adictiva Alquitrán y monóxido de carbono tóxicos.	Se fuma en cigarrillos o en pipa 1 cigarrillo : 6 a 8 mg de nicotina Dosis letal: 40 a 60 mg. Antiguamente se usaba en polvo para aspirar (**rapé**)	Leve	Alta	Relaja o exalta dependiendo de la persona Sensación de placer.	Cancerígeno Problemas cardíacos, Mancha los dientes, tos persistente, dolor de cabeza, fatiga.
Narcóticos	**Opio:** Muy antigua. Obtenida de la savia seca de la amapola (Papaver somnifera). Usada por antiguos griegos y persas como medicina, en siglo XIX se usó para fabricar el láudano (usado en medicina).	Se inhala su humo o se fuma. A principios de 1800 había fumaderos de opio donde se reunían varias personas a consumir (China e Inglaterra por ej.)	Alta	Alta	Leve euforia, aislamiento, aletargamiento.	Psicosis, muerte
Narcóticos	**Morfina**: Usada como medicamento en analgésicos, y enfermos terminales. Se obtiene de la amapola. **Codeína:** Usada como medicamento para la tos.	En gral. se inyecta Jarabes o comprimidos.	Alta Media	Alta Media	Leve euforia, calma dolores, depresión respiratoria, supresión de reflejos, insomnio	Psicosis, muerte
Narcóticos	**Heroína**: Derivado del opio y éste de la savia de amapola. Al ser inyectada en sangre se transforma en morfina.	Se inhala, fuma o inyecta.	Alta	Alta	Leve euforia.	Psicosis, muerte

Clasificación	Obtención Ejemplos	Usos	Dep. Psíq.	Dep. Fís.	Efectos	Sobredosis
Narcóticos Anestésicos	**Ketamina**: Creada en 1962, usada como anestésico en medicina veterinaria.	Se consume en pastillas o polvo, mezclada con efedrina, cafeína, etc.			Desde sedación hasta delirio y pseudoalucinación, pérdida de noción de tiempo.	Paranoia, depresión respiratoria y paro cardíaco.
Estimulante mayor	**Cocaína** A partir de hojas de planta de coca (*Erythroxylum cocae*). En 1880 se usó como anestésico en heridos.	En infusión, masticada, aspiración nasal en polvo o inyectable *Variantes*: **Crack:** (años '80) Rebajado con bicarbonato de sodio. Se fuma **Paco:** pasta base de cocaína. Residuo de muy baja calidad. Muy dañino.	Alta	Alta	Excitación, euforia, insomnio, pérdida del apetito y sed, hiperactividad. Resistencia al cansan-	Alucinaciones, delirios persecutorios, crisis agresivas antisociales, convulsiones, Paro cardiorrespirato- rio.
Estimulante mayor	**Anfetaminas**: Fabricadas en 1919 como medicamento usado para adelgazar. **Efedrina**: presente en medicamentos dilatadores de vías respirato- rias.	**Éxtasis:** muy usada en las discotecas, sólo se toman con agua y bebidas energizan- tes. Pastillas de variados colores y formas.	Alta	Alta	Alerta intensificada, insomnio, anorexia, hiperactividad. Sequedad de la boca y deshidratación, locuacidad, irritabilidad.	Delirios persecutorios, daño cerebral, gran perturba- ción psíquica (psicosis), coma, muerte.

Fuentes: J. A. Yaría, *La existencia tóxica*, Buenos Aires, Lumen; Lado, M Isabel, *Informe sobre drogas* para *UBA Salud* en www.uba.ar; documento *Hablemos de droga*, Policía de Colombia en www.policia.gov.co.

Cómo se afecta la transmisión del impulso nervioso entre neuronas a partir de la acción de la droga

Como habrán comprobado, todas las drogas actúan causando diferentes efectos más o menos graves en el sistema nervioso. Esto ocurre porque se altera la transmisión del impulso nervioso entre las neuronas encargadas de captar estímulos y responder a ellos.

Como ya planteamos en el primer capítulo, el sistema nervioso tiene una manera tan rápida como compleja de enviar sus mensajes a través de una combinación de fenómenos eléctricos y químicos.

Cuando un estímulo es captado por las neuronas de un **nervio**, modifica inmediatamente la permeabilidad de la membrana celular, lo cual produce una **despolarización**. Esto significa que existe una proporción de átomos cargados (iones) que, cuando las neuronas no están activadas o estimuladas, determina cargas negativas en el interior de la neurona y positivas afuera de ésta. Al generarse un estímulo, estas cargas se invierten, quedando negativo el exterior y positivo el interior de las neuronas. Esto ocurre porque al modificarse la permeabilidad de la membrana, ésta se puede traspasar con más facilidad y se introducen repentinamente **iones** de sodio hacia la célula. Esta alteración dura <u>medio milisegundo</u>, e inmediatamente se restituye la condición de polarización normal, haciendo que iones de potasio hagan el camino inverso que el sodio, por lo tanto, esta vez sale potasio de la célula. Todo este pasaje de iones, muchas veces en contra de la diferencia de concentraciones (desde donde hay menos hacia donde hay más concentración), se logra gracias a un sistema de "bombeo", con gasto de energía.

Esta perturbación de la membrana viaja a lo largo de la neurona en forma de onda, comparable a la "ola" que los hinchas hacen en las tribunas de las canchas de fútbol.

Cuando una neurona se comunica con otra, nunca se tocan, sino que entre ellas existe un espacio llamado **sinapsis** o **brecha sináptica**, donde el impulso eléctrico se interrumpe. Para cubrir este espacio, la primera neurona (neurona pre-sináptica), libera una sustancia química (neurotransmisor) hacia la sinapsis. Las moléculas de los neurotransmisores están almacenadas en la neurona dentro de vesículas; éstas se arriman a la terminación del axón y se abren liberando a los neurotransmisores que

Vocabulario:

Sinapsis: contacto entre neuronas.

Nervios: vías conductoras de impulsos generados por estímulos que recibe el individuo, y que a la vez se encargan de trasmitir órdenes para que se pueda dar respuesta a dichos estímulos. Recorren todo el cuerpo, y parten del cerebro o de la médula espinal. Están formados por axones de neuronas.

Despolarización: inversión de las cargas eléctricas que normalmente posee el interior y exterior de la membrana celular neuronal. La neurona normalmente se encuentra polarizada con respecto a su medio externo, es decir hay diferentes cargas eléctricas dentro y fuera de ella.

Iones: átomos que han modificado la cantidad de electrones, por lo cual dejaron de ser neutros. Si han ganado electrones se transforman en iones negativos o aniones y si los perdieron se transforman en iones positivos o cationes. La proporción de iones dentro y fuera de la neurona es responsable de su polarización.

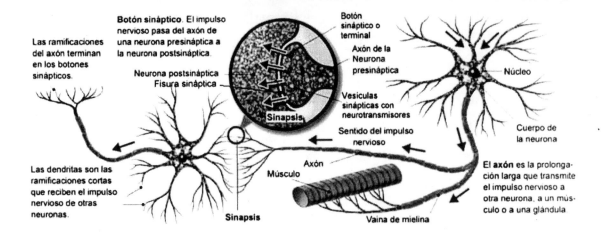

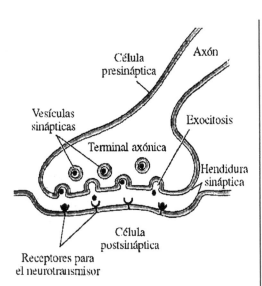

Detalle de la sinapsis esquematizada en el círculo del gráfico anterior.

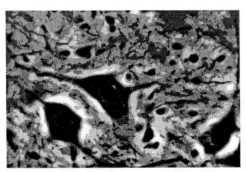

Fotografía de neuronas tomada a través de microscopio.

se unirán a receptores especiales de las neuronas siguientes (post-sinápticas) para reiniciar en ellas un nuevo impulso eléctrico. Las moléculas de neurotrasmisores son inmediatamente recapturadas por la primera neurona.

En el caso de las drogas estimulantes como la cocaína, el efecto se logra porque los neurotransmiores se liberan y llegan a la neurona postsináptica, pero no pueden ser recaptados por la primera. El resultado es la hiperestimulación por acumulación en la sinapsis de una anormal cantidad de neurotransmisores.

Los tranquilizantes y los narcóticos, por su parte, bloquean los receptores de ciertos neurotransmisores (dopaminas), por lo cual disminuye la transmisión de impulsos.

Cuando se administran drogas antidepresivas, se estimula la fabricación de un neurotransmisor específico llamado noradrenalina, mientras que un alucinógeno como el LSD, actúa sobre la serotonina.

El cerebro invariablemente queda afectado por efecto de las drogas produciendo las llamadas "cuatro A":

Apatía: dejadez, desánimo.

Amimia: falta de expresión.

Anhedonia: pérdida de la capacidad de experimentar placer sin estar drogado.

Adinamia: La persona no tiene energía si no es a través de una sustancia química.

Sin embargo, más allá de la manera artificial de producir una alteración en el sistema nervioso, se ha demostrado que el cerebro es capaz de fabricar su propia droga ante situaciones que así lo requieran.

Estas sustancias son las llamadas **endorfinas**, un tipo de narcóticos similares al opio. Serían las responsables reproducir la gran resistencia al dolor que presentan, por ejemplo, los deportistas luego de haberse lesionado, o los soldados frente a una herida. Estas situaciones límite de estrés intenso, inducen la generación de endorfinas que hacen soportable el dolor ante el momento traumático de la competencia o la batalla.

A partir de estudios neurobiológicos, se planteó una hipótesis que dice que, gracias al equilibrio de cada neurotransmisor que logra el cerebro en condiciones normales, se perfilan los diferentes rasgos básicos de la personalidad: el ansioso, el depresivo… Cada uno de esos tipos sería fruto de la proporción en que se encuentran estas sustancias en el sistema nervioso de cada persona. Esto constituiría la parte heredada de la personalidad mientras que, lógicamente, existe otra porción que es inherente a la historia de vida de cada uno. No es de extrañar, entonces, que las drogas alteren tanto la personalidad que creen serios conflictos individuales y sociales a quienes las consumen.

Una vez más… la solución es prevenir

Para que un adolescente se convierta en adicto, una serie de factores de riesgo debieron confluir generando una trampa para él imposible de vencer. ¿Cómo debe asumir esta situación el adulto?

Ya discutimos que los dictámenes y mandatos represivos no dan resultado, especialmente al intentar aplicarlos en jóvenes de estas edades. Menos todavía, condenar y colocar los molestos rótulos sociales que discriminan a quien tuvo la desgracia de caer en una situación de adicción. Tampoco es válido pretender democratizar y convalidar el uso de sustancias psicoactivas en nombre de una libertad que es una mentira.

El enfoque acertado es únicamente el de la **prevención integral**, que procure un abordaje que tenga en cuenta la interrelación entre los diferentes factores de riesgo e intervenga sobre cada uno de ellos, y dé como resultado adolescentes que elijan libremente no probar la opción de la droga.

Reducción de daños – Una alternativa posible

La "reducción de daños" se refiere a políticas de prevención de los daños potenciales relacionados con el uso de drogas, más que a la prevención del uso de drogas en sí mismo. El objetivo prioritario de estas políticas es disminuir los riesgos negativos ocasionados por el uso de drogas. Se basa en diversas tácticas:
- Proponen cambios en la aplicación de sanciones legales asociadas al consumo.
- Mejorar la accesibilidad de los usuarios de drogas a los servicios de tratamiento.
- Prevención.

- Intentan modificar la percepción social acerca de las drogas y sus usuarios.

Lo importante en estas políticas es la atención que se les presta a los "efectos secundarios" del uso de drogas: no a aquellos producidos por la naturaleza de las sustancias utilizadas, sino a la condena social que recibe el consumidor: la "criminalización". Estas propuestas no deben confundirse con la legalización, ésta puede constituirse en una alternativa de reducción de daños, entre otras políticas.

Al respecto, pueden consultar la página de la Asociación de Reducción de Daños de la Argentina (www.infoarda.org.ar).

Los responsables de esta labor de prevención son todos los ámbitos sociales:

La familia, cuya función es orientar y apoyar la transición de la adolescencia -ya que los más vulnerables son los niños-, debe convertirse en ejemplo de buenos modelos para transmitir conductas, actitudes y valores; predisponerse al diálogo y la comunicación; promover y apoyar actividades para los hijos, respetando, por supuesto, sus preferencias y opiniones.

El manual *Jóvenes en prevención* puntualiza varias fortalezas para desarrollar en los adolescentes:

Apoyar el proceso de búsqueda de la propia identidad: sobre la base de la comunicación y el afecto.

Fortalecer la autoestima: valorarse a sí mismos, valorar los logros.

Promover las conductas de autocuidado y preservación del estado de salud: Esto se logra con información adecuada y educación para la salud.

Desarrollar la tolerancia a la frustración: los fracasos son nuevos puntos de partida, y a partir del error se puede construir siempre algo que ayude a crecer.

Ya hablamos de la **capacidad de superar las dificultades y de resultar fortalecido de ellas**: la resiliencia. Es algo así como nuestra «capacidad de rebote».

Análisis crítico y capacidad de decisión: Pensar y analizar posibilidades y fundamentar las opciones. Saber hacerse cargo de las propias decisiones.

Además, vivir el tiempo libre como una oportunidad para desarrollar la creatividad, el encuentro, la recreación, y crear lazos de comunicación para compartir experiencias, para pedir ayuda o ayudar a otro, para no aislarse. A la vez, saber separar la comunicación constructiva de la que no lo es: interpretar los mensajes de los medios, procurando no dañarse ni condicionarse a partir de ellos.

La escuela es un puntal importante como generador de encuentros y espacios de discusión y desarrollo de proyectos. Es el lugar óptimo para aprendizajes concretos y la transmisión de información sobre salud.

Desde la comunidad: ella debería fomentar valores sociales como la solidaridad, generar espacios de información y de contención, por ejemplo, mediante agentes promotores de salud para la prevención de adicciones; y promover la organización de espacios de recreación sanos, participativos y creativos.

Te proponemos:

Leé la siguiente noticia y respondé las preguntas:

¿Cuál es la situación problemática detectada en las escuelas secundarias con respecto a 2001?

¿Quiénes deberían conformar una alianza según Filmus? (atención: no te quedes con el título. Leé toda la nota) ¿Cómo intervinieron los organismos internacionales (ONU y OEA) en esta problemática?

¿Qué significa la frase: "Cultura del consumismo como valor social", y cómo se vincula con este problema? (Podés revisar conceptos definidos en el capítulo 1)

¿Por qué recomienda combatir el consumo de alcohol?

¿Estás de acuerdo con las medidas propuestas? ¿Recomendarías otras?

Averiguá cómo trabaja el Estado Nacional y Provincial en el tema de adicciones.

Para eso podés ingresar a las páginas Web:

www.sedronar.gov.ar; www.sada.gba.gov.ar

 Cocaína en la secundaria: Filmus propone una alianza con la familia
Clarín, 28/12/06. Georgina Elustondo

Lectura

Para el ministro, no se puede recargar toda la responsabilidad en el sistema educativo.

Hay que crear una alianza poderosa entre el Estado, la escuela y la familia para frenar el consumo de drogas entre los adolescentes. No se puede recargar en la escuela la responsabilidad de desterrar esta problemática creciente». Con esas palabras, el ministro de Educación Daniel Filmus se refirió al estudio publicado por *Clarín* sobre el liderazgo de Argentina en el consumo de cocaína entre estudiantes secundarios.

»Hace falta un trabajo más estrecho entre los organismos del Estado que se dedican específicamente a este tema y la familia, que tiene un **papel sustantivo** en la resolución del problema», destacó Filmus al ser consultado sobre el Estudio Comparativo sobre Uso de Drogas entre adolescentes escolarizados de entre 13 y 17 años, elaborado por la Organización de Estados Americanos y la ONU, en conjunto con la Secretaría de Prevención de las Adicciones y la Lucha contra el Narcotráfico (Sedronar).

Según sus datos, Argentina es el país sudamericano con **más alto consumo de cocaína entre estudiantes de nivel medio,** y el segundo en uso de pasta base. Estudios locales ya habían advertido el problema a principios de año: cifras oficiales habían denunciado un aumento del 170% en el consumo de cocaína desde el 2001, y un incremento superior al 200% en pasta base.

»**No nos enteramos del problema por este informe**. Lo conocemos y venimos haciendo campañas y trabajando en las escuelas», comentó Filmus. También el secretario general de la Central de los Trabajadores Argentinos (CTA), el docente Hugo Yasky, calificó de «dolorosa» esa estadística que «coloca a los jóvenes argentinos a la cabeza de un triste ranking», un fenómeno que asoció «al **abandono sistemático de la educación** y a la destrucción de la escuela pública».

Por su parte, en declaraciones a Radio Mitre, el ministro de Salud de la Provincia de Buenos Aires, Claudio Mate, aseguró que «la prevalencia de la cocaína, uno droga ya instalada en Argentina, está **estrechamente ligada a una cultura donde reina el consumismo como valor social.** El uso de esta sustancia no está asociado a la pobreza o la riqueza, sino a los valores que un país promueve».

Según Mate, el drama de la cocaína no reside sólo en la posibilidad cierta de la adicción sino también en los efectos en el comportamiento inmediato. «Muchos de los casos que atendemos en los hospitales tienen que ver con la cocaína. Su influencia es altísima en los accidentes de tránsito, por ejemplo». Para el ministro, una manera de bajar los índices de consumo de esta sustancia es **«trabajar sobre el consumo de alcohol:** el patrón de uso de la cocaína está asociado al uso farmacológico que hacen los chicos del alcohol. Toman para trastocar su cabeza, y va a llegar un momento en que necesitarán meterse algo más fuerte para lograr el mismo efecto».

Película recomendada:
Trainspotting
Director: Danny Boyle (1996)
Proponemos verla en clase y debatir sobre los conceptos del capítulo que pueden ser relacionados con el film.

Actividad para tu portfolio:
- Revisá la lista de fortalezas de la página 102.

¿Cuál o cuáles son para vos tus propios puntos débiles?
¿Por qué creés que lo son?
¿Cómo pensás que podés superar esta situación?
¿Qué sentís que estás necesitando?

Más actividades para tu portfolio:
Luego de leer el siguiente cuento, responde:
¿Con cuál de las dos ranitas te identificás? ¿Esa ranita es la que sos o la que quisieras ser? ¿Hubiese cambiado algo si las ranitas hubiesen sabido que la crema se iba a hacer sólida en algún momento? ¿Qué moraleja creés que aporta para tu vida?

Un cuento: *Las ranitas en la crema*
Extraído de *Recuentos para Demián*, de Jorge Bucay, editorial Nuevo Extremo.

Lectura

Había una vez dos ranas que cayeron en un recipiente de crema.
Inmediatamente sintieron que se hundían; era imposible nadar o flotar mucho tiempo en esa masa espesa como arenas movedizas.
Al principio, las dos patalearon en la crema para llegar al borde del recipiente pero era inútil, solo conseguían chapotear en el mismo lugar y hundirse.
Sintieron que cada vez era más difícil salir a la superficie a respirar.
Una de ellas dijo en voz alta:
- No puedo más. Es imposible salir de aquí, esta materia no es para nadar.
Ya que voy a morir, no veo para qué prolongar este dolor. No entiendo que sentido tiene morir agotada por un esfuerzo estéril.
Y dicho esto, dejó de patalear y se hundió con rapidez siendo literalmente tragada por el espeso líquido blanco.
La otra rana, más persistente o quizás más tozuda, se dijo: - ¡No hay caso! Nada se puede hacer para avanzar en esta cosa. Sin embargo ya que la muerte me llega, prefiero luchar hasta mi último aliento.
No quisiera morir un segundo antes de que llegue mi hora.
Y siguió pataleando y chapoteando siempre en el mismo lugar, sin avanzar un centímetro. ¡Horas y horas!
Y de pronto... de tanto patalear y agitar, agitar y patalear...La crema, se transformó en manteca.
La rana sorprendida dio un salto y patinando llegó hasta el borde del pote.
Desde allí, sólo le quedaba ir croando alegremente de regreso a casa.

Capítulo 5

El adolescente y el descubrimiento de la sexualidad
El sexo y los asuntos humanos

Te invitamos a comenzar leyendo este cuento; sería bueno que lo leyeras junto con algún mayor para charlar con él e intercambiar opiniones.

Iniciación
De Roberto Fontanarrosa en *Nada del otro mundo y otros cuentos*, Buenos Aires, Ediciones de la Flor, 1987, (Texto abreviado).

Yo creo que a mi padre se le ocurrió ese día en que entró al baño y yo estaba bañándome. Dijo "permiso" y entró, sin esperar que yo contestara, cosa que siempre hacía y que a mí me jodía bastante […]
Muy bien; un día mi viejo aparece de tarde, y eso era raro en él, que casi siempre aparecía ya bien de noche, y me dice "vestite". Ahí fue, ahí fue cuando yo me di cuenta de que había algo raro. Cuando él me dijo "vestite" yo ya presentí que había algo raro.
"¿Adónde vamos?" le pregunto. "Al club" me dice. […] enseguida llegó el Mendoza en cuestión. Era el bufetero del club; yo lo había visto un par de veces antes. Y se ve que ya habían conversado de la cosa porque mi viejo le dijo: "Acá está el hombre" señalándome y el tipo dijo: "¿Así que éste es el campeón?" y enseguida mi viejo se levantó, lo agarró del brazo y se lo llevó hasta el mostrador. Ahí estuvieron hablando unos minutos con gran familiaridad. Mi viejo le dio unos pesos que sacó de la billetera y después se acercó de nuevo hasta la mesa. "Te dejo con Mendoza", me dijo, "es un amigo. Él se va a ocupar de todo". "Andá tranquilo que todo va a salir bien" le dijo el otro a mi viejo desde atrás del mostrador mientras acomodaba unas facturas que se ve quería dejar arregladas antes de venirse conmigo. "Después te veo en casa" me dijo mi viejo, y se fue […]

Llegamos a una casa, una casa grande, y bajamos. Mendoza entra y me hace esperar afuera. Al ratito sale y me dice "Entrá" [...]

Y ahí había una mujer, alta, grandota, que debía ser bastante joven, andaría por los 35, por ahí, lo que pasa es que para mí, en ese entonces era casi una jovata, una veterana [...]. Mendoza y la mujer cuchichearon un momento, se rieron y enseguida Mendoza se fue hacia la puerta. "Te espero en el auto" me dijo, y me guiñó un ojo. "Vení, pasá, pasá", me dijo la mujer [...].

Entonces me acuerdo que pasamos a una pieza, a un dormitorio, donde había una estufa de esas altas a la que, en la parte de arriba le habían puesto una ollita con hojitas de eucaliptos para secar el ambiente [...]. Tenía puesta una camisa blanca y una pollera, sencilla nomás. Se sentó en la cama y, mientras me miraba, dejó caer las chinelas y subió las piernas a la cama. Yo trataba de no mirarla mucho, pero ella me miraba permanentemente. Por ahí me dijo "Tenés lindos ojos". Yo me quedé mudo y seguía tratando de no mirarla. "De veras", repitió, "tenés ojos muy lindos". Después se hizo un silencio y yo noté que estaba transpirando. Yo, estaba transpirando. Era un silencio muy pesado y sólo se oía un tic tac de un reloj desde la otra pieza. Entonces ella se levantó y se acercó lentamente hacia mí. Se agachó enfrente mío y puso sus manos sobre las mías. Después se levantó, sin soltarme las manos, y yo quedé casi obligado a mirar a los ojos. Entonces me dijo: "Hay cosas que un hombre tiene que saber". Y enseguida: "Los Reyes Magos son los padres".

Después, lo único que me acuerdo es que me fui de aquel lugar llorando.

¿Te parece que habría alguna otra intención al organizar el encuentro a solas entre el chico y la señora? ¿Cuáles te parece que eran los sentimientos que experimentaba el adolescente en ese momento?

La gran mayoría de los varones realizaba su debut sexual con una prostituta, a la que era llevado generalmente de la mano de algún tío, o del propio padre del joven.

Si estuvieras en su lugar ¿te parecería positiva esa experiencia? ¿Qué opinión tienen las personas mayores que vivieron esta realidad en su adolescencia?

Este constituía el ritual que marcaba el momento en que el niño pasaba a "hacerse hombre". Fue parte de una época en la que los roles del varón y la mujer estaban bien diferenciados y se caracterizaban por su gran asimetría. La respuesta a esos códigos machistas con los que se regía la sociedad de comienzos del siglo XX fue la búsqueda paulatina de la mujer por ocupar un espacio con poder de decisión propio inclusive en el manejo de la sexualidad. El sexo, que hasta ese momento era considerado indecoroso, que se reprimía y sólo era válido para la procreación en el marco del matrimonio, pasó a ser una situación para el disfrute, gracias a que se contaba ya con medios anticonceptivos seguros que la mujer misma podía administrar.

La revolución sexual de los años 60 desestructuró los fuertes prejuicios con los que se manejaba la sociedad, quizás cayó en otro extremo bastante peligroso que es el de la falta de límites.

Julio César Machado: dice "Se sale de la dictadura de lo prohibido y se cae en la dictadura de lo obligatorio." Sin ser una obligación explícita, aprovechar toda oportunidad de tener sexo parece un mandato y ejerce gran presión sobre los adolescentes. Es "obligatorio" que estos encuentros estén despojados de cualquier sentimiento que no sea "pasarla bien" o "sacarse las ganas", el iniciarse tempranamente en las relaciones sexuales para no ser considerado un bicho raro, probar con varias parejas, y que no incluya compromiso o la reflexión sobre posibles consecuencias.

Ciertos códigos de la sociedad machista se mantienen vigentes en la actualidad.

Algunos de ellos son:
Existen dos tipos de mujeres: las de familia y las *cualquiera*. En cuanto a los hombres: todos tienen que ser "machos".
"Lo que cae, cae". Quien es macho nunca dice NO a una oportunidad sexual.
La mujer debe perdonar y conformarse con la infidelidad del hombre, mientras que para el hombre es una cuestión de honor tener una mujer fiel y sumisa. Si él busca a otra es porque "tiene necesidad".
De *Sexo con libertad* de J. C. Machado.

¿Conocen otros?

¿Para qué existe el sexo? La naturaleza tiene la respuesta

La sexualidad es simplemente una función biológica más de las personas. Tan normal y sana como lo son comer o dormir.
Más allá de los parámetros que dan significación al sexo dentro de un grupo social, muchas veces desvirtuándolo, haciéndolo sentir como algo vergonzoso o inmoral, analicemos biológicamente esta función que irrumpe en la adolescencia, acompañada de nuevas sensaciones, placenteras y complicadas de manejar, como lo es la del deseo sexual.

> "Cuanto más se separa el sexo de la simple procreación, menos animal y más humano resulta. Claro que de ello se derivan consecuencias buenas y malas, como siempre que la libertad está en juego... Lo que se agazapa en toda esa obsesión sobre la "inmoralidad" sexual no es ni más ni menos que uno de esos viejos temores sociales del hombre: el miedo al placer. Y como el placer sexual destaca entre los más intensos y vivos que pueden sentirse, por eso se ve rodeado de tan enfáticos recelos y cautelas. ¿Por qué asusta el placer? Supongo que será porque nos gusta demasiado."

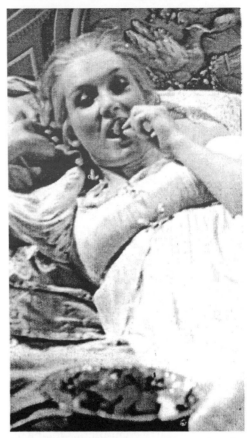

Naná, novela de Emile Zola, en la que describe cómo era la prostitución en su época; en su versión adaptada a la TV por la BBC.

Sin duda para un adolescente como vos, los primeros pasos en la exploración de la sexualidad representan una contradictoria mezcla de euforia, timidez, placer, temor, enamoramiento, desconcierto… Más de una vez se suscitan situaciones incómodas que no sabés cómo resolver, en especial cuando se trata de abordar al otro sexo. Veamos cómo le fue a Harry Potter…

«…Harry, tras intentar aplastarse el pelo mirándose en la parte de atrás de una cucharita, salió al vestíbulo para reunirse con Cho […] Estaba muy hermosa, con el cabello recogido […]. Aquella imagen hizo que Harry se sintiera incómodo, sobre todo, cuando al echar un vistazo al salón de té, reparó en que estaba lleno de parejas y todas se agarraban de la mano. A lo mejor Cho esperaba que él hiciera lo mismo.[…]Roger Davies y su novia habían empezado a besarse por encima de la azucarera. Harry hubiera preferido que no lo hicieran porque tenía la impresión de que Davies estaba sentando un precedente con el quizás Cho esperaba que Harry compitiera. Notaba un intenso calor en las mejillas e intentó mirar por la ventana, pero estaba demasiado empañada…»
De *Harry Potter y la Orden del Fénix*,
J.K. Rowling, Barcelona, Salamandra, 2004.

Así reflexionaba el filósofo Fernando Savater en *Ética para Amador*, un libro escrito para su hijo adolescente. ¿Por qué el sexo se relaciona tan estrechamente con el placer? ¿Por qué una sensación tan primitiva, tan visceral, tan buscada y tan negada por el hombre?
La clave está en comprender los mecanismos biológicos de la vida.

¿Cuáles son las ventajas del sexo?

El sexo es el gran invento de la naturaleza. Su finalidad es la reproducción y, a través de ella, garantizar la perpetuación de la vida y evitar la extinción de las especies. Los seres vivos más primitivos a través de la *reproducción asexual*, sólo pueden generar clones, es decir copias genéticamente idénticas de sí mismos, con la desventaja de que al no haber variabilidad genética, un cambio ambiental desfavorable perjudica a todos los individuos por igual. Esto representa un gran riesgo para la supervivencia. En la reproducción asexual un nuevo individuo se genera a partir de una célula o de una parte del cuerpo de un solo progenitor, y por eso hereda su misma información genética. Luego, a través de divisiones celulares sucesivas por **mitosis** se configura la totalidad del nuevo individuo, en el caso de ser pluricelular. El ejemplo más claro es el de las plantas: cuando cortamos un gajo de un malvón y lo plantamos, éste generará nuevas raíces y originará una nueva planta que será un clon de la primera. También se observa este fenómeno en algunos animales como las estrellas de mar, las planarias (un tipo de gusano plano), y en los pólipos de coral (pequeños animales que viven en colonias formando los arrecifes de coral). En todos ellos una porción del cuerpo es capaz de generar un individuo completo.
La reproducción sexual, en cambio, implica la intervención de células especializadas provenientes de dos individuos diferentes, las

cuales se unirán en la fecundación formando una única célula, la **cigota**, con la mitad de la información hereditaria aportada por cada progenitor. La cigota, por mitosis también originará al nuevo ser vivo, preservando esos genes heredados.

Aún en la mayoría de los seres **hermafroditas** como las lombrices o caracoles, se da la **fecundación cruzada**: cada uno busca a otro individuo diferente para intercambiar sus células reproductoras antes de la fecundación.

Las células reproductoras o **gametas** son tan especializadas que *tienen la mitad de los cromosomas* (**cromosomas**: formados por ADN, portadores de la información genética) con respecto a las demás células del cuerpo. Esto es porque en el momento de la fecundación, con el aporte de una gameta femenina y una masculina, se restaura el número total de cromosomas que, por otro lado, es característico de cada especie. Así, la especie humana tiene 46 cromosomas en todas las células y solo 23 en las reproductoras, pero la cigota resultante de la fecundación vuelve a tener 46. Para originar células reproductoras, la naturaleza instrumentó un proceso especial llamado **meiosis**, el cual permite reducir a la mitad la cantidad de cromosomas; previamente se realiza intercambio de genes entre cromosomas de la misma célula, llamado *crossing over*. La posibilidad del intercambio genético entre cromosomas de la misma célula reproductora, más la condición de que deban unirse dos gametas de individuos diferentes para originar descendencia, son las fuentes de la gran variabilidad que resulta de la reproducción sexual.

Vocabulario:

Mitosis: forma más común de multiplicación o reproducción celular mediante la cual a partir de una célula se originan dos con la misma información genética (igual cantidad de cromosomas).

Meiosis: forma de multiplicación celular por la cual se obtienen cuatro células con la mitad de la información genética con respecto a la inicial.

Cromosoma: organelas que se encuentran en el núcleo celular formados por material genético el cual transmite en forma codificada los caracteres hereditarios.

Fecundación: momento en el que se unen las células reproductoras femenina y masculina para conformar una única célula llamada cigota.

Cigota: célula resultante de la unión de células reproductoras que constituye la primer célula de un ser vivo de reproducción sexual.

Gametas: células reproductoras destinadas a generar un nuevo ser por fecundación; en el hombre son el óvulo y el espermatozoide.

Hermafrodita: individuo que posee órganos sexuales masculinos y también femeninos.

Mitosis y Meiosis

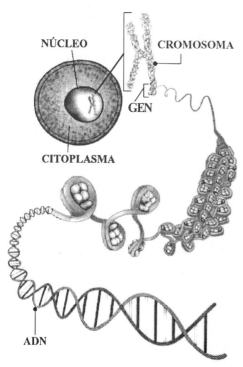

Ubicación de los cromosomas dentro del núcleo celular y su composición.

Representación de un fragmento de ADN.

Ordenemos estos conceptos en un cuadro comparativo:

REPRODUCCIÓN ASEXUAL	REPRODUCCIÓN SEXUAL
Menos evolucionada. Menor adaptabilidad.	Más evolucionada. Mayor adaptabilidad.
Sin variabilidad genética: origina clones.	Gran variabilidad genética: hijos diferentes a progenitores.
Nuevo individuo se origina de una sola célula o de un grupo de células procedentes de un solo progenitor.	Nuevo individuo se origina de la unión de dos células reproductoras o gametas procedentes de dos progenitores.
Sin fecundación. Sin gametas. Sin cigota.	Con fecundación entre gametas se origina la cigota (1ª célula del nuevo ser).
Tipo de división celular: Mitosis para originar el ser vivo completo.	Tipo de división celular: Meiosis para originar gametas. Mitosis: para originar el ser vivo a partir de la cigota.

Pensando desde el punto de vista evolutivo, la aparición de la sexualidad fue un hito importante que permitió que los seres vivos pudieran tener estrategias diferentes para adaptarse a los cambios del ambiente, gracias a la variabilidad genética.

110

En resumen, la reproducción sexual provee:

> MAYOR RENOVACIÓN DE GENES = MAYOR VARIABILIDAD = MÁS CARACTERÍSTICAS NUE-
> VAS DIFERENTES = MAYOR PROBABILIDAD DE QUE ALGUNAS SE ADAPTEN AL MEDIO =
> MENOS POSIBILIDAD DE EXTINCIÓN DE LA ESPECIE.

Queda claro que la reproducción sexual ofrece una clara ventaja por sobre la asexual. Algunas especies asexuadas, como las bacterias, han adquirido una rudimentaria sexualidad llamada **conjugación**; y otras, como los helechos y corales han incorporado en sus ciclos de vida una fase de reproducción sexual alternada con una fase asexual. A estos ciclos se los denomina **alternancia de generaciones**. Los vertebrados y el hombre, por ejemplo, se reproducen exclusivamente por vía sexual.

Pólipos de coral.

Cuando las células reproductoras se unen: el "sabor" del encuentro

El verdadero problema de la reproducción sexual es cómo garantizar que las células sexuales, que provienen de individuos diferentes, se puedan poner en contacto para fecundarse. Para esto la naturaleza encontró una solución más que eficaz y acertada: simplemente, unió el sexo con la búsqueda del placer, en una combinación infalible. No hay ser vivo que pueda resistirse a esta sensación instintiva tan intensa, que ni el hombre y su racionalidad pueden dominar.

La búsqueda de pareja, que en muchas especies, incluida la humana, está precedida de complicados rituales de cortejo y seducción, significa un gran despliegue de energía puesto en juego, movido por el impulso poderoso del placer sexual.

En el cuerpo del hombre y de la mujer hay zonas especialmente sensibles llamadas **zonas erógenas**, como el cuello, orejas, mamas y áreas genitales, diseñadas por la naturaleza para asegurar el disfrute durante el acto sexual.

Vocabulario:

Erógena/o: que genera excitación sexual.

Polinización

El parecido entre chimpancés y humanos es asombroso.

En las plantas, que no pueden experimentar sensaciones debido a que no tienen sistema nervioso, se crearon otras estrategias: la dispersión del polen (con la gameta masculina en su interior) a través del agua o del viento, o el desarrollo de plantas con flores de atractivos colores, sabores y olores para que los insectos y otros animales se encarguen de trasladar el polen.

No podemos negar que la naturaleza sabe lo que hace...

Sexualidad humana

El chimpancé es nuestro pariente más cercano debido a la gran similitud genética, (sólo hay un 1% de diferencia entre su ADN y el humano). Es un individuo social, utiliza herramientas, posee sistemas de comunicación no verbales a través de gestos o de actitudes que reflejan enojo, preocupación, alegría... Crean estrechos vínculos familiares durante la crianza de sus hijos. Juegan, se abrazan, se acarician, se asean. Sin embargo, a pesar de todas esas coincidencias básicas, la complejidad del comportamiento humano no ha podido igualarse: la posibilidad de verbalizar sentimientos, el grado de abstracción del pensamiento, son ejemplos claros que marcan esa distancia evolutiva entre el hombre y el mono.

En el plano sexual, hay una diferencia significativa: en el momento del apareamiento, el chimpancé macho se coloca por detrás de la hembra. Es imposible para ellos hacerlo de otro modo. En el género humano, en cambio, la posición de los genitales de la mujer permite un contacto frente a frente, que hace posible intercambiar miradas, caricias, besos, palabras, sonrisas.

Otro dato significativo es que en la especie humana no existe un período de celo, es decir, a pesar de ser fértil sólo unos pocos días por mes (los días de la ovulación), la mujer es receptiva al contacto sexual en cualquier momento, independientemente de la posibilidad de engendrar o no.

Los antropólogos opinan que esto es consecuencia de la evolución hacia la adquisición de fuertes lazos de pareja, cosa que sólo ocurre en el hombre. La naturaleza evolucionó en nosotros y abrió una nueva dimensión de la sexualidad, que no se limita únicamente a procrear, la que, según Savater, la hace *más humana, y menos animal...*

¿Actos sexuales o relaciones sexuales?

Podemos decir que un **acto sexual** está despojado de esa dimensión humana que enriquece esta forma de vínculo. Es, simplemente, contacto genital, que sólo busca un fugaz momento de placer siguiendo los impulsos del instinto. No se cuestiona sobre el otro, con quien comparte la intimidad. Los actos sexuales son efímeros y poco comprometidos.

El destiempo entre la madurez sexual y la madurez afectiva que caracteriza a la adolescencia impide sentir la verdadera plenitud del sexo que implica la unión de seres como la expresión más profunda de intimidad compartida, de placer y de afecto, de respeto y cuidado mutuo, de caricias, miradas y comunión espiritual. Esta es la diferencia entre un acto sexual y una **relación sexual**. La madurez afectiva permite probar otra dimensión en el sexo más allá de la genitalidad biológica, conducta instintiva que también experimentan los animales al llegar la época del celo. Descubrir que se pueden poner en juego sentimientos y valores en una relación humana inclusive en una relación sexual, superar lo puramente instintivo, es un aprendizaje y una búsqueda, un ejercicio maravilloso y comprometido de libertad, que precisamente nos distingue a quienes pertenecemos a la especie humana del resto de los seres vivos.

La gran maratón del espermatozoide: el que gana, fecunda

En la reproducción humana, la fecundación se lleva a cabo cuando se unen las dos células reproductoras: el óvulo y el espermatozoide.

El primero se origina por meiosis dentro de los ovarios (**ovogénesis**), mientras que el espermatozoide se forma en los testículos por el mismo proceso de división meiótica, que en este caso se denomina **espermatogénesis**.

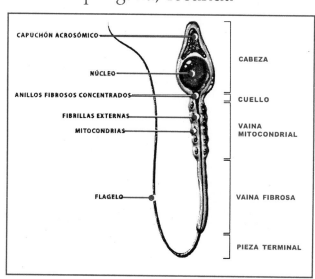

Esquema de un espermatozoide.

113

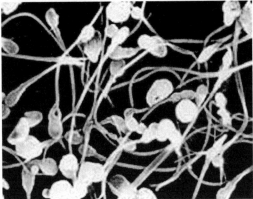

Espermatozoides vistos con microscopio electrónico

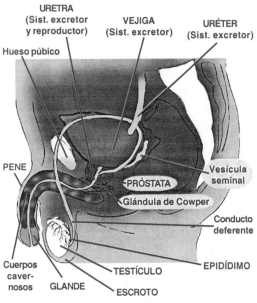

URETRA
(Sist. excretor
y reproductor)

VEJIGA
(Sist. excretor)

URÉTER
(Sist. excretor)

Hueso púbico

PENE

PRÓSTATA

Glándula de Cowper

Vesícula
seminal

Conducto
deferente

Cuerpos
caver-
nosos

GLANDE

TESTÍCULO

ESCROTO

EPIDÍDIMO

Aparato reproductor masculino

Sabías que...

La **circuncisión** es una práctica que en ciertas religiones como la judía constituye una ceremonia para todos los niños varones. Se cree que tuvo su origen como una práctica de higiene, ya que en los repliegues del prepucio se tienden a acumular microorganismos. La intervención quirúrgica consiste en cortar todo el sobrante de piel del prepucio También en algunos varones aparece una alteración llamada fimosis en la que el repliegue del prepucio es demasiado pequeño y no permite la salida del glande. Para resolverlo se practica una circuncisión con la finalidad de liberar el glande.

No es exagerado pensar que para un espermatozoide que apenas mide 0,06 milímetros y sólo puede avanzar a una velocidad de 2 milímetros por minuto, el viaje desde el testículo hasta el lugar de la fecundación será una agotadora prueba. Como podrás observar en las fotos, esta célula altamente especializada tiene una gran movilidad gracias a su flagelo, pero necesita desplazarse en un medio líquido. Algunas glándulas llamadas *glándulas anexas* aportarán el medio acuoso necesario y las "provisiones" para nutrir al viajero que deberá hacer un inmenso gasto de energía. Por esta razón el líquido también posee azúcares, principal fuente de energía de cualquier célula.

Esta "maratón", con un recorrido que abarcará unos 12 cm. dentro del cuerpo de la mujer, está prevista por la naturaleza como mecanismo de selección: sólo el mejor espermatozoide podrá fecundar al óvulo. Claro está que esta carrera no la hace sólo: cada vez que en el varón se produce la **eyaculación**, 300 a 400 millones de espermatozoides salen a través del orificio genital masculino. Comienzan su camino para intentar "conquistar" al óvulo, inmersos en los líquidos elaborados por las glándulas anexas. El conjunto de espermatozoides junto con el medio líquido que los contiene constituyen el **semen o esperma**.

Comienza el viaje

Los **testículos** son órganos muy sofisticados, que poseen un complejo sistema de regulación de temperatura. Originalmente se forman dentro de la cavidad abdominal, pero poco antes o después del nacimiento descienden para alojarse en una bolsa de piel llamada escroto. Todo testículo que no descendió para tomar su lugar definitivo no podrá producir espermatozoides, por eso hay que controlar cuidadosamente al niño recién nacido. Esto ocurre porque estas células se forman a una temperatura medio grado inferior a la corporal. Los finos músculos que recubren el escroto por dentro se encargan de contraerse para que los testículos se acerquen a la cavidad abdominal cuando la temperatura ambiental desciende, y se distienden para permitir su descenso si la temperatura se eleva.

Cada testículo está constituido en su interior por una serie de conductos muy replegados llamados **túbulos seminíferos**, cuya longitud total es de unos 250 metros. Las células que tapizan su interior originan los espermatozoides en forma constante y caen hacia el interior de los túbulos para ser llevados al **epidídimo**, tubo enrollado donde se van almacenando, también ubicado dentro del escroto, a lo largo de cada testículo. Luego de un almacenamiento de 18 horas, los espermatozoides adquieren movilidad y salen a través del **conducto deferente**, el cual rodea por encima a la vejiga urinaria, y los conductos de ambos testículos confluyen para formar un único túbulo, la **uretra**. La particularidad de este tubo es que no solo conduce espermatozoides sino también orina, ya que en el hombre el aparato reproductor y el urinario o excretor están compartidos. Es decir que la uretra puede conducir tanto semen como orina pero siempre en diferentes momentos.

Cuando los espermatozoides circulan por la última porción del conducto deferente, reciben el aporte de un líquido rico en nutrientes secretados por la primera glándula anexa llamada **vesícula seminal** (una por cada conducto deferente). La segunda glándula anexa, la **próstata**, vuelca su contenido sobre los espermatozoides cuando éstos circulan en los primeros tramos de la uretra. Por último, por debajo de la próstata, desembocan las **glándulas de Cowper**, o **bulbouretrales**, que proveerán la lubricación necesaria al entrar en contacto los genitales masculinos y femeninos durante el acto sexual. La cantidad final de semen o esperma que se expulsa en la eyaculación varía entre 2 a 5 mililitros.

Recordemos:

Semen o esperma = 300/400 millones de espermatozoides + líquidos provenientes de tres glándulas: seminales / próstata / cowper

---

Una nueva ruta

A esta altura del viaje, se presenta un serio problema: hay que hacer un "trasbordo". No olvidemos que la misión de los espermatozoides es ir en busca del óvulo y para eso ¡hay que abordar al otro sexo!

Los espermatozoides dentro del semen no podrían sobrevivir demasiado tiempo en el medio aeroterrestre en el que vivimos. Hubo que encontrar la manera de poder solucionar este inconveniente, para lograr que estas sensibles células puedan ser depositadas directamente en el interior del cuerpo de la mujer. El instrumento para ese fin es el **pene**: La última porción de la uretra se prolonga hacia fuera de la cavidad abdominal y está rodeada de tres masas de tejidos con cavidades huecas en su interior: dos cuerpos cavernosos y un cuerpo esponjoso. En el momento de la excitación sexual, los numerosos vasos sanguíneos que recorren

¿Impotencia o esterilidad? Hombres eran los de antes...

La impotencia masculina consiste en la imposibilidad de lograr el llenado de sangre de los tejidos del pene en forma completa y duradera, y como consecuencia no se logra la penetración de la vagina. No es sinónimo de esterilidad pero, sin embargo, en una sociedad como la nuestra, la imposibilidad de tener hijos, ya sea por no poder concretar el acto sexual o por la falta de espermatozoides fértiles, tiende a ocultarse. Para algunas mentes prejuiciosas esto disminuye la hombría del varón y en general se acepta más fácilmente y con mayor naturalidad que sea la mujer la que tiene problemas para concebir. La impotencia masculina puede deberse a trastornos orgánicos pero también a problemas psíquicos como stress, ansiedad o depresión. Por otro lado, hace 30 años los hombres fabricaban un 40 % más de espermatozoides que en la actualidad. Diversos factores afectaron en este sentido: el deterioro en la calidad de vida, los contaminantes ambientales, la moda de usar pantalones ajustados que presionan a los testículos y que impiden su regulación de temperatura, han influido en la cantidad de espermatozoides que producen los varones.

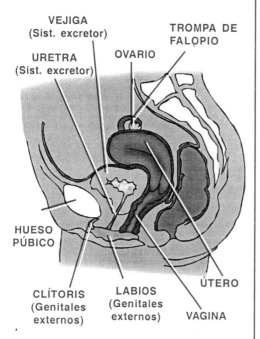

VEJIGA
(Sist. excretor)

URETRA
(Sist. excretor)

OVARIO

TROMPA DE
FALOPIO

HUESO
PÚBICO

CLÍTORIS
(Genitales
externos)

LABIOS
(Genitales
externos)

VAGINA

ÚTERO

Aparato reproductor femenino

estos tejidos se dilatan y se llenan de sangre comprimiendo los espacios huecos. De este modo este órgano entra en erección y adquiere la capacidad de introducirse dentro de la vagina femenina, para depositar en ella el esperma en el momento del orgasmo en el que se manifiestan unos segundos de placer muy intenso, tanto en el hombre como en la mujer. Para ingresar al **útero**, los espermatozoides deben cruzar un anillo muscular, el **cuello**, que sobresale en el fondo de la vagina. Ésta es un tubo muscular, cuyas secreciones constituyen el **flujo vaginal** y brindan lubricación y protección contra agentes extraños, dado su alto grado de acidez. El líquido aportado por la próstata neutraliza esa acidez para que no sean atacados los espermatozoides.

A esta altura del viaje se produce la verdadera "maratón": de los millones de espermatozoides que ingresan a la vagina, sólo unos cientos logran trepar a lo largo del útero para llegar hasta las **trompas de Falopio** e ingresar a ellas. El útero es un órgano muy elástico con gruesas paredes musculares en las cuales desembocan dos trompas de Falopio u oviductos que se conectan a su vez con cada ovario. En ese viaje ascendente de los espermatozoides muchos tomarán un camino erróneo ya que sólo en una trompa está el óvulo maduro, esperando ser fecundado.

La fecundación ocurrirá en el tercio superior de esos conductos.

Y por fin ... la fecundación

Todo el viaje de los espermatozoides lleva entre 12 y 24 horas, pero al llegar a las proximidades del óvulo, tendrán que superar una nueva prueba. El óvulo está rodeado de una capa de células, la **corona radiada**. El acrosoma situado en el extremo de la cabeza de cada espermatozoide (ver esquema), tiene enzimas que disuelven esa cubierta protectora. Así llega a penetrar la cabeza de un solo espermatozoide dentro del óvulo, y fuera queda su flagelo.

A partir de este momento le será imposible el ingreso a cualquier otro espermatozoide ya que se produce un cambio químico en la superficie del óvulo, que lo mantiene aislado. Otro limitante que pone en riesgo el éxito de la fecundación es el tiempo de vida del óvulo, que es de 36 horas, mientras que el espermatozoide se mantiene vivo por un período aproximado de 48 horas.

No hay dudas de que es un milagro la vida...

¿Cómo llega el óvulo hasta el lugar donde será fecundado?

Un ping pong hormonal: el ciclo ovulatorio o menstrual

Así como la fabricación de espermatozoides es constante y está condicionada por hormonas (rever capítulo 1), un solo óvulo madura alternativamente en cada ovario aproximadamente cada 28 días, por acción de cuatro hormonas específicas.

La cantidad de células que madurarán es de 300 a 400 durante toda la vida fértil de la mujer, la cual comienza en la **menarca** (primera menstruación) y termina en la **menopausia** (cese de las menstruaciones).

La primera de estas hormonas es elaborada por la **hipófisis** a través del hipotálamo, y se denomina **hormona folículo estimulante** o FSH. Ésta viaja por la sangre hasta el ovario, en el cual se diferenciará una estructura llamada **folículo**, que consiste en el óvulo inmaduro rodeado de células especializadas, que a su vez comenzarán a secretar la segunda hormona, llamada **estrógeno**. Ésta, a la vez, actuará principalmente sobre el útero, engrosando el **endometrio**, que es su revestimiento interno. Al haber un alto nivel de estrógenos en la sangre, la hipófisis responde a esta señal química produciendo una importante liberación de una nueva hormona, la LH u **hormona luteinizante**,

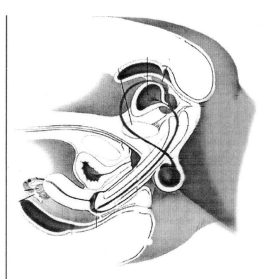

Durante el acto sexual el pene es el encargado de depositar el semen en el fondo de la vagina de la mujer para que los espermatozoides inicien su viaje hacia el encuentro del óvulo que se concretará en las Trompas de Falopio.

Dato curioso:

"El óvulo que no es óvulo"

En rigor de verdad, la célula reproductora femenina solo se llama **óvulo** durante un breve momento posterior al ingreso del espermatozoide a su citoplasma, ya que recién ahí se completa la división celular meiótica que lo origina. Hasta ese instante se denomina **ovocito**.

Podés averiguar:
¿Qué ocurre cuando se originan mellizos? ¿Será por dos espermatozoides que ingresan juntos al óvulo o por fecundación de dos óvulos a la vez cada uno por un espermatozoide? Explica.
¿Por qué los gemelos son idénticos? ¿Cómo se originan? Establece las diferencias entre gemelos y mellizos.

117

(sin haber dejado de producir en menor cantidad la FSH). Ésta también actuará sobre el ovario, haciendo que el folículo se aproxime a su superficie y se rompa. Así se libera al óvulo en la cavidad abdominal, para luego ser captado por las prolongaciones de las trompas de Falopio semejantes a un plumero. Este proceso se denomina ovulación.

Paralelamente, dentro del ovario quedó el resto del folículo que ahora se transformará en cuerpo lúteo. Sus células aumentaron de tamaño, adquirieron un aspecto amarillento y comenzaron a producir otra hormona llamada **progesterona** además de los **estrógenos**. Como la anterior hormona ovárica, también actuará sobre el endometrio del útero, terminando su preparación para recibir un posible embrión que se implante en él.

El óvulo, por su parte, luego de ser captado por la trompa de Falopio, es conducido hasta el tercio superior de este conducto, lugar donde esperará la llegada de algún espermatozoide que lo fecunde. Si esto no ocurre, el cuerpo lúteo envejece y deja de producir las hormonas que preservan el endometrio, por lo cual sus paredes se desprenden y como están muy enriquecidas con capilares sanguíneos, se produce una hemorragia que es la menstruación, durante la cual también se expulsa el óvulo que no fue fecundado y que solo vive unas 36 horas luego de la ovulación.

Como podrás apreciar, hay un "ping pong hormonal" que se produce entre la hipófisis y el ovario, que alternativamente liberan diferentes hormonas. Lo podrás visualizar mejor completando el siguiente cuadro:

HORMONA	ORIGEN	ACCIÓN
	Hipófisis	
	Ovario (folículo)	
	Hipófisis	
	Ovario (cuerpo lúteo)	

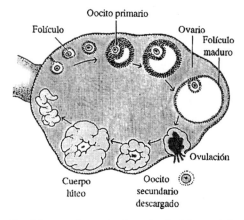

Cambios en el ovario durante el ciclo ovulatorio

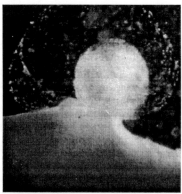

Con fuerza explosiva, el ovocito es expulsado del folículo, rodeado de un halo de material conocido como corona radiada.

118

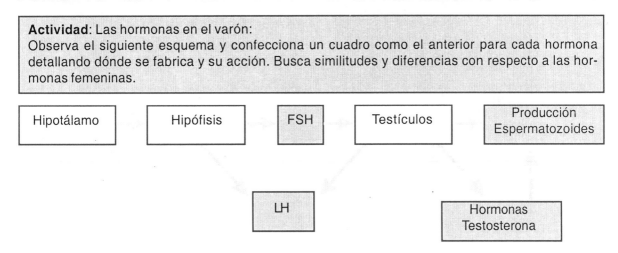

Actividad: Las hormonas en el varón:
Observa el siguiente esquema y confecciona un cuadro como el anterior para cada hormona detallando dónde se fabrica y su acción. Busca similitudes y diferencias con respecto a las hormonas femeninas.

Las primeras manifestaciones de la madurez reproductiva

Como vimos en el primer capítulo, la pubertad acarrea una verdadera revolución corporal, por lo rápidos y rotundos que son los cambios que aparecen. El signo concreto de haber adquirido la capacidad reproductiva es, en el varón, la primera eyaculación. Ésta se produce espontánea e involuntariamente durante la noche, y es un fenómeno enteramente normal denominado **polución nocturna**, que puede repetirse muchas veces hasta que se logre el "ajuste" necesario en el ritmo de producción de espermatozoides. En las chicas, la primera menstruación marca la adquisición de la capacidad de gestar vida. Las menstruaciones pueden durar entre tres y siete días, aunque hay excepciones, y por lo general, el segundo día es el de flujo más abundante. También ocurren a menudo irregularidades en los primeros ciclos: puede haber interrupciones durante algunos meses, o variaciones en cuanto a la duración del período y cantidad de flujo. Todas estas alteraciones pueden obedecer al ajuste del mecanismo hormonal que lo regula, pero siempre conviene que el médico esté al tanto y supervise este proceso hasta que se estabilice.

La maravilla de la vida: la gestación de un nuevo ser

El viaje hacia el útero: la incubadora de carne y hueso

Inmediatamente después de la fecundación que origina la primera célula del nuevo ser, comienza una serie de divisiones celulares por mitosis que a lo largo de los nueve meses de gestación clonarán millones de células idénticas a la cigota, que compondrán al futuro bebé.
A las 36 horas de la fecundación se produce la primera división, que origina dos células, tres días más tarde hay 8, y paulatinamente esta estructura con forma de mora llamada **mórula** inicia su camino descendente hacia el útero, adonde llega a los 6 días de la fecundación con más de 120 células. Allí la mórula comienza a generar un hueco en su interior, y pasa a llamarse **blástula**. Una parte diferenciada de ella se implanta en la pared del útero y comienza a fabricar una hormona, la **gonadotrofina coriónica**, que hace que el cuerpo lúteo continúe liberando estrógenos y

progesterona para preservar las condiciones del endometrio y así mantener el embarazo. Ni bien se implanta la blástula se transformará en **gástrula**, y se reconocen en ella tres capas de células que recién en ese momento se diferenciarán en su aspecto y funcionamiento para originar los distintos tejidos y órganos del cuerpo. En el lugar del implante se desarrollará la **placenta**, que a las tres semanas de embarazo, cubre el 20 % del interior del útero y llegará a abarcar un 50% hacia el 5º mes. Este órgano es el que posibilita el ingreso de oxígeno y nutrientes al embrión y la evacuación de desechos metabólicos producido por éste. El intercambio de sustancias se realiza través del cordón umbilical que va desde la placenta hasta el abdomen del embrión, pero la sangre de la madre y la del hijo nunca se ponen en contacto, y hasta pueden ser de tipos sanguíneos diferentes. Por otro lado, la placenta también desempeña un papel importante en el mantenimiento del embarazo, mediante la fabricación de estrógenos y de progesterona; además, releva al cuerpo lúteo de esa función hacia el tercer mes de embarazo.

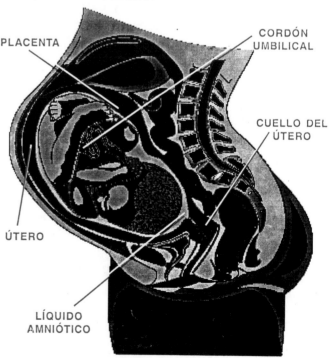

PLACENTA

CORDÓN UMBILICAL

CUELLO DEL ÚTERO

ÚTERO

LÍQUIDO AMNIÓTICO

	PRIMER TRIMESTRE (Embrión)	SEGUNDO TRIMESTRE (Feto)	TERCER TRIMESTRE (Feto)
CRECIMIENTO	Llega a medir 9 cm. Y pesa 15 gramos	Llega a medir 35 cm. Y pesa unos 700 gramos	Llega a medir 55 cm. Y pesa alrededor de 3 kg.
CARACTERÍSTICAS	Gran sensibilidad a factores externos: alcohol, tabaco, fármacos o drogas, enfermedades de la madre (rubéola, toxoplasmosis, etc.). Se originan todos los órganos y late el corazón. Durante el tercer mes comienza a mover extremidades y a hacer gestos.	Movimientos vigorosos Se forman el pelo, las cejas, el vello corporal Se cubre el cuerpo de sustancia grasosa protectora. Se osifica su esqueleto. Maduración de la mayoría de los órganos, no aún de los pulmones.	Gran crecimiento del tamaño y número de células: aumento de peso mientras la placenta reduce su tamaño. Gran desarrollo de células y conexiones cerebrales. La madre le pasa sus anticuerpos vía placentaria para la protección durante los primeros días de vida. Maduración total de órganos y sistemas.

Poco a poco aparece la forma humana

Cada trimestre de la gestación ocurren cambios significativos, paulatinamente los rasgos del bebé adquieren la forma humana.

¿Cuáles son los primeros síntomas de embarazo?

- La falta del período menstrual,
- Las mamas aumentan de tamaño, se ponen más firmes, y a veces producen molestias. Los pezones y areolas aumentan de tamaño y se oscurecen,
- Deseo de orinar con mayor frecuencia,
- Mareos o náuseas (en 1/3 de las mujeres).

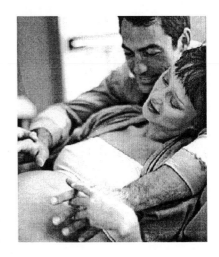

Estos síntomas pueden presentarse en forma muy clara, pero igualmente ante la sospecha de un embarazo, lo mejor es dejar pasar unos días después de la primera falta de menstruación y realizar un test de los que se adquieren en farmacias. Si bien el test se puede realizar a partir del primer día de atraso, los resultados más confiables se obtienen dejando pasar dos semanas a partir de la fecha en que se debería haber producido el período menstrual. A partir de ese momento, si se confirman las sospechas, concurrir a un médico obstetra lo más pronto posible para dejar bajo su cuidado la salud de la madre y la de su hijo durante todas las instancias del embarazo, en especial durante los primeros meses, sumamente importantes en el desarrollo del bebé.

El momento del parto

¿Cómo saber de antemano la fecha en la que nacerá el bebé? ¿Se puede calcular? ¿Se puede dar cuenta una mujer si el parto es inminente?

Muchas preguntas se hacen las madres primerizas en torno a este momento tan natural como rodeado de mitos y miedos.

La fecha probable del parto se estima con un simple cálculo: contando 9 meses a partir de la fecha de la última menstruación, a los que luego se le agregan 7 días más. Igualmente, la mujer puede detectar síntomas específicos que le anuncian cuándo el bebé está próximo a nacer.

- Etapa de dilatación: Dura entre 2 y 16 horas. Comienzan a producirse contracciones espontáneas de la musculatura del útero, durante las primeras horas cada 20 minutos, hasta crecer en intensidad y frecuencia, que puede llegar a ser de cada uno o dos minutos. Esto indica que el cuello del útero ya se dilató como para dejar pasar el cuerpo del bebé. También se suele romper la bolsa que contiene el líquido amniótico, y éste se derrama limpiando el canal de parto. Este líquido es acuoso, transparente y con un ligero olor similar a la lavandina.

- Etapa de expulsión: Dura entre unos pocos minutos y una hora. Ayudado por las contracciones del útero, el bebé es expulsado del mismo y atraviesa el canal de parto. La madre siente un reflejo que la hace pujar, lo cual culmina con la aparición de la cabeza del bebé. El médico suele hacer una pequeña incisión en la piel externa que rodea la salida de la vagina, para facilitar la salida del niño. Este procedimiento se denomina **episiotomía**.

- Etapa de alumbramiento: Unos quince minutos más tarde, y mediante nuevas contracciones, es expulsada la placenta unida al cordón umbilical, que fue seccionado al nacer el bebé. Luego de esto, contracciones más suaves se suceden para ayudar a expulsar los restos de anexos embrionarios y para frenar la hemorragia producida por la placenta al ser desarraigada del útero.

"Parirás con dolor..."

Es la consabida frase bíblica en la que subyace el mito del sufrimiento y el dolor inevitable. El parto es una acción fisiológica, es decir que el organismo está preparado para afrontar este proceso, que es parte de su funcionamiento normal. Hoy en día, la oferta de cursos informativos en los que se practican técnicas de relajación y respiración sumado al hecho de que ambos miembros de la pareja participen de este acontecimiento, ha posibilitado la desmitificación y el replanteo del parto como un momento feliz y pleno de la vida.

Sabías que...

La intervención llamada **cesárea**, es una intervención quirúrgica mediante la cual se hace una incisión en el abdomen y el útero para extraer al niño en el momento del parto. La palabra deriva probablemente del latín *caedere* (cortar) o de la ley romana *lex caesarea* que permitía cortar el abdomen de una embarazada si ésta moría para intentar salvar a su hijo.

Actividad

Un proyecto: Tal vez puedas armar con tu grupo de trabajo una charla informativa a los compañeros de otros cursos para responder a las preguntas que se hacen los adolescentes que o bien no encuentran espacios de escucha e información o, tal vez, reciben esta información con más tranquilidad y confianza si se la da alguien próximo a él en edad y vivencias. Esta actividad debe, por supuesto, estar guiada por la profesora. Busquen diferentes fuentes de información: especialistas, folletos en centros de salud, libros, Internet etc. Guarden esta información en forma ordenada. Pueden confeccionar fichas.

Guiados por su docente armen la secuencia para la charla, pueden usar soporte de Power Point (ayudados por su docente de TIC) y / o afiches con gráficos explicativos (aquí pueden articular con plástica). También diseñen la publicidad para promocionarla en la escuela. Luego, si quieren dar un paso más, gestionen a partir de la elaboración de una carta la solicitud para dar esa charla en otra institución.

Les recomendamos la lectura del libro de Julia Pomiés, *Nuestra sexualidad* y el libro *Sexo con libertad* de J. Machado. El primero aborda ampliamente en especial la parte biológica de todos los aspectos posibles relacionados con la sexualidad. El segundo se concentra más en el aspecto humano y en el manejo de los valores en el ejercicio de la sexualidad responsable.

Actividad para tu portfolio:

¿Qué preguntas te hacés vos con respecto al sexo? ¿Qué inquietudes se abrieron a partir de la lectura de este capítulo? ¿Con quién creés que sería conveniente charlarlo?
Indaguen en pequeños grupos cuáles son las preguntas más frecuentes sobre sexualidad. Hagan una lista única a partir de la puesta en común. Puede ser un buen punto de partida para buscar información relacionada con los contenidos que desarrollaremos en la última parte de este capítulo.

Reflexioná sobre tu postura frente a la sexualidad, y volcá tus ideas en una hoja que guardarás en tu portfolio. Te va a servir releerlas más adelante.

- ¿Qué expectativas tengo con respecto a mi propia sexualidad?
- ¿Qué sentimientos me despierta pensar en el sexo?
- ¿Estoy ahora enamorado/a?
- ¿Pude hablar de este tema con mi novio/a?

Actividades:

Lean el siguiente fragmento del libro *Los hijos de la ciencia* de Robert Clarke (Emecé, Bs As). Investiguen en qué consisten las diferentes técnicas de fertilización asistida.
Busquen testimonios y diferentes posturas al respecto. Redacten individualmente su opinión, que incluya un análisis del texto que sigue:

"Inseminación artificial, bebés de probeta, embriones congelados, donación de óvulos, vientres en alquiler, todos estos términos que formaban parte de la ciencia ficción, irrumpen ruidosamente en nuestra vida cotidiana. Medios revolucionarios, contra la naturaleza, de obtener esos "hijos de la ciencia", se convierten para millares de parejas estériles en la única forma de concretar sus deseos de tener hijos, de convertirse en hombres y mujeres como los demás, de fundar una familia. De esta manera la biología franquea una nueva etapa: de "saber" sobre la vida se convierte en "poder" sobre la vida. […] Esta revolución, sin embargo, nos interesa a todos. Pues se refiere a lo más esencial en la especie humana: ese huevo formado de la unión de la semilla masculina y el óvulo femenino, que contiene nuestro pasado y nuestro futuro, que demuestra en cada nacimiento que un hombre es siempre un hombre, que la especie humana es una realidad viviente. ¿Al inmiscuirse en la procreación los biólogos no estarán acaso jugando a los aprendices de brujos? Ya saben cómo producir niños sin padre, niños sin madre. ¿Qué sucederá en este juego peligroso con el amor, la pareja, la familia?"

Para debatir:

Julia Pomiés, en su libro *Nuestra sexualidad* (Aique), contrasta dos realidades: la de "Querer y no poder" confrontada con la de "Poder y no querer" ¿A qué realidades con respecto a la planificación familiar se referirá la autora? ¿Por qué lo plantea como una situación paradójica?

Discutan entre ustedes:

¿Cuáles deben ser los límites del "Querer y no poder"?

Por Maitena.

Jane Austen es una escritora que nació en 1775 y murió en 1817. Supo reflejar como pocas en sus textos las características de la sociedad en la que vivía. Lean este párrafo:

"Entre los jóvenes se estableció desde el primer momento una corriente de simpatía. Por cada lado había motivos de atracción, y el incipiente trato prometió convertirse en intimidad, tan pronto como la práctica de las buenas costumbres pudiera autorizarlo."

Austen, Jane; *Mansfield Park*, Barcelona, Plaza & Janés, 1997.

Sexualidad responsable

Cómo se vive la sexualidad adulta

El hombre es un ser social y, como tal, responde a principios y normas establecidos como socialmente válidos. Estos patrones de comportamiento inciden en la construcción de la personalidad y en el plano sexual también condicionan la forma de actuar.

La sociedad cambia y, con ella, se modifica esta "matriz cultural" en la que permanentemente, como seres humanos, nos formamos.

A principios del siglo XX las mujeres se casaban aproximandamente a los 15 años. Por supuesto que las normas sociales de la época indicaban que deberían llegar al matrimonio con su virginidad intacta y con sumo recato. Los noviazgos eran breves y distantes y entre los novios era impensable la privacidad. Muchas veces se unían con hombres bastante mayores, quienes ya tenían experiencia sexual, la mayoría de las veces, con prostitutas. Eran normales los casamientos "arreglados" por los padres, sin que los involucrados tuvieran voz o voto. Evidentemente, el amor no era tan importante como garantizar una estabilidad económica. Las mujeres, por otra parte, no trabajaban fuera de su casa. Esto es algo que hoy en día resulta muy extraño, pero hasta no hace tanto tiempo, si lo hacían, eran mal vistas por la sociedad. Por lo tanto, más que casarse con el amor de su vida, se casaban con quien les garantizara un futuro seguro económicamente tanto a ellas como a su descendencia.

En el plano sexual, la pareja tenía relaciones cuando el hombre lo "necesitaba" y, por otro lado, existía la creencia de que el hombre sí necesitaba tener sexo pero la mujer no, inclusive ésta no podía demostrar que disfrutaba durante un encuentro sexual. ¿Por qué? Una buena pregunta: si lo hacía, era considerada una "cualquiera".

Podríamos decir, entonces, que *trabajo y placer* eran cosas de hombres. La mujer, que debía ser "una santa" solo quedaba relegada al papel de ama de casa y madre. Y, en general, las parejas tenían numerosos hijos. ¡Y cuantos más varones, mejor!

Con el correr de los años, las parejas comenzaron a formarse entre personas de edades similares, con mujeres ya no adolescentes, sino más maduras y, sobre todo con capacidad de decisión sobre sus propias vidas. Frecuentemente el inicio sexual de ambos ocurría en el matrimonio.

En la actualidad, paulatinamente la mujer se equipara con el hombre, y ya no necesita ocultar que necesita y disfruta del sexo tanto como él. Apareció una nueva forma de vínculo: parejas que se unen para compartir sus vidas pero que evaden el compromiso de casamiento formal y proyectos de hijos y familia. Viven juntos bajo un mismo techo pero mantienen sus espacios y su individualidad. Se tiene sexo para disfrutar, para vivir momentos de placer.

Como podrás comprobar no es válido en este caso, como en muchos otros, aplicar el dicho "todo tiempo pasado fue mejor". En todas las épocas hubo dificultades para establecer vínculos sexuales, sin que por ello podamos asegurar que lo que se vive en la actualidad sea necesariamente bueno.

¿Qué ocurre con el sexo hoy? El sexo está bastardeado, muy contaminado con un bombardeo mediático que lo desvirtúa y lo convierte en mercadería que "vende", que significa un buen negocio para muchos. Así, permanece totalmente alejado de su verdadera dimensión humana.

El movimiento hippie y con él la revolución sexual, provocaron un cambio caracterizado por una actitud de cuestionamiento y de rebeldía frente a los códigos sociales vigentes: la sexualidad fuera de la pareja, la iniciación cada vez más temprana… Bajo el lema "amor y paz", escandalizaron a la sociedad de los años '60.

Éstos fueron sumamente revolucionarios. En muchos aspectos, la sociedad se vio convulsionada por cambios que se sucedían a un ritmo vertiginoso. Por un lado, gracias a la prosperidad económica: desde 1963 hasta 1970, se incrementó en gran medida la producción industrial y la de los alimentos y se ingresó así en una etapa de consumo de masas.

Por otro lado, valores hasta ese momento intocables fueron cuestionados, la familia entre ellos. Los adolescentes y jóvenes consideraban mediocre y aburrido el mundo adulto y reclamaron transformaciones. Así nace el movimiento hippie que, en medio de la guerra de Vietnam clamó pidiendo paz, cuestionó el racismo de la mano de Martin Luther King, exigió "la imaginación al poder" en el Mayo francés de 1968. Es decir: los jóvenes se convirtieron en motor de cambio de la sociedad.

El movimiento de liberación femenina exige igualdad entre los sexos, la píldora anticonceptiva revoluciona la vida sexual de la época, hasta entonces limitada, prácticamente, a la procreación.

Acá está papá, listo para cambiar unos pañales a su bebito!!

¿Sexo o género?

Los roles del hombre y la mujer en la sociedad fueron variando a través de diferentes culturas y épocas históricas. Así como el sexo biológico se determina en el momento de la concepción a partir de los cromosomas sexuales X e Y, recientemente se impuso el concepto de **género** que alude al "modo" de ser hombre o mujer en cada sociedad en particular, más allá de la determinación genética que designa la pertenencia al sexo masculino o femenino.

Entre 1920 y 1930 la antropóloga Margaret Mead estudió el comportamiento de mujeres y hombres de tres comunidades diferentes y determinó que la femineidad y la masculinidad se definen en forma variable según la cultura en la que se viva. Comportamientos que en ciertas sociedades fuertemente centradas en la hegemonía del hombre serían considerados feminizantes, no son motivo de duda en sociedades más abiertas. Por ejemplo, entre nosotros es común ver papás cambiando pañales o lavando platos, y a nadie se le ocurre desacreditar su hombría por hacerlo; sin embargo esta actitud es impensada en países donde el papel del hombre está totalmente desvinculado de las tareas de la casa ya que se consideran estos hábitos muy poco varoniles.

Cómo se vive la sexualidad durante la adolescencia

La búsqueda del amor y el descubrimiento del sexo son parte fundamental de la adolescencia. El enamoramiento, el amor efímero, los desencantos, son sentimientos y conductas propias de esta etapa de descubrimiento y de exploración.

Para ello los adolescentes buscan información, quieren saber, y por supuesto determinar su identidad sexual, que les va a permitir relacionarse con otros para amar y ser amados.

De a poco irán conectándose con su genitalidad, es decir, podrán hacer uso de los órganos sexuales; y para ello comenzará la búsqueda de una pareja, eventual o permanente. El adolescente "...la necesita para establecer primero esos acercamientos

...ESTOY PREOCUPADA POR MI HIJA, NO ESTUDIA NADA, NO VE A SUS AMIGAS, NO SE SIENTA A LA MESA, NO HABLA CON NADIE...

¿PERO QUÉ TIENE?

NOVIO

Por Maitena, en *Mujeres Alteradas 3*

126

superficiales que luego le permitirán pasar de los besos a las caricias cada vez más profundas y más íntimas, y que en un principio llenarán su vida sexual." (*Novedades Educativas*, Rev. N° 184, Crispo, Guelar, Rabinivich).

Se estima que, desde los 13 hasta los 20 años, el 88% de los varones y el 91% de las chicas han tenido ya este tipo de actividades sexuales y que, llegados los 21 años, casi el 100% de los chicos tuvo relaciones sexuales.

Para ambos sexos la primera relación sexual constituye un rito de pasaje, un momento de transición a la adultez, marcado por la inclusión del cuerpo y la genitalidad.

Tarde o temprano los adolescentes se enfrentan con esta primera experiencia: su primera relación sexual y con ello la pérdida de la virginidad, lo cual suscita en ambos sexos temor y tensión.

Sexualidad y psicoanálisis

Con el advenimiento de la pubertad comienzan las primeras transformaciones que han de llevar la vida sexual infantil hacia su definitiva constitución normal.

¿Sexualidad infantil? ¿Quién se anima a realizar semejante afirmación? Pues nada más ni nada menos que Sigmund Freud, el padre del psicoanálisis, quien se animó a formular una teoría revolucionaria para la época (fines del siglo XIX).

¿Cuál es la concepción corriente de la vida sexual?

La mayoría podría afirmar que consiste en el impulso de poner los órganos genitales propios en contacto con los de una persona del sexo opuesto.

Es un impulso que aparece claramente en la pubertad, es decir, en la edad de la maduración sexual, y que servirá para los fines de la procreación.

El planteo de Freud revolucionó a la sociedad cuando señaló que, entre los seres humanos, tenían lugar situaciones que no encuadraban dentro de esta teoría. Por ejemplo:

a) Personas que sienten atracción por otras de su mismo sexo.

b) Personas cuyos deseos parecerían ser sexuales y sin embargo descartan los órganos genitales para la obtención de placer y buscan otros objetos. A tales seres se los llama "perversos".

c) Ciertos niños manifiestan precozmente interés por sus órganos genitales y signos de excitación por ellos.

De esto se desprende algo que fue poco tolerado en la sociedad de entonces:

- la vida sexual no comienza en la pubertad, sino que se inicia poco después del nacimiento.
- es fundamental establecer una diferencia entre los conceptos de "sexual" y "genital". Ya que el primero guarda relación con muchas actividades de la vida sexual que no tienen relación con los órganos genitales.
- la vida sexual tiene la función de obtener placer en las zonas del cuerpo, función que luego será puesta al servicio de la procreación. Pero ambas funciones no llegan a coincidir íntegramente.

Sigmund Freud, padre del psicoanálisis.

¡Qué complicado! ¿No?

¡¡Imagínense!! La primera de estas afirmaciones fue la más rechazada.

Pero a pesar de los prejuicios a los que debió enfrentarse Freud, él continuó afirmando que en la primera infancia, es decir, hasta los 5 años, aparecen ciertas actividades que constituyen la antesala de la sexualidad adulta, y cuyo objetivo es la obtención de placer sexual, para caer luego en una etapa de reposo, llamada de latencia, y reaparecer en la pubertad.

Si quisiéramos hacer memoria, seguramente no podríamos recordar esta etapa, ya que, como señala Freud, estos sucesos son víctimas de la "amnesia infantil".

Las zonas erógenas

Freud reconoce tres zonas erógenas y, con ellas, tres fases dentro de la sexualidad infantil.

Él denomina **zona erógena** a aquella región del cuerpo en la que se deposita una excitación de tipo sexual y que permite generar sensaciones de placer.

La primera de ellas, luego del nacimiento, será la boca. No es difícil de entender, ya que el primer contacto que establece el bebé con el mundo es a través de su mamá y la alimentación. El chupeteo, el reflejo de succión es la actividad predominante. Todo lo que encuentra es explorado con su boca. Esta será considerada la primera fase, llamada **fase oral**.

Ya con la aparición de los dientes surge la fase anal, entre los dos y los cuatro años; llamada así porque es la época en la que el niño comienza a controlar sus esfínteres y manejará a los que lo rodean a través de la retención o expulsión de la materia fecal. Esto que resulta un poco difícil de entender, produce placer al niño en esta zona de su cuerpo. Las heces pasan a ser "un regalo" para su madre o motivo de preocupación para ella si no va al baño con regularidad, ya que para las madres, este hecho está asociado a un tema de salud.

La última es la **fase fálica**, en la que la sexualidad infantil llega a su máximo grado y se aproxima a la declinación.

Aquí comienzan a tener importancia los órganos genitales, pero a diferencia de la pubertad, el niño y la niña no reconocen más que un órgano genital: el masculino. Los genitales femeninos están ignorados. Hay una concepción universal del pene. ¿Qué quiere decir esto? Ellos suponen, durante esta etapa, que tanto los niños como las niñas lo poseen.

Y ambos ponen toda su actividad intelectual al servicio de la investigación sexual. Esto constituye un verdadero trauma, ya que la teoría será que a las niñas se lo han cortado.

La niña reconoce su falta de pene. Esta defraudación la aparta de la vida sexual en general, lo que va a inaugurar este período de reposo llamado "latencia", aproximadamente a partir de los 6 años, época en que comienza la escolaridad y toda la energía está puesta al servicio del aprendizaje escolar.

Lo que aquí sería: fálico= varón, castrado=mujer; en la pubertad será masculinidad/feminidad.

¿Y el complejo de Edipo?

Es durante esta fase fálica (3 a 5 años) en que aparece el conocido y no tanto "Complejo de Edipo", en el que se siente atracción por el progenitor del sexo opuesto y sentimientos de hostilidad hacia el del mismo sexo, que se convierte así en un rival. Este sería el desarrollo normal.

Pero puede suceder que aparezca una atracción por el progenitor del mismo sexo y la rivalidad con el contrario.

Durante la pubertad se reaviva este sentimiento, pero se resuelve de otra manera. Es decir, habrá una elección de objeto amorosa hacia otra persona, que permitirá reemplazar esta primera elección prohibida constituida, en su momento, por el padre o la madre. Es la época de novios y novias, "transas", aventuras, etc. Aquí "objeto" no es tomado como solemos hacerlo corrientemente, sino como aquello hacia lo que dirigimos nuestro deseo sexual. Este complejo de Edipo desempeña un papel fundamental en la estructuración de la personalidad y en la orientación del deseo sexual humano, hacia un sexo o el otro.

Sería interesante comprender mejor aún por qué se llama "Complejo de Edipo". Investiguen de qué se trata la obra "Edipo Rey" de Sófocles.

Es en esta etapa de la niñez, la etapa fálica, en la que aparece la **masturbación**: el niño centra su interés sobre sus órganos sexuales y comienza a manipularlos porque descubre sensaciones orgánicas que le producen placer y su energía está puesta en repetirlas.

¿Cómo se resuelve el Complejo de Edipo y qué relación guarda con la masturbación?
Por un lado, durante esta etapa en la cual el niño desea a su madre como objeto de amor –un amor sexualizado pero prohibido–, descubre también que es capaz de producirse a sí mismo sensaciones placenteras tocando su propio cuerpo. Si el adulto reprime la masturbación, al niño lo acosa el fantasma de la castración. Recuerden la teoría "todos tienen pene, mi madre no lo tiene porque 'se lo han cortado'", y si sigue buscando el placer tocándose, en sus fantasías, también a él se lo cortarán.

Todo esto lo hace entrar en conflicto. Las opciones son las siguientes: o preserva la parte de su cuerpo tan querida, o conserva la idea de luchar por este amor prohibido ¿Quién gana? Su narcisismo, es decir el amor a sí mismo: abandona el deseo hacia su madre y con ello el Complejo de Edipo. Esto que parece complicado desde el relato, lo es aun más para el niño, que no lo razona, sino que actúa de acuerdo con sus instintos.

Por Maitena, para *Mujeres Alteradas 3*

Pero… ¿qué pasa con la niña?

La niña descubre que no tiene pene. Supone que en un principio lo tenía y que lo perdió por castración. Sin embargo esta teoría no la convence en relación con las mujeres adultas. Piensan que el resto de las mujeres, su mamá, o cualquier referente adulto, tienen pene, porque no lo han podido constatar, entonces se consuelan pensando que a ellas también les crecerá .

La niña acepta la castración, el niño teme la posibilidad de su cumplimiento.

También la niña lentamente abandona la idea de enamorar a su padre y la fantasía de tener un hijo de él y elabora así el Complejo de Edipo.

¿Qué sucede en la pubertad?

El instinto sexual predominantemente autoerótico, es decir, el que se satisfacía en el propio cuerpo (boca, ano, pene) encuentra por fin el objeto sexual y aparece la primacía de la zona genital.

Hasta este momento, esos sentimientos que habían sido reprimidos (expulsados) regresan trayendo consigo las fantasías del período edípico. Pero esta vez serán puestos en una persona externa a la familia.

¿Homosexualidad o heterosexualidad?

Depende de cómo se transite el Complejo de Edipo y de cómo se realicen estas identificaciones, hablaremos de una identidad sexual heterosexual u homosexual.

Si el varón logra identificarse con el padre elige como pareja a alguien "como su madre". Con la mujer sucede a la inversa, hablaremos de una salida edípica normal que concluye en una identidad sexual heterosexual. Si algo falla en este proceso, las identificaciones serán inversas y se buscará a alguien del mismo sexo como objeto de amor y deseo. En este caso hablaremos de identidad homosexual. Es decir, si durante su tránsito por el complejo de Edipo (3-5 años) el niño varón se identificó más con su madre y no la tuvo como objeto de deseo, sino que en vez de fantasear casarse con ella, imita sus actividades y las revive en la adolescencia. Esta situación es difícil de procesar, por lo tanto elegirá a alguien de su mismo sexo, por eso la conducta homosexual. Pero si logra identificarse con el padre, tomará actitudes masculinas y buscará como objeto de deseo a alguien del sexo contrario, tendrá una salida heterosexual. De todas formas, durante la adolescencia se suele pasar por períodos en los que ciertas conductas se confunden con homosexualidad y son transitorias.

¡Atención!

En muchas ocasiones los adolescentes tienen conductas homosexuales, y no por ello tienen una inclinación definida. Es decir: pueden aparecer amistades casi exclusivas con chicos de su mismo sexo. Es difícil determinar a esta edad si se trata de una conducta ocasional o de una orientación de tipo homosexual que comienza a manifestarse.

Lo imprescindible es deshacerse de prejuicios e intentar ver al otro como lo que es, un ser humano que realiza sus propias elecciones, respetables como las de cualquier otro. Acompañarlo,

Retrato de Safo, una poetisa originaria de la isla de Lesbos. Su obra expresaba una marcada pasión por las mujeres.

Oscar Wilde, escritor irlandés, fue condenado a prisión por su homosexualidad.

no transmitir ansiedad o prejuicios al respecto y hacer el intento de vencer algunas barreras tales como la creencia de que las personas homosexuales son seres promiscuos o abusadores. Esta elección es el resultado de un proceso que ha tenido lugar en su historia de vida.

Masturbación

Es una práctica que reaparece en la pubertad y en la adolescencia.

La masturbación permite la búsqueda de una sensación placentera en esta época en la que los genitales cobran un rol protagónico. Es una experiencia en la que no se corren riesgos de contraer enfermedades de transmisión sexual o embarazos no deseados y una manera de prepararse para encontrarse con el otro. Es algo así como una prueba del funcionamiento genital, una manera de no sentirse solo, de aliviar las angustias propias de esta época y de proporcionarse placer a sí mismo. Es bueno aclarar ciertos mitos que todavía, en algunos casos, aparecen en torno a la masturbación, como por ejemplo, que provoca estupidez, incapacidad para aprender, dolores de cabeza, pérdida de la visión y de la memoria, crecimiento de pelos en las manos, granos en la cara, disminución del crecimiento.

¿Escucharon algunos otros?

Si bien para muchos de ustedes estas afirmaciones pueden resultar ridículas o graciosas, es probable que más de uno las haya escuchado alguna vez. Por eso es necesario mencionarlas y aclarar que no son más que mitos que inventan las sociedades frente a la dificultad de abordar ciertos temas difíciles. Y la sexualidad, casi siempre, al menos para la cultura occidental, constituyó un tema difícil.

La "primera vez"

Esta es una circunstancia sumamente importante en la vida de una persona, en la que pone en juego su intimidad al decidir compartirla con alguien más, con quien supuestamente hay algo en común, un vínculo de unión. Cada uno construye ese vínculo poniendo los "ingredientes" que quiera, pero lo importante es sentirse seguro de que es coherente con los valores que desea aplicar para su vida.

La inquietud por tener relaciones sexuales por primera vez suele surgir a partir de la curiosidad que provoca el sexo. Actualmente se observa que cada vez es mayor el porcentaje de chicas que dicen haber perdido su virginidad, aun sin que esto hubiera ocurrido. Suele suceder que, frente a sus amigas, una joven necesite decir que tuvo relaciones sexuales antes de haberlas tenido en realidad, por temor a ser rechazada por su grupo de pares, por parecer más experimentada que las demás, etc. Los condicionantes del entorno son tan fuertes que arrastran a muchas adolescentes a hacer lo que no quieren o a aparentar lo que no son.

Para los varones, el inicio sexual se hizo mucho menos conflictivo y traumático que en épocas pasadas. La vieja costumbre de mantener las primeras relaciones sexuales con prostitutas cayó en desuso por la facilidad de mantenerlas con la novia o con la chica con la que estén en el momento.

La virginidad es más que un estado físico, es una actitud, de pensar y de sentirse.

Hay un concepto llamado virginidad secundaria ¿Qué es esto?

Es la opción libre y personal, a pesar de haber mantenido ya relaciones sexuales, de tomarse un tiempo de espera, durante el que se reelabora un proyecto de vida renovado como consecuencia de una nueva mirada hacia la sexualidad.

A pesar de la pérdida de la virginidad física, la virginidad secundaria constituye un tiempo para cambiar y para cicatrizar heridas pasadas.

La "primera vez" es un momento de decisión, que debés tomar libremente y sin presiones de ningún tipo. Debe ser una convicción "de a dos" Evitá acceder a situaciones para las que sentís que no llegó el momento. Nunca se debe decidir "por miedo a": es corriente escuchar "si no tenemos relaciones mi novio me deja". Seguramente, podrás charlar esta situación con la otra persona y procurar que se respeten los tiempos que cada uno necesita.

Si bien para ambos sexos es complicada la decisión de comenzar a mantener relaciones sexuales, para las chicas, todavía, hay una carga extra: es común, aun en esta sociedad supuestamente moderna y liberada, que sean tildadas de "locas" o de "fáciles".

Por eso, es importante que, antes de tomar la decisión de mantener relaciones sexuales, realices una reflexión: ¿quiero hacerlo o lo hago porque los demás lo hicieron?, ¿lo voy a hacer porque mi pareja insiste? Es decir: lo bueno de crecer, y lo difícil también, es comenzar a decidir por uno mismo cuestiones muy importantes con responsabilidad. Y esta es una de las primeras decisiones importantes que vas a tomar en tu vida. Ya no hay papá o mamá que se responsabilicen por el cuerpo de uno. Es uno mismo el que debe hacerse cargo. O sea que ¡mirá qué decisión!

Pubertad, de Edvard Munch.

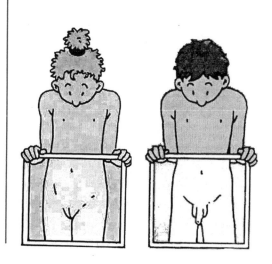

Sabías que... el uso de **tampones** durante la menstruación no produce interferencias con el himen; éste no se daña con el tampón, y puede ser usado aún por chicas que nunca tuvieron relaciones sexuales, ya que la virginidad no se pierde sino hasta el momento de la primera relación sexual. El principal problema con el uso de este tipo de protectores higiénicos es olvidarse de retirarlo. Es muy importante que no permanezca más de ocho horas colocado un mismo tampón, ya que de lo contrario se convertiría en un foco infeccioso.

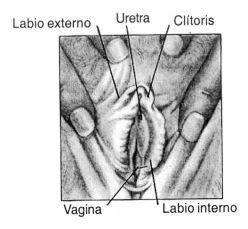

Genitales externos femeninos.

Es importante, también, que tengas en cuenta a la hora de decidir tener relaciones sexuales las posibles consecuencias, que son las que dejan huellas: enfermedades de transmisión sexual, embarazo, posibilidad de aborto. Cuidarse es el mejor camino y sobre esto hablaremos en el resto del capítulo. Una sexualidad responsable implica estas cuestiones: cuidarse y cuidar al otro.

La primera vez: el miedo al dolor

El **himen** es una membrana muy flexible que recubre parcialmente la entrada de la vagina. Con la primera relación sexual, esta membrana se distiende cambiando su aspecto. Esto puede provocar pequeñas molestias que probablemente se lleguen a repetir durante algunas ocasiones más. En casos excepcionales, el himen es muy resistente, lo cual hace que se produzca dolor o se lesione al intentar penetrarlo, y puede aparecer un leve sangrado. Siempre conviene consultar al médico en esos casos.

Anticoncepción y prevención de enfermedades de transmisión sexual

Todo el proceso biológico que ocurre a partir de una relación sexual y culmina en la fecundación es inevitable. Esto es, desde el momento en el que los espermatozoides ingresen en el cuerpo de la mujer, irán indefectiblemente en busca de un óvulo para fecundar. Como ya dijimos, es el "plan" de la naturaleza para asegurarse la continuidad de la vida Sin embargo, nuestra condición humana nos permite la posibilidad de elegir y de planificar en pareja el momento deseado para la búsqueda de un hijo.

Para eso existen una serie de métodos para el control de la natalidad llamados métodos anticonceptivos. Cada persona optará por el que más se adapte a sus convicciones morales, religiosas, a sus necesidades y su realidad particular.

Por otro lado, existe otro riesgo posible en el ejercicio de la sexualidad, que es el del contagio de enfermedades a través del contacto de genitales. La vía sexual es óptima para la transmisión de gérmenes causantes de las llamadas ETS (enfermedades de transmisión sexual) o ITS (Infecciones de transmisión sexual). La piel que recubre los órganos reproductores es sumamente sensible. Durante el acto sexual, y al ser sometidos a rozamiento, estos epitelios pueden sufrir microlesiones a través de las cuales se filtran fácilmente los agentes causantes de enfermedades.

Hoy, más que nunca con la presencia abrumadora del SIDA, es especialmente importante conocer el estado de salud de la persona con la que se desea compartir la intimidad sexual.

La elección de cómo abordar la sexualidad en la vida de cada persona es un acto de libertad y privado, pero el tomar decisiones habiendo tenido toda la información necesaria, la convierte además en un acto de libertad responsable, en el que cada uno debería ser capaz de hacerse cargo de las consecuencias de su elección.

"Para la cartera de la dama y el bolsillo del caballero..."

Valga esta frase tan popular que muestra en forma simbólica y elocuente lo necesario que resulta tener ciertas cosas útiles siempre al alcance de la mano, independientemente de si sos mujer o varón. La información que sigue puede ser tan importante en algún momento de tu vida, que queremos que la tengas siempre presente, que la valores y seas consciente de que el principal beneficiado de leerla cuidadosamente y luego aplicarla vas a ser vos mismo.

Métodos anticonceptivos:

Se los clasifica de varias formas:

Según su reversibilidad: **Reversibles**: Al dejar de usarse se recupera la fertilidad.

Irreversibles: Requieren intervención quirúrgica para realizarse y la persona queda estéril de por vida.

Según la utilización o no de elementos o sustancias extraños al organismo:

Naturales: Se basan en el reconocimento de los ritmos biológicos femeninos para determinar cuál es el período fértil. Únicos aprobados por la Iglesia Católica. No se utilizan elementos ni sustancias extrañas.

No naturales: Utilizan sustancias o elementos antes o durante el contacto sexual para evitar el embarazo.

Según impidan o no el paso de los espermatozoides:

De barrera: Se interponen ante los espermatozoides para que no ingresen al útero

Sin barrera: Los espermatozoides se desplazan libremente.

Métodos anticonceptivos naturales:

Son reversibles y no constituyen una barrera al paso de los espermatozoides. Todos son sumamente inseguros, ya que muchos factores pueden alterar los ciclos biológicos normales de la mujer. Por otro lado, ninguno impide el contagio de enfermedades de transmisión sexual.

- **Método del ritmo o del calendario (Ogino Knaus):** Consiste en calcular 14 días a partir del primer día de menstruación; ese día es el de la ovulación, por lo tanto se sugiere abstenerse de tener relaciones tomando como margen de seguridad de unos cuatro días antes y después de la ovulación.

   Pros y contras: No causan daño a la mujer pero ésta debe haber comprobado antes que sus ciclos menstruales sean muy regulares (cada 28 días). Igualmente, aún en personas regulares, factores emocionales pueden alterar circunstancialmente el día de la ovulación, por lo cual es imposible evitar los riesgos de este método. Se debe tener en cuenta además que tanto los óvulos como los espermatozoides tienen algunos días de sobrevida y siguen siendo fértiles dentro del cuerpo de la mujer durante ese período.

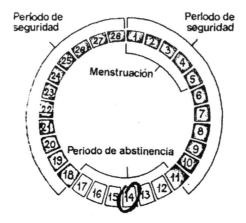

- **Método de control del moco cervical o Billings.** El flujo producido por el cuello del útero varía su aspecto: durante la ovulación es más abundante, transparente y "mojado", con una viscosidad capaz de generar "hilos" al tomárselo entre dos dedos (éste es el modo habitual de verificación del flujo fértil). Una vez pasados los días fértiles, este flujo se vuelve pastoso y pierde su transparencia, pudiendo mantenerse relaciones en ese período bajo ciertas condiciones.

   Más información: www.woomb.org

   Pros y contras: es inocuo su uso aunque poco higiénico; además, cualquier foco de infección vaginal por algún hongo o bacteria son capaces de alterar el aspecto del flujo creando dudas o confusiones.

Esta planilla está basada en un ciclo de 28 días.

Día pico de ovulación (el moco parece clara de huevo)

136

- **Método de la temperatura**: El momento de la ovulación está acompañado por una elevación casi imperceptible de la temperatura rectal de 0,5 °C. Para captar esta señal, se debe medir la temperatura rectal sin realizar movimientos corporales que puedan generar calor, por lo cual se recomienda hacerlo por la mañana antes de levantarse.
  Pros y contras: Poco práctico pero inofensivo para la mujer. Un cuadro febril, por leve que sea, enmascara esta sutil variación de temperatura.

- **El coito interrumpido**: Consiste en retirar el pene de la vagina en el momento en que se produce la eyaculación. <u>Es tan ineficaz que</u> <u>no debería considerarse como método anticonceptivo</u>. Los líquidos lubricantes segregados antes de la eyaculación pueden contener pequeñas cantidades de espermatozoides fértiles. Además produce impacto emocional aunque no daña físicamente. No lo admite la Iglesia Católica.

Métodos no naturales reversibles sin barrera:

Ninguno de ellos impide la transmisión de enfermedades.

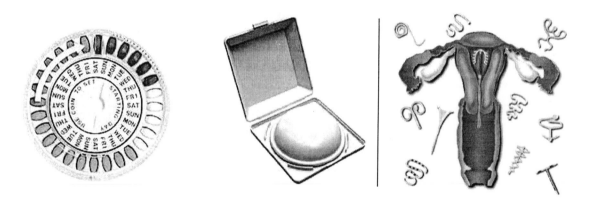

Pastillas, DIU, y en el centro diafragma (de barrera)

- **Pastillas o píldoras**: Tienen estrógenos y progesterona, que "engañan" a la hipófisis simulando una situación de embarazo por lo cual inhiben la fabricación de hormonas folículo estimulante y luteinizante, e impiden la ovulación. Actualmente se están desarrollando algunas con muy bajas dosis de hormonas.
  Pros y contras: son eficaces si se siguen estrictamente las indicaciones de uso. No puede saltarse la toma de ninguna dosis ya que perdería eficacia el método. Puede producir náuseas, mareos, aumenta el riesgo de enfermedades cardiovasculares, debe vigilarse su uso en fumadoras.
  <u>Deben ser recetadas por un médico</u> que evalúe el estado clínico de la paciente antes de prescribirlas. No cualquier píldora sirve para cualquier mujer.

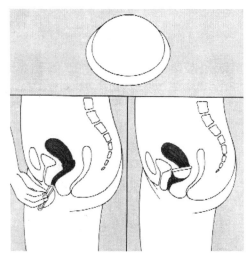

Método de colocación del diafragma.

- **DIU (dispositivo intrauterino) o espiral** es un elemento metálico (de cobre) de variadas formas que debe ser colocado dentro del útero durante los días de menstruación, en los que la vagina está más flexible, y permite al ginecólogo colocarlo adecuadamente. Este dispositivo tiene un hilo delgado adosado que permanece en la vagina y facilita su recuperación después de 2 o 3 años de colocado. El metal del DIU reduce la movilidad de los espermatozoides y éstos no pueden llegar a fecundar al óvulo. Por otro lado crea condiciones desfavorables en el endometrio, haciendo que si hubiera una fecundación, lo cual es poco probable, el embrión no logre implantarse en él. Actualmente se desarrolló un DIU que también libera hormonas que impiden la ovulación, por lo cual es mucho más seguro y no abortivo.

Pros y contras: Es muy eficaz si está bien colocado. Se puede retirar cuando la mujer lo desee, pero requiere chequeos ginecológicos periódicos, por lo cual es recomendable para mujeres adultas, en condiciones de hacerse los controles adecuados. En algunas personas puede provocar menstruaciones más abundantes y/o con dolor. En un 10 a un 15% de los casos debe ser retirado. Por el contrario, los que liberan hormonas producen menstruaciones muy cortas. Las mujeres que usan tampones deben tener mayores precauciones, ya que al retirarlos pueden interferir con el hilo del DIU que sale hacia la vagina.

Métodos no naturales reversibles con barrera

- **Diafragma:** dispositivo de látex, muy flexible, que la mujer introduce en el fondo de la vagina cubriendo el cuello del útero, para obstruir el paso de los espermatozoides. Se asocia a pomadas o geles espermicidas para reforzar su acción. El ginecólogo determina la medida para cada persona.

Pros y contras: No daña a la mujer pero es

138

antihigiénico, ya que se debe dejar al menos 6 horas después de cada relación. Por otro lado, se debe poder prever cuándo ésta ocurrirá ya que se debe instalar unas 2 horas antes. No es descartable, por lo que se lo debe lavar y conservar con talco. Hay que revisarlo por si aparecen zonas dañadas periódicamente, y su vida útil es de unos 2 ó 3 años. No impide el contagio de enfermedades.

El preservativo, en esta imagen, asociado con la lucha internacional contra el SIDA.

- **Preservativo, condón, profiláctico o forro**: Dispositivo de látex que se coloca cubriendo el pene cuando está en erección. Tiene un reservóreo en el extremo donde se alojan los espermatozoides luego de la eyaculación y en el otro extremo abierto un anillo más rígido. Se debe usar durante toda la relación sexual, y debe ser colocado <u>antes del ingreso del pene en la vagina</u>.

  Pros y contras: es muy barato, incluso en hospitales se distribuyen gratuitamente. No dañan la salud. Es el único método que si se usa durante toda la relación sexual impide la transmisión de enfermedades como SIDA y otras. Quita un poco la sensibilidad y puede causar alguna irritación durante la relación, pero se suelen usar sustancias lubricantes asociadas o geles espermicidas. Muchas personas mantienen relaciones sin usar ninguna forma de cuidado, y recién colocan el preservativo cuando la eyaculación es inminente. Este modo de uso es sumamente inseguro si se quiere evitar tanto el embarazo como la transmisión de enfermedades, ya que los líquidos lubricantes previos a la eyaculación también pueden contener tanto espermatozoides como microorganismos infecciosos.

"ahora yo también decido".

preservativo femenino, otra opción > *Preservativo femenino*

tu farmacéutico te informa

El Ministerio de Sanidad y Consumo de España lanzó esta publicidad a favor del uso del preservativo femenino.

- **Preservativo femenino:** similar al anterior pero de poliuretano, con dos anillos, uno en cada extremo. Uno de ellos llega a tocar el cuello del útero y el otro rodea los labios menores de los genitales externos.

Pros y contras: todavía no está muy difundido y su colocación es un poco más complicada que el masculino. También evita el contagio de enfermedades y es eficaz anticonceptivo usado bajo las mismas condiciones que el preservativo.

Métodos no naturales sin barrera irreversibles (quirúrgicos)

- **Ligadura de trompas:** se interrumpe el encuentro de óvulo y espermatozoide al bloquearse las trompas de Falopio. Muchas mujeres se las hacen en el momento de una cesárea (aprovechando el mismo acto quirúrgico).
  Pros y contras: No perjudica la salud de la mujer, más allá del riesgo quirúrgico. La esterilidad es de por vida, por lo cual no puede haber dudas en el momento de la decisión.
- **Vasectomía:** consiste en ligar o cortar los conductos deferentes en el hombre. El efecto es el mismo que en la ligadura de trompas, al igual que los factores beneficiosos o perjudiciales.

Actividad:

¿Qué método/s recomendarías en cada uno de estas situaciones?

a) Para una pareja que ya no quiere tener más hijos y que no quiere tener que preocuparse por cuidarse en el momento de tener relaciones.

b) Para una persona que tiene escasos recursos económicos y tiene relaciones con varias parejas diferentes que conoce ocasionalmente.

c) Para una pareja que no quiere usar elementos o sustancias químicas en el momento de iniciar su relación sexual, y tampoco quieren métodos definitivos ya que planifican tener hijos en el futuro.

d) Para una pareja en la que el marido presenta una reacción alérgica al látex por lo cual no le es posible utilizar profiláctico, no pueden tener más hijos por razones de salud de la mujer, y ella no tolera las pastillas anticonceptivas.

e) Para una pareja de adolescentes que no quieren correr ningún riesgo de embarazo, se niegan a usar métodos que tenga que prescribir un médico, y no quieren contagiarse enfermedades.

f) Para una pareja que quiera un método sumamente seguro pero que ninguno tenga que estar pendiente de tomar pastillas ni colocarse ningún elemento en el momento de tener relaciones. Planean tener hijos en unos dos años.

Enfermedades o infecciones de transmisión sexual (ETS O ITS)

Leé atentamente este cuadro:

ENFERMEDAD	AGENTE CAUSAL	MANIFESTACIONES	CONSECUENCIAS
Sida (síndrome de inmunodeficiencia adquirida)	Virus VIH (virus de inmunodeficiencia humana) También se contagia por sangre.	Hinchazón de ganglios, pérdida de peso, diarreas, manchas en la piel.	Falta de defensas Muerte por enfermedades oportunistas. Con varias medicaciones combinadas se logra negativizar en sangre (no se considera curación total)
Gonorrea o blenorragia	Bacteria : Gonococo	Secreciones amarillentas, inflamación de la uretra, vulva y vagina. Ardor al orinar La mujer puede ser asintomática pero sí contagiar.	Puede producir esterilidad si no se medica con antibióticos. Muy avanzada, puede producir ceguera, alteraciones del corazón y articulaciones. Conjuntivitis del recién nacido contagiado en el parto.
Sífilis	Bacteria: Treponema	Lesión inicial dura que luego puede ulcerarse (chancro) en zona genital externa, anal, o bucal. Ésta puede desaparecer sola sin haberse curado Puede avanzar y producir lesiones en otros órganos, piel y mucosas finalmente ataca al corazón y sistema nervioso Puede haber un período sin síntomas	Puede producir lesiones irreversibles en órganos o la muerte si no se medica con antibióticos. Se requiere detección temprana para lograr cura total El recién nacido puede adquirir sífilis congénita si su madre tiene la enfermedad no tratada.
Clamidia	Bacteria Clamidia	Secreción anormal y ardor al orinar (varón y mujer). La mujer puede poseerla en forma asintomática y contagiarla. Llagas en zonas genitales.	Esterilidad si no se medica con antibióticos.
Papiloma humano o verruga genital (se extendió en gran medida últimamente)	Virus HPV	Verrugas en zona genital. Se puede contagiar sin dar síntomas	Puede propiciar aparición de cáncer. Se debe tratar con láser, sustancias químicas o criocirugía.

ENFERMEDAD	AGENTE CAUSAL	MANIFESTACIONES	CONSECUENCIAS
Herpes genital (ídem)	Virus HSV 1 y 2	Ampollas con líquido que dejan costras en genitales. Son contagiosas. Hay períodos de desaparición de lesiones y sin síntomas donde el virus se aloja en ganglios del sistema nervioso y reaparece ante situaciones de stress, etc.	No se cura. Se trata con antivirales como el aciclovir.
Hepatitis B	Virus HVB También se contagia por sangre.	Más grave que la hepatitis común (tipo A). Piel y globos oculares amarillentos (ictericia), pérdida de apetito, náuseas, vómitos.	Puede hacerse crónica, o promover cirrosis o cáncer hepático. Puede ser mortal.
Tricomonas	Protista (parásito unicelular) Tricomona. Se puede contagiar también por compartir ropa interior, esponjas, toallas, etc.	Hombres: no suelen tener síntomas Mujeres: flujo vaginal espumoso con fuerte olor y color amarillo verdoso, Irritación y picazón.	Mujeres no tratadas pueden tener bebés de bajo peso.
Candidiasis (enfermedad sumamente frecuente)	Hongo Candida albicans Puede transmitirse también compartiendo ropa interior, toallas, esponjas o en baños públicos Hay condiciones que predisponen a contraerla.	Hombre asintomático. Afecta la vagina y vulva. Flujo generalmente blanquecino, inflamación de labios mayores y menores, enrojecimiento y picazón.	Se debe tratar varios días ininterrumpidamente ya que el cuadro mejora enseguida pero recrudece si no se completa el tratamiento con medicación local (Óvulos).

Sabías que...

el término **enfermedades venéreas**, se vincula con la diosa Venus, divinidad de la mitología romana que representaba a la belleza, el amor y la sensualidad.

Antiguamente, las **enfermedades venéreas**, como se las llamaba en ese entonces, eran sinónimo de vergüenza, ocultamiento y engaño. Como consecuencia de esta actitud tan nefasta, muchos jóvenes se perjudicaron debido a que, para evitar ser señalados, no consultaron con un médico y padecieron luego las secuelas irreversibles de alguna de estas enfermedades.

En la actualidad ya no existen tantos prejuicios pero igualmente la presencia de estas afecciones se incrementó y aparecieron nuevas enfermedades, como el SIDA (en la década del '80), el herpes genital, y la hepatitis B. El inicio temprano de las relaciones sexuales, el cambio frecuente de parejas, la falta de uso de preservativo o su uso inadecuado, la falta de información para el reconocimiento de los síntomas, son factores que hacen que lejos de erradicarse, éstas se diseminen cada vez más en la población de adolescentes y jóvenes sexualmente activos. Como se ve en el cuadro anterior, muchas de estas enfermedades pueden padecerse y contagiarse sin haber producido ningún tipo de síntoma perceptible. Incluso en algunos casos donde aparecen síntomas como lesiones en la piel, éstas pueden desaparecer espontáneamente, lo que hace pensar al enfermo que se ha curado, pero al cabo del tiempo recrudecen, como en los casos de la sífilis y el herpes genital. Algunas de estas enfermedades se pueden repetir, y otras no se pueden curar, sino sólo tratar los síntomas. En conclusión, cuando una pareja decide tener sexo sin protección, es imprescindible conocer el estado de salud de ambos. Las enfermedades de transmisión sexual sólo se diagnostican mediante un cuidadoso examen clínico practicado por el médico, y por pruebas de laboratorio.

En tu realidad de adolescente es impensable imaginar la posibilidad del tener relaciones sin la protección segura de un preservativo correctamente usado. La omnipotencia que te hace suponer que nada te va a pasar: "Total... por una vez..."; la adrenalina de probar toda situación de riesgo, ambas son una combinación peligrosa, que te puede hacer padecer durante toda tu vida las graves consecuencias de haber actuado quizás "por una vez" irresponsablemente.

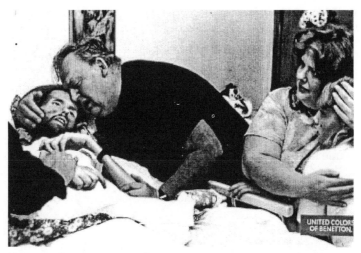

La marca Benetton y su polémica campaña, para la cual fue fotografiado un enfermo terminal de SIDA junto con su familia.

Actividades

Las ETS en Argentina. Observen el siguiente gráfico estadístico proporcionado por el INDEC y realicen las actividades propuestas:

Sexo	Total	Casos informados de SIDA por grupos de edad [1]												
		0 a 4 Años	5 a 9 Años	10 a 14 Años	15 a 19 Años	20 a 24 Años	25 a 29 Años	30 a 34 Años	35 a 39 Años	40 a 44 Años	45 a 49 Años	50 a 54 Años	55 a 59 Años	60 años Años
Total %	28.636	1.524	392	119	409	2.819	6.368	6.636	4.413	2.685	1.498	868	452	453
Varones	75,4	50,9	44,4	59,7	65,8	69,2	74,8	78,2	79,9	80,8	82,8	84,4	80,8	80,6
Mujeres	24,1	48,6	55,1	40,3	33,5	30,1	24,7	21,2	19,8	18,7	16,7	15,3	19,0	18,9
Sin información	0,5	0,5	0,5	0,0	0,7	0,7	0,5	0,6	0,3	0,5	0,5	0,2	0,2	0,5

1) Grafiquen los porcentajes dados en un histograma diferenciando ambos sexos, ¿A qué edades se registra el mayor número de casos de SIDA? ¿Entre qué edades sube más bruscamente el número de casos? ¿Por qué hay tantos casos de niños muy pequeños enfermos? ¿Qué sexo es el más afectado por esta enfermedad? ¿Por qué será?

2) Investiguen otras posibles vías de contagio del SIDA y qué medidas de prevención se deben tomar.

Además te proponemos...
Un libro: *Más grandes que el amor*

Autor: Dominique Lapierre Editorial Seix Barral / Planeta Bs As. 1990.

Este libro es muy ameno, y hace un paralelismo entre el trabajo de la Madre Teresa de Calcuta en la India con los leprosos y la aparición del SIDA en Estados Unidos con la investigación científica desarrollada en el Instituto Pasteur de París y el Centro de Control de Enfermedades de Atlanta. Cuenta los pormenores de la investigación de los científicos Luc Montagnier y Robert Gallo hasta lograr identificar al virus. Da testimonios de los primeros enfermos de SIDA, y de cómo la madre Teresa se interesó por esta nueva epidemia abriendo un centro para atención de enfermos terminales en Estados Unidos. Transmite un mensaje esperanzador y rescata el valor de la solidaridad, la lucha y la dignidad humana frente a la enfermedad.

«...la indomable religiosa (que) había sacado a los moribundos del infierno de las aceras de Calcuta. Desde la creación de su «moridero» del Corazón Puro, la Madre Teresa había extendido su acción por todo el resto del mundo [...]. Cuando desembarcó en Nueva York un tormentoso día de julio de 1985, [...] la «santa de Calcuta» comprendió que era esperada como el Mesías. Con ese instinto infalible que la guió toda su vida hacia la auténtica desgracia, la Madre Teresa aceptó asumir la responsabilidad del primer centro de acogida para las víctimas del Sida»

Realicen una comparación entre la realidad social de Calcuta y San Francisco. ¿Qué rasgos culturales diferencian a la India de Estados Unidos? ¿A qué factores se debe la aparición de la lepra en la India y el SIDA en estados Unidos? ¿Con qué recursos se enfrenta a estas enfermedades en cada país? ¿Qué aspectos destacarían de la vida de la madre Teresa? ¿Qué aspectos destacarían del trabajo científico realizado por Gallo y Montagnier?

... Una canción:
"Too much love will kill you" (Demasiado amor te matará) del grupo Queen. Esta letra fue escrita por su cantante Freddie Mercury poco antes de morir de SIDA, enfermedad que él contrajo cuando todavía no se la conocía ni se sabían sus vías de contagio.

Busquen en Internet una biografía de Freddie Mercury. Describan cómo fue la vida de este cantante.
Expliquen el significado del título.
¿Cuáles según él fueron sus errores?
¿Cuáles son los sentimientos que él expresa en esta canción?
Busquen testimonios de personas que son HIV positivos. Pídanles que expliquen cómo es vivir con SIDA hoy: cuáles son sus problemas, cómo cambió su vida a partir del diagnóstico y sus vínculos con los demás.

Demasiado amor te matará

Soy sólo los pedazos del hombre que solía ser
Demasiadas lágrimas amargas llueven sobre mí
Lejos de mi hogar he estado afrontando esto solo
Me siento como si nunca nadie me hubiera dicho la verdad
En mi enredado estado mental
He estado mirando atrás para encontrar
Donde me equivoqué

Demasiado amor te matará
Si no puedes decidirte
Indeciso entre el amante
Y el amor que dejas atrás
Estás destinado al desastre
Porque nunca lees las señales
Demasiado amor te matará
Cada Vez

Sólo soy la sombra del hombre que solía ser
Y parece como si no hubiera salida para mí
Yo solía traerte la luz del sol
Ahora lo único que hago es deprimirme
Cómo sería si tú estuvieras en mi lugar
No ves que es imposible escoger
No, no hay forma de darle sentido
Cada camino que tomo estoy destinado a perder

Demasiado amor te matará
Igual de seguro que ninguno en absoluto
Agotará el poder que hay en ti
Te hará suplicar y chillar y arrastrarte
Y el dolor te volverá loco
Eres la víctima de tu crimen
Demasiado amor te matará
Cada vez

Demasiado amor te matará
Hará de tu vida una mentira
Sí, demasiado amor te matará
Y no comprenderás por qué
Darías tu vida, venderías tu alma
Pero aquí viene otra vez
Demasiado amor te matará
Finalmente...
Finalmente

...Una película:
Filadelfia.
El impacto social del SIDA.
Analicen cómo cambiaron los vínculos sociales (con su familia, amigos, trabajo, etc.) de este joven abogado al enterarse que estaba infectado con HIV.

La prevención para mantener la salud sexual

El primero que debe actuar para preservar la salud es uno mismo. Sos adolescente, y ya tenés capacidad para recibir la información necesaria y proceder en consecuencia. Inclusive la legislación nacional convalida esto, y en 2003 se sancionó la *Ley de salud sexual y procreación* responsable n° 25673.

Podés leer en el siguiente párrafo extraído de www.i.gov.ar/guiajoven, los alcances de esta ley.

La salud sexual y reproductiva se relaciona con la posibilidad de disfrutar de una sexualidad plena y decidir sobre ella sin sufrir ningún tipo de discriminación. Esto último conlleva el derecho de todas las personas a la información, al acceso a métodos anticonceptivos seguros, a la toma de decisiones autónomas, a recibir servicios de salud adecuados, a recibir información y atención en hiv-sida y a un embarazo y parto sin riesgos. Estos derechos se incluyen tanto en la Ley de Salud Reproductiva de la Ciudad de Buenos Aires N°418 (2001), como en la Ley Nacional N°25673 (2003).

Ley Nac. N° 25673

La Ley Nacional N° 25673 propone garantizar el acceso de varones y mujeres a la información y a los métodos anticonceptivos; a la atención ginecológica y del pre –parto, parto y pos-parto; a la información y tratamiento en lo referido a ETS y a la información y tratamiento del cancer génito mamario. A partir de esta ley los médicos pueden prescribir métodos anticonceptivos reversibles, transitorios y no abortivos. Garantiza el derecho a la toma de decisiones autónomas; presentando una opción y no una obligación.

Los Hospitales y centros de salud públicos disponen de servicios diferenciados destinados a la atención de la salud sexual y reproductiva, también te podés atender en los servicios de ginecología y obstetricia. Prestaciones de los servicios:
- Asesoramiento sobre sexualidad y métodos anticonceptivos
- Entrega de métodos anticonceptivos
- Controles de salud ginecológica
- Información sobre vih-sida
- Asesoramiento y control del embarazo.

Derechos Sexuales y Reproductivos

Los y las jóvenes tienen derecho:

A conocer su cuerpo, para poder cuidarlo y quererlo.

Al disfrute y el placer.

A tener espacios donde poder hablar de sexualidad, en un ambiente de confianza y apoyo.

A servicios de salud dirigidos a sus preocupaciones y necesidades.

A la confidencialidad y el respeto.

A la información sobre métodos anticonceptivos, ventajas y desventajas de cada uno y accesibilidad.

Al acceso a métodos anticonceptivos seguros, eficaces y de buena calidad.

A elegir cómo, cuándo, con quién y cuantos hijos desean tener, lo que fomenta una maternidad y paternidad responsable.

Al acceso a servicios prenatales.

Al acceso a un diagnóstico temprano y el tratamiento adecuado para el hiv-sida

A la protección contra enfermedades de transmisión sexual.

A no sufrir situaciones de violencia ni abuso sexual.

A no ser discriminados por género, edad u orientación sexual.

A elegir si quieren tener relaciones sexuales o no.

¿En qué consiste un chequeo ginecológico?

Una consulta ginecológica incluye varios pasos: el primero es una entrevista en la que el médico averigua sobre enfermedades previas, antecedentes familiares, regularidad de las menstruaciones, si mantenés relaciones sexuales o no, etc. Luego, puede hacer un chequeo clínico: peso, presión, palpación abdominal. Según el motivo de la consulta, la edad, y si la persona comenzó o no su vida sexual activa, determinará si realizar un PAP, colposcopía, y/o un estudio de flujo vaginal.

Es sumamente importante que te sientas cómoda con el médico que elijas ya que se trata de un aspecto muy personal de tu salud y tu cuerpo y necesitás que el profesional que te atienda te merezca confianza y pueda responder a tus dudas.

EL PAP y otros estudios ginecológicos:

Todas las mujeres a partir del inicio de las relaciones sexuales deben realizarse el PAP una vez por año. Podés realizarte el PAP en forma gratuita.

El PAP es un examen preventivo, esto quiere decir que nos da información que permite detectar tempranamente ciertas anomalías en nuestro cuerpo que de otra manera no son visibles y, si es necesario, tratarlas. Permite prevenir el cáncer de útero.

La prueba la realiza el médico, consiste en la toma de una muestra de células del cuello que demora unos pocos minutos. La muestra se envía a un laboratorio para ser analizada y los resultados se obtienen en unos días. Así se detecta si existe algún tipo de anomalía y se establece el tratamiento necesario. Es importante volver a buscar los resultados.

¿En que condiciones se realiza el PAP ?

• No estar menstruando en el momento del examen.

• No haber tenido relaciones sexuales durante la 48 hs. anteriores a la prueba.

• No haberse colocado óvulos, ni realizarse duchas vaginales 48 hs. antes.

Fuente: www.i.gov.ar/guiajoven

Otros estudios:

En el mismo momento en el que ser realiza el PAP el médico inspecciona visualmente el interior de la vagina y cuello del útero. A esto se lo llama COLPOSCOPÍA. El resultado del PAP, es confrontado con lo observado por el médico, y esto contribuye a un mejor diagnóstico.

El estudio del flujo vaginal se realiza retirando muestras de este fluido con un hisopo estéril y luego se hace un cultivo para detectar la presencia de gérmenes.

Ninguno de estos estudios es cruento ni requiere preparación especial.

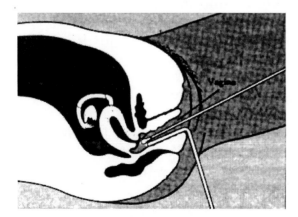

El examen de Papanicolau consiste en la extracción de células del cuello del útero para su examen citológico. Este examen permite el diagnóstico precoz de cáncer.

Les proponemos...

Defender sus derechos

Organicen pequeños grupos. Cada grupo elija un derecho que le parezca muy importante de la lista anterior. Hagan un alegato para defender el que hayan elegido. Un alegato es una exposición en la cual se fundamentan los motivos por los cuales ustedes consideran importante ese derecho. Léanlo a sus compañeros y armen un pequeño debate luego de cada lectura.

Maternidad en la adolescencia, embarazo adolescente ¿jugar a las muñecas o proyecto de vida?

Una de las paradojas referidas a la sexualidad humana es que los adolescentes están, desde lo biológico, maduros para reproducirse, pero se encuentran profundamente inmaduros para asumir la maternidad o paternidad.

¿Qué dicen las investigaciones al respecto?

- Ha habido un incremento de embarazos a edades tempranas desde 1980

- Anualmente alrededor de 3000 niñas de entre 10 y 14 años, tienen hijos.

- Existe una correlación entre nivel de instrucción y tasa de fecundidad: las mujeres con bajo nivel de instrucción se embarazan más que aquellas con mayor nivel de instrucción, lo mismo sucede entre aquellas que no trabajan ni estudian, y entre las adolescentes que viven en zonas rurales.

- Muchas encuentran en la maternidad su único proyecto de vida.

- Los contextos familiares de las adolescentes embarazadas se caracterizan por limitar los canales de comunicación.

- Muchas veces las adolescentes se dejan llevar por mitos y pseudo explicaciones que inevitablemente llevan al embarazo.

- En muchos casos existen dudas con respecto a la propia fertilidad, entonces el embarazo sirve para confirmar, de un modo más que elocuente, la posibilidad de procreación.

- Existe dificultad para elaborar los duelos que implican el abandono del cuerpo y la identidad infantil para asumir una identidad adulta.

- Aparecen historias de marcadas carencias afectivas: privaciones, abandono, abuso y violencia.

El embarazo adolescente es un tema que interpela a la sociedad, a la escuela y nos hace reconocer la sexualidad adolescente como un dato que ya no puede ser negado. Por otro lado aparece un lugar de contradicción para los adolescentes, ya que, por un lado son destinatarios de una sobreestimulación de mensajes desde los medios masivos de comunicación, en los que el erotismo y la sensualidad circulan con mucha fuerza y, por otro, se les pide explícitamente que queden fuera de cualquier tipo de intercambio sexual.

El embarazo adolescente tiene algunas características que es bueno que conozcas. (Grupo Nexo)

1- Hay menor peso corporal al inicio y al final de la gestación, por lo que los hijos tienden a ser más pequeños que en el embarazo de mujeres adultas. ¿Sabés por qué? Aquí hay dos organismos en crecimiento que compiten por los mismos nutrientes.

2- El 70% de las gestaciones no han sido planeadas, por lo que la adolescente niega la situación y retrasa el diagnóstico. Por lo tanto los cuidados prenatales se realizan tardíamente.

3- Muchas embarazadas no tienen un cuidado prenatal, lo que puede traer aparejado algún problema o complicación en el embarazo.

4- Cuando la adolescente se embaraza, inicia un complejo proceso de toma de decisiones entre las que aparece el aborto como alternativa posible "sacándoselo del cuerpo se lo saca de su cabeza".

¿Qué puede hacer la escuela?

Pensemos que si se trata de embarazos adolescentes, no podemos olvidar a la escuela que, de muchas maneras, deberá repensar su función.

La escuela puede intervenir en el campo de la prevención a través de la educación para la salud, articulando dos áreas bien importantes: **educación y salud**. Una escuela debe estar abocada no a la reproducción de conocimientos elaborados en los espacios académicos, sino que debe hacer hincapié en su función primordial de formar personas íntegras, que puedan utilizar los conocimientos que reciben en forma pertinente.

Según el censo de 1980, 14 de cada 100 adolescentes eran madres. Entre las jóvenes con educación post-secundaria, 2 de cada 100 eran madres, entre las sin educación, 31 de cada 100, 17 de cada 100 con educación primaria, 4 de cada 100 con educación secundaria.

Esto demuestra que la educación permitiría estilos de vida más saludables: mayor nivel de instrucción, mejores condiciones de salud.

Por eso es fundamental que la escuela abra canales de participación hacia la comunidad, como parte importante que es de ella. Esto significa salud no solo para las personas sino también para las instituciones. Debe colaborar en la elaboración de proyectos que propendan al mejoramiento de la calidad de vida que convoquen a todos los actores sociales, que superen la experiencia del aula. Es allí, como dentro de su familia, donde el adolescente puede pensar y pensarse, sentirse protagonista y responsable. Es allí donde adquiere conocimientos pero también herramientas para la toma de decisiones. Al mismo tiempo que aprende Historia o Geografía, el adolescente, o sea *vos*, deberías aprender a tomar decisiones que no atenten contra tu integridad, y que te ayuden en la construcción de tu propio proyecto de vida.

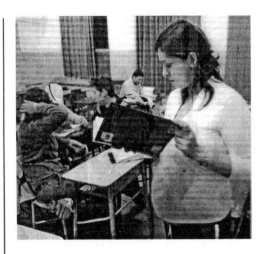

Propuesta:
1- Investiguen que tipo de políticas públicas en relación a la educación se han implementado con respecto a estos temas.
2- Piensen en pequeños grupos posibilidades de estrategias que ustedes consideren que pueden servir para una real toma de conciencia para el adolescente, no olviden todo lo desarrollado hasta el momento.

¿Sabías que la escuela es considerada como un ámbito privilegiado para implementar programas comunitarios que aborden efectivamente las problemáticas sociales como el Sida y el embarazo adolescente?

Los temas difíciles relacionados con el sexo

a) La violencia y el abuso sexual

Busquen noticias de diarios y revistas actuales o no que reflejen situaciones de violencia sexual. Comenten su contenido en clase. ¿Hay algo en común en todas ellas?

Seguramente luego de comparar los diferentes casos del material que consiguieron, habrán notado un factor común a la mayoría de las situaciones: el que ejerce abuso suele ser alguien muy allegado a la víctima. Parientes, amigos, vecinos, docentes, siempre adultos que ostentan una situación de superioridad o de poder frente al niño o al adolescente. Se propicia así la peligrosa y enfermiza relación del silencio y el miedo por parte del menor que ve como única salida el entregarse resignadamente y aceptar ser abusado. El abusador siente la omnipotencia de ser quien ejerce el control, y siente un perverso placer al hacerlo, muchas veces sin violencia física explícita. Recordemos que violencia es sinónimo de abuso de poder. No hace falta cometer una violación. Solo con invadir la intimidad de la persona indefensa, mediante supuestos juegos en los que seguramente habrá que desvestirse o tocarse partes íntimas, caricias que no reflejan precisamente ternura; todo esto muy bien disfrazado con palabras cariñosas y promesas de regalos; en estas condiciones ya se crea virtualmente una trampa en la cual es tan sutil el límite entre lo que es bueno y malo, lo correcto y lo incorrecto, que el niño y aún un adolescente no puede tomar la decisión de confiar en alguien la situación que vive. Sumado a esto, aparece la vergüenza que provoca revelar a otros adultos, por más que sean sus familiares, ciertas cosas que el niño intuye que no son correctas. El abusador, además, maneja hábilmente la culpa, inclusive convence a su víctima de que si lo cuenta nadie le creerá (y, lamentablemente, en numerosas ocasiones, esto ocurre). Con esto logra aislarlo de sus vínculos afectivos, y le da la posibilidad de mantener esta situación durante meses o años.

Según el psicoanalista Philippe Jeammet este tipo de relaciones "son el ejemplo más trágico de la perversión de la que puede dar prueba el adulto que se sirve de un niño para satisfacer sus propias necesidades en lugar de responder a las del niño, que es tratado como una cosa y no como un sujeto cuyos deseos, cuerpo, e intimidad psíquica y física tienen el derecho de ser respetados."

Hay muchas señales que da un menor cuando está atravesando por un momento tan dramático: depresión, introversión, silencio y aislamiento, fracaso escolar repentino e inexplicable. Sus padres y amigos cercanos deben indagar dándole crédito y confianza para que verbalice lo que le pasa y darle así solución. La negación de la situación, o el suponer que habrá ocurrido por única vez y no se repetirá, sólo favorece a que se agrave la crisis de la víctima. El abuso sexual siempre causa un daño importante en el desarrollo de la personalidad.

¿Qué hacer ante estos casos?

La mayor dificultad se encuentra en el análisis del testimonio de la víctima cuando rompe su pacto de silencio o la alianza impuesta por el adulto.

Esta es una palabra que pide intervención, que denuncia porque espera ser escuchada. Pero lamentablemente la validez de este discurso dependerá de quien la escuche, que a veces prefiere no creer lo que oye y, como resultado, define al denunciante como mentiroso, fabulador, fantasioso, estimulado por la televisión, lo que trae como resultado nefasto que muchos abusadores continúen con sus prácticas.

A veces se piensa que es una humillación para el abusado pedir demasiado detalle o quedar como cómplice de lo que se escucha por la imposibilidad de intervenir.

Por eso, escuchar, en estas circunstancias, dice Eva Giberti, implica aceptar que:

1- Los abusadores actúan en todas las esferas de la convivencia.

2- Pertenecen a cualquier clase social.

3- Mantienen amenazadas a sus víctimas.

4- Niegan lo que han hecho y acusan a la víctima.

Cuando el violador es el padre la cuestión se complejiza, ya que es muy común que la víctima luego de la denuncia desdiga su discurso.

Los niños no toleran los efectos de sus denuncias: encarcelamiento de su padre, una familia desarmada, hostilidad por parte de la madre, la exposición como víctima, la revisación de los profesionales que deben constatar el abuso. Aparece ahora una vergüenza socializada.

Verdad y mentira que se pone en la balanza, es más tolerada la retractación como mentira que la verdad denunciada.

¿Se imaginan lo complicado de todo ese pensamiento en el niño o adolescente abusado? Es un esfuerzo psíquico muy grande, de ahí el daño que produce.

Es importante que conozcas la ley que ampara a estas víctimas:

La *ley de violencia familiar* -24.417- en vigencia desde enero de 1995 y la Convención de los Derechos del Niño elevada a rango constitucional en agosto de 1994.

Reconocer las "señales de alarma"

Al establecer vínculos comunicativos con otras personas, existe una *distancia óptima* en la cual la persona "siente" comodidad y seguridad al exponerse frente a otra. Podés permitir que tu mejor amigo te abrace, te haga bromas, y te hable con un lenguaje de complicidad: son códigos aceptados por ambos. Pero no manejarías esos mismos códigos de palabras, gestos y actitudes con un profesor o con el médico en una consulta. Cuando alguien transgrede esos límites que uno mismo construye a partir de la educación que recibió, suele percibir algo así como una "señal de alarma". Sin poder explicarlo, simplemente a través de la intuición, se puede detectar que algo está mal. Quizás en sí mismo esto no signifique nada, pero es bueno que si alguna vez te ocurre lo puedas charlar con alguien, y evites el contacto con quien te inspiró esa desconfianza, sin esperar a que suceda algo malo que no puedas controlar.

b) Explotación sexual comercial

Se entiende por explotación sexual comercial: "todo tipo de actividad en que una persona usa el cuerpo de un niño o adolescente para sacar ventaja o provecho de carácter sexual, sobre la base de una relación de poder, ya fuera a cambio del pago en dinero o especies, con o sin intermediación, es decir haya o no alguna forma de proxenetismo." (Eva Giberti)

"La explotación sexual comercial de los niños es una violación fundamental de los Derechos del Niño. Implica abuso sexual de parte del adulto y la remuneración en 'metálico' o en 'especie' al niño o niña y a una tercera persona o a varias. El niño es tratado como un objeto sexual y una mercancía. La explotación sexual comercial de los niños constituye una forma de coerción y violencia contra los niños que puede implicar el trabajo forzoso y formas contemporáneas de esclavitud" (Eva Giberti).

En 1989, la Convención Internacional de los Derechos del Niño en su artículo 34 señaló: "Los Estados parte se comprometen a proteger al niño contra todas las formas de explotación sexual y abusos sexuales. Con este fin, los Estados parte tomarán en forma particular todas las medidas apropiadas para impedir:

a) la incitación o la coacción para que un niño se dedique a cualquier actividad sexual ilegal;

b) La explotación del niño en la prostitución u otras prácticas sexuales ilegales;

c) La explotación del niño en espectáculos o material pornográfico".

¿Sabías que existe un programa de atención y acompañamiento a las víctimas de la explotación sexual y en situación de prostitución implementado en el Consejo de los Derechos del Niño, la Niña y la Adolescencia de la Ciudad de Buenos Aires? El objetivo del programa es trabajar en la difusión, la prevención, el acompañamiento y la atención integral de estas víctimas.

c) Otras desviaciones sexuales

La estimulación sexual puede tener diferentes orígenes: un perfume, algún sonido especial, determinadas imágenes visuales, tocar las zonas erógenas del cuerpo etc. Todos nuestros sentidos son potencialmente receptores de sensaciones que inducen a la fantasía erótica, que muchas veces se puede producir involuntariamente. Es común por ejemplo que a partir de un sueño, se produzca durante la noche una eyaculación espontánea en los varones.

Toda estimulación que se convierta en compulsiva, que se escape de control, que se convierta en un condicionante en la vida de una persona, y lo quite así de su centro, o le reste equilibrio, es reflejo de que existe un desajuste psicológico que debe ser atendido. Existen varias desviaciones o parafilias por ejemplo, el exhibicionismo, el travestismo, etc.

d) El aborto

Se define como aborto a la interrupción de un embarazo en forma natural o provocada antes de que el feto sea viable fuera del útero.

El **aborto espontáneo** es la pérdida del embarazo antes de las 20 semanas, cuando el feto no está aún en condiciones de sobrevivir fuera del útero materno. La mayoría de los abortos espontáneos tiene lugar durante el primer trimestre de gestación. Hasta el 50% de los embarazos puede terminar en un aborto espontáneo, ya que muchas pérdidas ocurren antes de que la mujer se dé cuenta de que está embarazada. En la mayoría de los casos no se puede establecer claramente cuál es la causa de la pérdida natural de un embarazo. Por motivos que se desconocen con exactitud, posiblemente alguna alteración genética, se produce una interrupción en el proceso de división celular que forma al embrión y consecuentemente comienzan contracciones y hemorragias que concluyen en el aborto.

Existen también *abortos inducidos*, en los cuales premeditadamente se decide poner fin a un embarazo. Los motivos para realizar esta práctica pueden ser muy variados, y ponen de manifiesto una profunda cuestión ética con muchas aristas para debatir:

* ¿Existen motivos realmente válidos para abortar?
* ¿Se puede considerar el aborto como un asesinato?
* ¿Es válido abortar porque es un embarazo no deseado?

En cuanto a la primera cuestión, podemos citar el caso de una adolescente discapacitada que fue abusada sexualmente y quedó embarazada sin tener conciencia de lo que este estado significaba, ni poder cuidar de sí misma y menos aún de su futuro hijo en forma autónoma. Sus familiares pidieron autorización a la justicia para practicarle un aborto, ya que en Argentina es ilegal hacerlo. Primero se le negó y luego se le terminó dando la autorización cuando su embarazo estaba bastante avanzado pero los médicos no querían llevarlo a cabo por considerar que pondría en riesgo la vida de la chica. Se le terminó practicando con otro equipo médico.

¿Cómo tomar una decisión correcta en condiciones tan extremas? Seguramente en este caso había condicionantes que hicieron dudar seriamente a quienes debían expedirse. En todo caso, lo que queda en evidencia es que resulta difícil condenar en forma terminante al aborto pero tampoco se puede ser irreflexivamente complaciente con esta situación. Hay que considerar otro aspecto, que viene expresado en la segunda pregunta que acabamos de hacer: ¿el aborto es un asesinato? Cualquier persona con principios morales se opondría rotundamente a matar a un semejante pero... el punto de discordia surge porque muchos consideran que un aborto en los primeros estadíos de desarrollo de la cigota no es un asesinato.

Muchos científicos sostienen esta teoría y aducen que todavía no se trata de una persona sino de un grupo de células, que en una fase tan temprana de gestación no configuran una forma humana. Sin embargo, no se trata de un grupo cualquiera de células ya que tiene la potencialidad de originar a un ser humano. Ese grupo de células tuvo su inicio en la fecundación de un óvulo por un espermatozoide.

Dentro del ámbito de la ciencia surge una controversia para resolver cuándo comienza verdaderamente una vida humana: algunos opinan que esto sucede cuando se desarrolla el sistema nervioso, que otorga la capacidad de tener conciencia (Jacques Monod). En el otro extremo hay quienes aseguran que la cigota tiene ya algo de humano por lo cual es inadmisible abortar.

La legalidad o ilegalidad del aborto está centrada entonces en este debate ético de muy difícil solución. Quienes están a favor de legalizar el aborto citan razones como por ejemplo que se propiciarán así mejores condiciones sanitarias para evitar la alta mortalidad de mujeres por abortos clandestinos realizados por personas no profesionales bajo condiciones sumamente precarias. Otra razón esgrimida especialmente por movimientos feministas, es que un embarazo siempre termina perjudicando más a la mujer que al hombre, ya que éste fácilmente puede evadir la situación, y que entonces debería permitírsele a la mujer que también la evada dándole la oportunidad de interrumpir el embarazo si así lo desea. Lógicamente ambos motivos no tienen igual peso pero, en muchos países, argumentos como éstos terminaron inclinando la balanza y se logró la legalización de estas prácticas. Finalmente llega el tercer interrogante: el hecho de "no desear" el embarazo ¿es motivo suficiente para abortarlo? Podemos pensar a priori que si una mujer no desea un embarazo podría tomar medidas para evitarlo. Los métodos anticonceptivos están actualmente al alcance de la mayoría de las personas, y también la información necesaria para saber usarlos. Lo que es inadmisible es que quienes tienen estos recursos disponibles incurran en la irresponsabilidad de abortar un embarazo inoportuno.

¿La píldora del día después es abortiva? Hay mujeres que recurren a los llamados *anticonceptivos de emergencia*. Se denominan así porque se los emplea una vez que se ha mantenido una relación sexual en la que existe la posibilidad de un embarazo por haberse realizado en torno al día de ovulación, y sin la protección adecuada. El fármaco que se utiliza es una droga llamada *levonorgestrel*. Esta píldora debe administrarse a lo sumo 72 horas después de la relación sexual peligrosa. Tiene tres modos de acción: si se toma entre los días 1 y 12 del ciclo, actúa impidiendo la ovulación. Otra acción es modificar el flujo cervical impidiendo la circulación de los espermatozoides, que no podrán fecundar al óvulo. Por último, la tercera acción es la más cuestionada: si se toma cuando ya ocurrió la fecundación, es decir después del día 14 en el que debería ocurrir la ovulación, este método es abortivo, ya que la droga actúa sobre el endometrio *impidiendo la implantación del embrión*(fuente: www.crearvida.cl. Laboratorio Gedeon Richter).

Podemos pensar que la persona que las ingiere no tiene manera de comprobar si en ese momento ya está embarazada o todavía no lo está, debido a las variaciones posibles en los días de ovulación y las horas que les demande a los espermatozoides llegar hasta el óvulo y mantener su capacidad fértil Por eso no puede prever si lo está usando como anticonceptivo o como abortivo. Debido a esta última forma de acción el uso de esta píldora es muy controvertido, sumado al hecho de que muchas personas la utilizan sin prescripción médica, ignorando si tendrá consecuencias para su salud.

Más allá de las decisiones personales que lleven a tomar este camino es bueno que sepas que las causas psicopatológicas que se derivan de un aborto no son menores, ya que siempre es una acción que contraría la ley natural y la tradición, y es muy frecuente encontrarse después con mujeres con problemas emocionales y trastornos psiquiátricos duraderos.

Los síntomas que suelen aparecer son:

- Enojo, sentimiento de culpa, depresión.
- Incapacidad de perdonarse a uno mismo o a otros.
- Pesadillas que se repiten.
- Desórdenes en la alimentación.
- Pensamientos o tendencias suicidas.

(Información extraída del artículo de la *Wisconsin Right to life Education Fund ¿Cuál es la causa de mi dolor?*).

Es importante defender la vida aún cuando la noticia irrumpa de manera inesperada, pero también es cierto que esta carga no puede ser llevada por la adolescente en soledad. Si sabemos que ante un embarazo se produce discriminación, ya que la escuela suele rechazar, la sociedad señala, el padre "no se hace cargo", la familia culpabiliza, ¿qué otras opciones quedan?

Este compromiso no es individual, sino social, y allí tenemos que dirigir toda nuestra energía.

Actividad: Puntos de vista
Les proponemos: Hacer el mismo cuestionario (las tres preguntas sobre el aborto que planteamos anteriormente), a diferentes personas: adolescentes que sean padres y otros que no lo sean, a madres y padres adultos, a un sacerdote de la Iglesia Católica, a un representante de otra religión, a un psicólogo, a un médico. Contrastar las respuestas obtenidas y reflexionar acerca de lo que aprendieron. Elaborar una conclusión final.

Actividades para tu portfolio:
Expresá por escrito tus sensaciones con respecto al tema del aborto y respondé, además, qué pensás acerca de las respuestas que dio cada uno de los entrevistados.
Revisá lo trabajado para el portfolio en este mismo capítulo.
Replanteá por escrito todo lo que te haya aportado la lectura de este nuevo capítulo y lo trabajado en clase.
Respondé esta pregunta final: ¿A qué me comprometo para vivir mi sexualidad responsablemente?

Capítulo 6

El adolescente y
el cuidado del cuerpo

Nuestra imagen frente a los demás

Para comenzar… un juego:
Luego de observar atentamente cada imagen, respondan individualmente por escrito:

   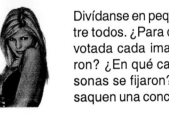

¿Con quién sí? ¿Con quién no?
… compartirías una carpa?
… estudiarías para un examen?
… te irías a una fiesta?
… quisieras ir a ver una obra de teatro?
… preferirías perderte en el monte?
… practicarías un deporte?
… tendrías una pelea?

¿A quién sí? ¿A quién no?
…elegirías para que te contara un largo cuento?
…elegirías para un equipo de trabajo?
…elegirías como amigo?

Divídanse en pequeños grupos y luego entre todos. ¿Para qué *Sí* y para qué *No* fue votada cada imagen? ¿Todos coincidieron? ¿En qué características de las personas se fijaron? Discutan entre todos y saquen una conclusión.

Como habrán podido observar, a través de la imagen corporal se comunican muchas cosas, se envían mensajes, y esto permite establecer **vínculos**. El cuerpo expresa emociones mediante gestos, posturas, miradas, a través de un **lenguaje no verbal**, que los demás reciben. Nuestra imagen y lo que transmitimos con ella es la primera impresión que el otro percibe.

El cuerpo permite individualizarnos a través de sus rasgos únicos, y es a la vez parte de nuestra identidad personal. Constituye nuestra presencia tangible como seres vivos, es lo que podemos contemplar de nosotros mismos.

La personalidad es un conjunto de características particulares que distinguen a un ser humano de los demás, y está basada en aspectos subjetivos, interiores y profundos, y también en otros que son externos y observables, y se exteriorizan precisamente a través del cuerpo (Silvio Crosera en *Para comprender al adolescente*).

La cultura actual idolatra la imagen y la perfección como sinónimo de belleza; es a la vez una cultura de la superficialidad, en la cual se sobrevalora el aspecto físico por sobre lo más perdurable y rico de una persona que es su mundo interior: pensamientos, sentimientos, valores...

Por el contrario, en las culturas orientales, como la japonesa, se rinde un verdadero culto a la vejez. El anciano es poseedor de una gran sabiduría dada por la experiencia de vida y como tal, es venerado y respetado como autoridad; su familia se esmera en cuidarlo hasta su muerte. Tenemos mucho que aprender de culturas como esa...

Somos un todo formado por cuerpo y mente. Sin embargo, sabemos que el cuerpo es limitado, cumple un ciclo biológico y declina en la vejez, pero la mente indudablemente tiene más posibilidades de crecer. La "belleza interior" no se extingue ¿Por qué será que nos empeñamos en darle tan poca importancia?

Stephen Hawking

Esta es la imagen del brillante científico Stephen Hawking. Los importantes aportes al estudio de los agujeros negros lo hicieron famoso en todo el mundo. No puede caminar, ni puede hablar debido a la enfermedad progresiva que padece desde hace muchos años. En estas condiciones realiza sus investigaciones, ríe, siente y vive. ¿Conocen algún otro ejemplo como éste?

Los modelos a imitar: chicas y chicos "top"

Un verdadero bombardeo mediático a través de carteles publicitarios, revistas, televisión, cine, Internet, se encarga de imponer los modelos que, obedientemente, los adolescentes imitan a cualquier precio. "El cuerpo aparece hoy como un elemento maleable y como una materia prima que se puede modificar mediante el maquillaje, el ejercicio, o prácticas mucho más radicales como las intervenciones quirúrgicas. Se rompen las fronteras entre lo público y lo privado y eso está conduciendo a un esquema igualitario que la publicidad trata de vender", explica Lucrecia Piedrahíta, historiadora del arte (en www.elcolombiano.com).

Les proponemos:
Busquen en revistas una foto de cuerpo entero de un chico y otra de una chica. Pueden hacer una fotocopia ampliada y armar un afiche en el cual coloquen, señalando con flechas, los atributos que debe poseer cada uno para ser "top". Por ejemplo piel perfecta y tostada, abdominales bien marcados, etc...
Conversen y pongan en común: ¿Habrá un precio que pagar para lograr cada una de esas características?

Actividad

¿Belleza real o belleza virtual?

Lean la siguiente nota en pequeños grupos. Busquen imágenes de todos los personajes mencionados como referentes de belleza de distintas épocas y compárenlos. ¿Qué diferencias encuentran entre ellos? ¿Qué influencia les parece que tiene la aparición de este tipo de "belleza perfecta" en los medios de comunicación?

Buscan belleza virtual para coronarla como 'Miss Mundo Digital'
Miércoles, 5 noviembre 2003. IBLNEWS, AGENCIAS

La estrella de cine Sofía Loren puede haber sido el icono de la belleza italiana del siglo XX, pero los tiempos han cambiado y ahora las divas virtuales le disputan su corona en el primer certamen de «Miss Mundo Digital».

La próxima semana arranca en Italia un nuevo concurso de belleza muy peculiar que dará a las imágenes digitales perfectas la oportunidad de robar el estatus de símbolo sexual a la Loren.

«Miss Mundo Digital» es el primer concurso de belleza reservado para «mujeres» parecidas a la heroína del videojuego Lara Croft, la actriz clonada con computadora de los filmes de «Matrix» y las nuevas bellezas retocadas para la perfección con gráficos tridimensionales.

A las artistas digitales, las agencias publicitarias y los programadores de los videojuegos de todo el mundo se les ha pedido que envíen un diseño de computadora de la mujer perfecta a www.missdigitalworld.com, junto con la fecha de nacimiento y las medidas del cuerpo.

«Cada edad tiene su ideal de belleza y todas las edades producen su encarnación visual del ideal, desde la Venus de Milo en la antigua Grecia, hasta Marilyn Monroe en la década de 1960», dijo Franz Cerami, el creador de la competencia.

«Miss Mundo Digital está en la búsqueda de un ideal contemporáneo de la belleza, visto a través de la realidad virtual», dijo a Reuters.

Los diseñadores programarán sus diseños para presentarlos en una pasarela virtual, y habrá un presentador virtual e invitados virtuales que ayudarán a crear la atmósfera de un concurso de belleza.

La ganadora será coronada en una ceremonia de carne y hueso en noviembre del 2004 y Cerami espera que la reina digital avance a cosas más grandiosas con papeles en videojuegos, películas y anuncios de realidad virtual.

Actividad

1) *Fabricando bellezas virtuales*: El programa Photoshop

Con ayuda de tu docente de TICs pueden probar "fabricar bellezas" ustedes mismos. Tomen una foto cualquiera y verán cuántas cosas pueden cambiar de los rasgos de esa persona. Luego comparen el "antes" y el "después" ¿Qué reflexiones les surgen al contemplar estos cambios ideales/irreales?

2) *El arte y la imagen corporal*

Busquen imágenes de obras de arte (pinturas y esculturas) de distintas épocas y corrientes artísticas en las que se hayan pintado o esculpido figuras corporales. Describan las diferencias que puedan constatar sobre cómo se reflejaba la imagen corporal según la época y el artista, y compárenlas con el ideal de belleza actual. Saquen conclusiones a partir de la pregunta: ¿Hay un único ideal de belleza válido?

Pueden armar una pequeña galería de arte y exponer las obras en algún evento de la escuela.

Todos padecemos los "rótulos sociales" que nos califican despiadadamente a partir de una apariencia externa sin tomar en cuenta lo que hay detrás de esa fachada. ¿Cuánto más puede sufrirlos un adolescente? Como veremos a continuación, el cuerpo es lo más personal e íntimo que tenemos, pero a la vez permanece en cierta medida externo y extraño. En este marco de tanta presión por responder a los exigentes códigos culturales de belleza y en la inestable realidad del adolescente, esta dualidad contradictoria entra en crisis.

Reconocerse en un nuevo cuerpo

Según el psicoanalista Philippe Jeammet, para el adolescente, el cuerpo es el reflejo de las transformaciones internas que sufre; permite vislumbrar nuevas formas y cambios, especialmente en lo relacionado con la sexualidad ¿Recuerdan todo lo que se moviliza en el adolescente y que fue trabajado en el capítulo sobre sexualidad? Estos cambios se ven, pero cuesta aceptarlos, y el cuerpo lo "traiciona": muestra más de lo que él desearía.

El adolescente defiende a ultranza sus ideas y convicciones, pero "sufre" su cuerpo, porque asiste impotente a sus transformaciones, que debe aceptar, ya que sobre ellas no tiene poder de decisión. Esto representa un conflicto que implica hacerse cargo de un físico que él no eligió sino que recibió por herencia de sus padres. Habrá aspectos que le agraden y otros que no, pero lo verdaderamente conflictivo para él es tener que aceptarlo tal cual es.

El conflicto se manifiesta de varias maneras: por un lado, hay adolescentes que necesitan esconder su cuerpo, y lo hacen vistiendo prendas muy amplias que disimulan las formas, o colores no llamativos y ropas extremadamente sencillas.

Es muy frecuente en esta etapa el no querer bañarse, ya que es una manera de no enfrentarse con su cuerpo, comienzan las luchas de

Por Maitena, para *Mujeres Alteradas 3*

161

los padres con sus hijos por la higiene personal; otros, en cambio lo hacen en forma excesiva.

Están quienes prefieren la vestimenta provocativa, transgresora, que despierta generalmente en los padres una sensación de desaprobación y disgusto, sentimientos que coinciden con la visión negativa que ellos ya experimentan sobre sí mismos.

El *look* que adopte le permite al adolescente pertenecer e identificarse dentro de su grupo de pares. Es contradictorio, pero en la etapa de la vida donde más libres quieren y creen ser, se someten a cierta "esclavitud de la moda", por la necesidad imperiosa de reconocimiento.

Todas estas formas de rebeldía son parte de la normalidad y sólo requerirán de una evolución y ajustes sucesivos que se irán produciendo en la medida en que el adolescente se "reconcilie" con su propia imagen.

Se observa, sin embargo, desde hace un tiempo, una tendencia que no se limita sólo a la vestimenta como manifestación de disconformidad y de malestar, sino que avanza hacia acciones potencialmente peligrosas y autoagresivas: dietas extremas, adicciones dañinas para el organismo, ataques directos al cuerpo como lastimaduras, quemaduras de cigarrillo, piercings, tatuajes, cirugías estéticas innecesarias, relaciones sexuales sin protección, etc. Todas ellas constituyen, junto con otras que desarrollamos en otros capítulos, situaciones de riesgo.

La omnipotencia que caracteriza a los adolescentes se suma a la necesidad de estar a la moda a cualquier costo para ser aceptados dentro su entorno, lo cual implica el desmedido esfuerzo de pretender igualar a los arquetipos impuestos socialmente. El escaso acompañamiento familiar, ya sea por sobreprotección o desprotección, dificulta aún más la resolución de estos conflictos. El resultado de esta situación es altamente riesgoso: al creer que nada malo les puede ocurrir se someten a prácticas que en ocasiones les pueden costar la vida.

Un factor que contribuye a agravar esta situación es la falta de límites por parte de los adultos, que muchas veces son complacientes frente a planteos de este tipo, potencialmente dañinos para la salud, además de innecesarios. Tal es el ejemplo de las cirugías estéticas o el modelaje a muy temprana edad: lean la siguiente nota y discutan entre ustedes intercambiando opiniones.

Un extravagante regalo para los 15
Página /12 - Educación sexual 2 Adolescencia 2006. Dra. Mabel Blanco   *Lectura*

La moda del regalo de una cirugía estética para agrandarse los senos o resaltar la cola o ambos para los 15 años de una adolescente es algo no imaginado hace apenas diez años. Hoy es algo muy frecuente y preocupante, tanto por sus consecuencias biológicas como por las psicológicas y sociales. Desde el punto de vista biológico, a los 15 años no se ha completado el desarrollo corporal, no parece saludable hacer intervenciones que alteren el desarrollo y que además implican incorporar sustancias y cuerpos extraños, por ejemplo a una mama, que puede luego seguir creciendo o cambiar su forma. Desde el punto de vista psicosocial permite suponer una baja autoestima en esas adolescentes que se expresa en la necesidad de cambiar su cuerpo, y las hace más vulnerables a muchas otras agresiones e, incluso, pasibles de convertirse en una víctima de violencia contra las mujeres. Las cirugías estéticas no modifican la autoestima, por tanto esa vulnerabilidad persistirá y con ella los riesgos señalados.

Cuando la moda sí incomoda: situaciones peligrosas

A) Los trastornos alimentarios

Lean los siguientes testimonios. Fueron extraídos de notas periodísticas realizadas a Cielo Latini, una chica de 22 años que escribió un libro autobiográfico (*Abzurdah*), contando las situaciones límite que vivió durante varios años a causa de la anorexia.

> "La anorexia es como un infierno congelado. Cuando sos anoréxico sos gris y ves a todo el mundo de colores".
>
> "Le rezábamos a la diosa Ana (de anorexia). Hasta teníamos un decálogo y oraciones".
>
> "Estaba en busca de una perfección que no iba a alcanzar. Un día me miré al espejo y me sentí una mierda".
>
> (Testimonios publicados en Revista *Noticias*).

> "Me odiaba por no ser perfecta".
>
> Tiene un tatuaje (en el brazo) que dice 47K. "me lo hice cuando llegué a los 47 kilos y me dije que de ahí no podía pasar. Igual llegué a los 45"
>
> (Testimonios extraídos de Revista *Veintitrés).*

> "Miles de chicas empezaron a seguirla como si fuera una secta a tal punto que muchas tenían su foto en su billetera y computadora"

> "Mentía a sus padres diciéndoles que ya había comido. Se encerraba en su cuarto, leía los mails de cientos de anoréxicas desparramadas por el mundo y se pasaba el resto del tiempo tirada en un sillón. Llegó a estar 11 días sin comer".
>
> "Cuando sos anoréxica todo el mundo te dice que estás linda ¿Qué incentivo tenés para volver a comer? Ninguno".
>
> (Testimonios publicados en revista *Glamour* México).

A partir de lo que leyeron respondan ¿qué rasgos caracterizan la personalidad de esta chica?

¿Cómo veían los demás su situación? ¿Les parece que era consciente de los peligros a los que exponía su vida?

Jugando con la vida

Seguramente también calificaríamos de "absurdo" este sórdido mundo de situaciones límite que parecen manifestar un deseo de autodestrucción. Sin embargo, esta realidad inexplicable forma parte de la vida de muchos adolescentes de hoy. Así como en los países pobres el alimento escasea, y el hambre y la muerte por desnutrición son moneda corriente, en el mundo desarrollado, donde la comida abunda, comenzaron a aparecer una serie de trastornos psicológicos que pasan por particulares formas de relacionarse con esta función vital que es la de alimentarse. Contrasentidos de este mundo en el que todo es posible: una vez más, el que quiere y no puede y el que puede y no quiere...

Existen varios trastornos alimentarios con diferentes características.

El material que transcribimos a continuación fue extraído de ALUBA (Asociación de Lucha contra la Bulimia y Anorexia) www.aluba.org.

"Los trastornos alimentarios de Bulimia y Anorexia, son las alteraciones más comunes de la conducta en el acto de comer. Aunque se refieren al acto de comer no tienen relación directa con la comida. Su raíz está en el miedo a vivir y a crecer. Las señales más claras de estas enfermedades se descubren a través de:

- El rechazo a mantener el peso corporal por edad y talla, lo que ocasiona una pérdida importante de peso.

- El temor intenso a engordar, la alteración de la imagen del cuerpo en la que la persona se ve o se siente gorda a pesar de estar muy delgada.

- La presencia de amenorrea en las mujeres (ausencia de, al menos, 3 ciclos menstruales consecutivos. La presencia de atracones recurrentes en los que la persona siente que pierde el control sobre la comida.

- La aplicación de conductas compensatorias siempre peligrosas como son los vómitos, el abuso de laxantes o diuréticos, el excesivo ejercicio físico, ayunos y la ingesta de diversos fármacos "adelgazantes".

- La obsesión por el cuerpo y la comida está siempre presente y determina las alteraciones en la conducta."

Es bueno aclarar que, si bien se pueden encontrar en estado puro, son dos caras de la misma moneda, se pasa de la bulimia a la anorexia y a la inversa. Luego de períodos prolongados de no comer, se puede producir un atracón y luego viene el vómito provocado por la culpa que genera el haber comido.

En términos sencillos, la anorexia se caracteriza por no comer, y hacer exagerada actividad física. En cambio, la bulimia se destaca por las ingestas abundantes y el vómito. Poca actividad física. Llegan a provocarse el vómito con cualquier instrumento sin medir las consecuencias, ya que lo que antes les funcionaba luego ya no es exitoso para el fin. Se han encontrado pacientes con tenedores, objetos cortantes que se introducen en la garganta, provocando daños irreversibles.

Esto trae aparejado un gran esfuerzo cardíaco, por lo que muchos jóvenes mueren de ataques al corazón. Proponemos al docente realizar una charla conjunta con un médico y un psicólogo a fin de ver las dos posturas, que no tienen por qué ser antagónicas.

El siguiente cuadro muestra las características distintivas de la bulimia y la anorexia (fuente: www.aluba.org)

BULIMIA

- Episodios recurrentes de voracidad.
- Conciencia de que el patrón alimentario es anormal.
- Sentimiento de no poder parar la ingesta.
- Oscilaciones significativas de peso.
- Deterioro o pérdida de piezas dentarias en vomitadores.
- Alternan con ciclos restrictivos.
- Tienen conductas compensatorias como: escupir, abuso de líquidos para compensar el hambre, provocar el vómito, abusar de laxantes y diuréticos. Estas últimas pueden provocar la muerte por paro cardíaco al ocasionar la pérdida de potasio.
- Ayuno.
- Hiperactividad.
- Cortan los alimentos en trozos grandes.
- Comen rápidamente.
- Apenas mastican o tragan sin masticar.
- Prefieren grandes porciones.
- Engrosamiento glandular (parótida) en vomitadores.
- El carácter se vuelve irritable.
- Se sienten culpables.
- Comen a escondidas.
- Roban para comprar comida.
- Obsesión por la silueta y el peso.
- Oscilan entre la autoexigencia y el abandono.
- Oscilan entre la euforia y la depresión.
- Pueden ser muy impulsivos.
- Suelen abandonar todo lo que emprenden.

ANOREXIA

- Falta de conciencia de la enfermedad.
- Miedo intenso a la obesidad.
- Distorsión del esquema corporal (se ven gordos a pesar de tener bajo peso).
- Rechazo a mantener el peso en nivel normal.
- Caída del cabello.
- Amenorrea – Piel Seca.
- Hipotensión – Hipotermia.
- Cortan los alimentos en trozos pequeños.
- Comen lentamente.
- Mastican largo rato antes de tragar.
- Prefieren pequeñas porciones.
- Tiran, escupen o esconden la comida.
- Pueden consumir anorexígenos, laxantes y/o diuréticos, o vomitar.
- Cuentan las calorías.
- Tienen rituales con la comida.
- Realizan hiperactividad para bajar de peso.
- Se aíslan socialmente.
- El carácter se vuelve irritable.
- Existe depresión en el 40 ó 45% de los casos.
- Tienen conductas obsesivas.
- Autoexigencia.
- Rechazo a la sexualidad.
- Pueden darse atracones.
- Usan ropa suelta (se tapan el cuerpo).
- Suelen ser excelentes estudiantes y primeros promedios.

En la anorexia, la imagen que devuelve el espejo no es la real; el anoréxico no registra su situación, ya que siempre se percibe con sobrepeso.

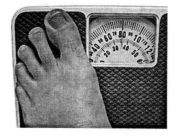

Ortorexia. Obsesión por las dietas saludables

Ser musculoso: una obsesión.

Compulsión por comer sin hambre y sin placer: Síndrome del atracón

Los trastornos que acabamos de ver son los más comunes, pero se identificaron nuevos perfiles:

●**Ortorexia:** (Deriva del griego *ortho: correcto y orexis* apetito): La sufren aquellas personas obsesionadas por las dietas saludables: Miden las calorías de todo lo que comen, se fijan las características de cada tipo de alimento, seleccionando rigurosamente solo los más sanos (orgánicos o dietéticos), se fijan la cantidad de veces que mastican cada bocado, y pasan mucho tiempo ocupados en estos pensamientos en torno a su alimentación.

●**Vigorexia:** Se da preferentemente en varones. Su obsesión es obtener un físico musculoso, para lo cual pasan largas horas en el gimnasio y suelen consumir esteroides anabólicos. Es el perfil que se observa en algunos fisicoculturistas.

●**Síndrome del atracón**: Se caracteriza por ingestas descontroladas que obedecen a un comportamiento compulsivo en el cual se come sin hambre y sin placer. Es común que la padezcan personas con dietas muy restringidas. En algunos casos, este hábito ocurre durante la noche, y en ocasiones la persona no recuerda que lo hizo. En estos síndromes, no existen los comportamientos compensatorios de provocarse el vómito o consumo de laxantes como ocurre en la bulimia.

●**Síndrome de especialización alimentaria**: Se observa ya en niños pequeños, que tienen un repertorio de comidas que "les gustan" sumamente restringido, que normalmente incluye hamburguesas, papas fritas, milanesas, fideos, y muy pocas alternativas más y excluyen verduras, frutas, y otros tipos de alimentos. Estos niños se niegan a probarlos con el pretexto de que no son de su agrado, con lo cual son víctimas de dietas autorrestringidas durante un período clave para el desarrollo corporal.

Cuando el cuerpo dice "¡basta!" La hospitalización

En casos extremos se recurre a la internación de estos pacientes, lamentablemente las familias suelen darse cuenta tarde de lo que está ocurriendo y en muchos casos la vida de estos jóvenes se debate contra la muerte.

¿Cuáles son las ventajas de la internación?

Evita la muerte, en primera instancia hay que salvarle la vida al paciente, luego se indaga por qué se llegó a esa situación de autoagresión.

Permite separar al paciente de un medio familiar ansioso y conflictivo.

Se controla directamente el síntoma: la anorexia, el no comer.

Las desventajas principales son, por un lado, el depósito de la responsabilidad de la enfermedad en el paciente internado: "él es el enfermo"; por otro lado, el aislamiento del paciente del contexto natural sobre el que hay que actuar: la familia.

El alimento como combustible de la maquinaria humana

Resulta difícil imaginar un automóvil que funcione sin nafta, o un electrodoméstico que lo haga sin estar enchufado a un suministro eléctrico o a una batería. La energía mueve al mundo, pone en acción a cualquier objeto.

Los seres vivos no son ajenos a esos principios. La vida también funciona en base a energía que fluye y tiene su origen en el sol. A partir de las plantas esta forma de energía es captada y transformada en alimento, del cual será posible obtener la energía para todos los procesos vitales. Todos los demás seres vivos, incluido el hombre, son de algún modo parásitos de las plantas ya que ingerimos el alimento que sólo ellas son capaces de producir: el herbívoro se comerá una planta que almacena alimento en su interior, el carnívoro se comerá al herbívoro, y así sucesivamente. La vida depende de esta compleja trama alimentaria.

El alimento es el único combustible que pone en marcha a la maquinaria humana. Tiene una **función estructural**, por ser la materia prima para la construcción de nuevas células; una **función reguladora**, ya que provee todo lo necesario para los procesos metabólicos (reacciones químicas de las células). Por último, la **función energética** mediante la que se asegura el suministro de energía para mover partes del cuerpo, trasladarse, crecer, pensar, etc.

Cómo se obtiene energía a partir del alimento

La energía que se obtiene a partir de cierto alimento se mide en **calorías**. *Una caloría representa la cantidad de calor necesario para elevar un grado centígrado la temperatura de un gramo de agua.* La forma más usual de expresar la energía contenida en un alimento es en **kilocalorías**. (1 kcal = 1000 cal).

Los alimentos están compuestos por **nutrientes**, que son sustancias químicas aprovechables para el funcionamiento del organismo.

> **Vocabulario**
>
> *Alimento*: toda sustancia que, incorporada al organismo, cumple una función de nutrición.
>
> *Nutriente*: sustancia que, al ser eliminada de la dieta, produce en el tiempo una enfermedad por carencia.

Los principales tipos de nutrientes son las *grasas o lípidos, hidratos de carbono o azúcares, proteínas, agua, vitaminas y minerales*. Algunos de ellos se descomponen en moléculas más pequeñas durante el proceso de digestión para luego ingresar a la sangre y ser trasladados a las células del cuerpo.

La función energética del organismo está cubierta, en primera instancia, por los azúcares. La segunda fuente de energía está constituida por las grasas, y la tercera por las proteínas.

Rendimiento energético: **Hidratos de carbono: 4 kcal. por cada gramo consumido**
 Grasas: 9 kcal. por cada gramo consumido
 Proteínas: 4 kcal. por gramo consumido

El propósito de tener varias opciones para la obtención de energía es asegurar al cuerpo una provisión inagotable de recursos. Si la persona dejara de ingerir azúcares, la reserva de éstos se acabaría rápidamente y se produciría una falla metabólica. Sin embargo, al agotarse los azúcares, el organismo comienza a degradar grasas que normalmente tiene depositadas en zonas específicas (abdomen, cintura, por ejemplo). A partir de ese momento se produce el adelgazamiento por reducción de los tejidos adiposos. Si a la supresión de azúcares y grasas en la alimentación le sumamos ejercicio físico de cierta intensidad, el requerimiento energético será mayor, con lo cual se degradarán o, como se suele decir, se "quemarán" más azúcares y/o grasas.

Esta situación se complica cuando se reduce tanto la alimentación que el cuerpo no tiene más remedio que recurrir a las proteínas para procurarse la energía necesaria. Estas sustancias químicas tienen un rol clave en numerosas funciones vitales: colaboran en la producción de los **anticuerpos** que nos defienden de las enfermedades, constituyen las **enzimas** que posibilitan las reacciones químicas celulares, de algunas **hormonas**, las **fibras** que permiten la contracción muscular. Todos estos son ejemplos de la variedad de papeles que cumplen en el cuerpo... También forman parte de las membranas celulares, y una proteína específica, la **hemoglobina**, transporta los gases respiratorios en la sangre.

¿Qué les parece que ocurrirá si el cuerpo las degradara o ya no pudiera fabricarlas? Este es el cuadro que se observa en casos extremos de desnutrición, que en muchos casos conducen a la muerte por una descompensación tan severa que conduce al **colapso metabólico**: la imposibilidad de realizar las reacciones químicas básicas para el mantenimiento de las funciones vitales.

Para garantizar únicamente el mantenimiento de la vida: latir el corazón, respirar, mantener equilibrio de líquidos y temperatura corporal, y el funcionamiento del sistema nervioso, es necesaria una cantidad mínima de energía que en el hombre es de 1600 kcal diarias, y en la mujer un 5% menos. (Esto, sin considerar ningún tipo de actividad física). ¿De dónde podrá obtenerlas alguien que no ingiere los alimentos necesarios?

Los requerimientos energéticos dependen del grado de actividad física, del sexo y de la edad de las personas. Observen la siguiente tabla:

SEXO Y EDAD	PESO (Kg.)	ENERGÍA (Kcal. por día)
Niños y niñas		
1 año	7,3	820
Adolescentes varones		
10 a 12 años	37	2600
13 a 15 años	51	2900
16 a 19 años	63	3070
Adolescentes mujeres		
10 a 12 años	38	2350
13 a 15 años	51	2900
16 a 19 años	54	2310
Adulto varón		
actividad moderada	65	3000
actividad pesada		3500
Adulto mujer		
actividad moderada	55	3000
actividad pesada		

(Fuente: *El libro de la Naturaleza 9*, Buenos Aires, Estrada, 1999)

En esta mujer anoréxica se observa la gran disminución de masa corporal por el grave desequilibrio nutricional que padece.

Aprender a comer correctamente

Una **dieta** es un plan de alimentación adecuado a ciertas necesidades de una persona. Creemos erróneamente que el término *dieta* se usa sólo para identificar *adelgazamiento*, pero este término es mucho más amplio.

Llamamos **dieta sana** o *saludable* a aquella que se ajusta a los requisitos determinados por la edad, sexo, actividad física y estado de salud del individuo.

Para cubrir esta demanda se establecieron cuatro leyes descriptas en la década de 1930 por el médico argentino Pedro Escudero.

- **CANTIDAD:** la alimentación debe ser "suficiente" para cubrir las exigencias calóricas del organismo y mantener el equilibrio entre lo que se ingiere y lo que se gasta mediante la actividad física.
- **CALIDAD:** el tipo de alimentación debe ser "variada" en su composición, para ofrecer al organismo todas las sustancias que lo integran (hidratos de carbono, grasas, proteínas, minerales, vitaminas).
- **ARMONÍA:** las proporciones de los nutrientes arriba mencionados, deben ser "equilibradas" entre si.
- **ADECUACIÓN:** la dieta debe "adaptarse" al organismo, según sus necesidades: edad, sexo, tipo de actividad y estado de salud o situaciones especiales (embarazo, por ejemplo).

Piensen… ejemplos de dietas que no cumplan alguna de estas reglas.

169

Pirámide Nutricional

La dieta equilibrada, prudente o saludable será aquella en la que la proteína total ingerida aporte entre un 10 y un 15% de la energía total consumida; la grasa, no más del 30-35%, y el resto (más del 50%) proceda de los hidratos de carbono. Si existe consumo de alcohol, su aporte calórico no debe superar el 10% de las calorías totales. A partir del cuadro anterior pueden calcular ustedes mismos cuántas kilocalorías representa ese porcentaje para un consumo adecuado a su sexo y edad

Actividades

1) El modelo en forma de pirámide fue presentado en Estados Unidos y permite visualizar las proporciones de los diferentes grupos de alimentos que se deben ingerir en un día. Expliquen por qué tiene forma piramidal y reconozcan los tipos de alimentos que se observan en cada nivel. Se pueden ayudar con la tabla que sigue:

Verduras y frutas
Fuente de vitaminas C y A, de fibra, y sustancias minerales como potasio y magnesio. Incluye todos los vegetales y frutas comestibles.

Cereales
Arroz, avena, cebada, maíz, trigo y sus derivados, y legumbres secas, como arvejas, garbanzos, lentejas, porotos y soja: fuente principal de hidratos de carbono y fibra.

Leche, yogur y queso
Ofrecen proteínas completas, y calcio.

Carnes y huevos
Ofrecen las mejores proteínas y son fuente principal de hierro. Incluye todas las carnes comestibles, de animales, aves de crianza, caza, pescados y frutos de mar.

Aceites y grasas
Fuente de energía y vitamina E. Los aceites y semillas tienen grasas indispensables para nuestro organismo.

2) Recientemente se han incluido el consumo de agua y la actividad física como pilares fundamentales de esta pirámide. Averigüen qué porcentaje de la población argentina tiene acceso al agua potable, y cuáles son los beneficios para la salud que aporta realizar actividad física.

3) **Balance:** Anotá todo lo que comés y bebés durante un día entero. No olvides nada. Repetí la experiencia varios días. Luego, observando la pirámide alimentaria, determiná qué alimentos de cada grupo y en qué proporción están incluidos en tu dieta. ¿Ingerís alimentos sanos? ¿Deberías agregar alguno? Si no está incluido en tu dieta, ¿a qué se debe? ¿a una cuestión cultural? ¿a la falta de acceso a él? Además: ¿realizás actividades físicas?: jugar al fútbol con amigos, correr, caminar todos los días... No se trata necesariamente de asistir a un gimnasio.

Más actividades:

Les proponemos...

1) **La importancia de un buen desayuno:** Hacer un relevamiento en su escuela indagando entre chicos de distintas edades y sexos, comenzando por los niños de nivel inicial: a) si desayunan o no b) si lo hacen, qué toman y qué comen. Luego grafiquen los resultados. Averigüen por qué es tan importante el desayuno para una alimentación sana. ¿Es correcta la conducta alimentaria de niños y adolescentes en este sentido? ¿Qué propuesta harían para cambiarla dentro del ámbito de la escuela?

2) **Análisis de etiquetas y envoltorios de productos envasados:**

- Junten etiquetas y envoltorios de los productos envasados que más consumen (¡pueden empezar por el papelero de la escuela!) Pueden ser: golosinas, galletitas, hamburguesas, salchichas, jugos, gaseosas, yogures, postres, sopas y comidas envasadas, etc.

- Completen un cuadro en el que consignen para cada alimento:

    Marca comercial / tipo de alimento / composición nutricional por cada 100 gramos / rendimiento calórico por porción / aditivos:

    Los **aditivos** son sustancias que sirven para realzar alguna característica del producto y no constituyen en sí mismos un aporte nutricional. Pueden ser: colorantes, saborizantes, emulsionantes, antioxidantes, leudantes químicos, etc. En muchos casos son responsables de generar reacciones alérgicas en personas sensibles a algún componente.

    También consignen si ese alimento está fortificado con alguna vitamina u otra sustancia especial como suplemento dietario beneficioso para la salud, y si tiene alguna advertencia para celíacos o fenilcetonúricos.

- **Saquen conclusiones:**

    ¿Qué tipo de nutrientes aparecen en mayor proporción en casi todos los productos analizados? ¿Qué opinan sobre la cantidad de aditivos? ¿Son beneficiosos los productos envasados?

4) Lean la siguiente nota periodística:

    Fast Food en la Adolescencia

    Los adolescentes son también especialmente aficionados a la denominada comida rápida. Se estima que entre un 30% y un 40% de todas las comidas se realizan fuera del hogar y los «fastfood» representan el 20% de este mercado, quizás no tanto por la falta de tiempo sino porque representan una cultura que la juventud asume con facilidad. Los centros de comida rápida se han convertido en referentes donde los jóvenes pasan las tardes de muchos fines de semana. Los adolescentes se identifican plenamente con el ambiente del «fast food»: informal, poco convencional, alejado del esquema tradicional de la cocina familiar del que tanto huyen, y con precios accesibles para los jóvenes. Otra ventaja es la flexibilidad del horario. El plato base, la hamburguesa con papas fritas, acompañada de diferentes bebidas (especialmente azucaradas), tiene gran aceptación entre este grupo de edad. En general se consideran alimentos con un alto contenido energético, en grasa, azúcar, y sal y bajo contenido en fibra y otros nutrientes, pesar de que se han llevado a cabo otros estudios que demuestran que en muchos casos pueden tener un nivel aceptable de nutrientes. Sin embargo, la poca variedad de su menú es motivo suficiente para intentar que los jóvenes amplíen sus expectativas culinarias.

    Extraído de www.alimentacion-sana.com.ar

    Respondan: ¿Qué tipo de comida se debería agregar en la dieta para cubrir el déficit de nutrientes que aporta la llamada comida chatarra? ¿Cuáles son los principales problemas de estas comidas rápidas? ¿Qué ley de la alimentación sana no se cumple en este caso?

Enfermedades nutricionales y ligadas a la alimentación

Existe una sensible diferencia entre los que llamamos **trastornos nutricionales** y **enfermedades nutricionales**, y consiste en que los primeros tienen asociadas **alteraciones psicológicas** que se traducen en formas **patológicas** de relacionarse con la comida. Las enfermedades nutricionales son desórdenes más que nada orgánicos, que en algunos casos tienen condicionantes genéticos. En otros casos, factores sociales políticos y económicos confluyen para que la enfermedad se produzca por la falta de acceso a una alimentación adecuada.

La <u>malnutrición</u> es una manifestación de un desequilibrio entre los requerimientos corporales y el consumo de nutrientes que éste necesita. Este desbalanceo puede producirse de dos modos:

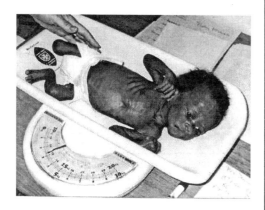

- **Desnutrición**: Por disminución en la ingestión o incorrecta absorción de alimentos esenciales.

La desnutrición, una deficiencia de nutrientes esenciales, resulta de una ingestión inadecuada debido a una dieta pobre o a un defecto de absorción en el intestino (malabsorción); a un uso anormalmente alto de nutrientes por parte del cuerpo; o a una pérdida anormal de nutrientes por diarrea, pérdida de sangre (hemorragia), insuficiencia renal, o bien sudor excesivo.

La desnutrición se desarrolla por etapas. Al principio, los cambios se producen en los valores de nutrientes en la sangre y en los tejidos, seguidamente aparece una disfunción de órganos y tejidos y, finalmente, se manifiestan los síntomas de enfermedad y se produce la muerte.

Según UNICEF, la principal causa de muerte entre lactantes y niños pequeños en países en desarrollo es la desnutrición, que se manifiesta en la forma de dos enfermedades básicas: el <u>marasmo</u> (desnutrición calórico-proteica producida en niños que no pueden ser amamantados por sus madres y padecen delgadez extrema y deshidratación); y el *kwashiorkor*, palabra que deriva de África y significa "primer niño-segundo niño" y que hace alusión al **destete** prematuro que sufre un niño al nacer su hermano. El primero pasa a ser alimentado en base a preparados de alto valor calórico y bajo nivel proteico, por ejemplo, agua de arroz o, en el norte de nuestro país, a falta de lácteos, un preparado de harina y agua. Este niño, al contrario que el afectado de marasmo, sufre una importante retención de líquidos, por lo cual aparece "hinchado".

La siesta, Fernando Botero.

- La **hipernutrición**, es decir, el exceso de nutrientes esenciales es, generalmente, resultado de una ingestión excesiva, del abuso de vitaminas u otros suplementos o del **sedentarismo** en exceso. Un caso particular lo constituye la **obesidad.**

La obesidad es el resultado del consumo de una cantidad de calorías mayor que las que el cuerpo utiliza. Como consecuencia de este consumo excesivo se acumula gran cantidad de grasa en determinadas zonas del cuerpo. Los factores genéticos influyen en el peso, ya que se observa una tendencia familiar a la acumulación de grasa corporal. Pero no sólo eso: también responde a factores socioeconómicos, ya que el consumo de alimentos que aportan muchas calorías es económicamente más accesible que los productos más ricos en proteínas o en fibra.

Los factores psicológicos, como los trastornos emocionales, que durante un tiempo fueron considerados como una importante causa de la obesidad, se consideran actualmente como una reacción a los fuertes **prejuicios** y la **discriminación** contra las personas obesas. Uno de los tipos de trastorno emocional, la **imagen negativa del cuerpo**, es un problema grave para muchas mujeres jóvenes obesas, ya que conduce a una inseguridad extrema y malestar en ciertas situaciones sociales.

¿Cómo saber si nuestro físico es armónico?

El equilibrio entre el peso y estatura es un indicador de armonía corporal. Para eso se estima el índice de masa corporal (IMC). Éste se calcula de la siguiente manera:

IMC = PESO (en Kg.) / (Talla)^2 (calculada en metros).

Según lo que expresa la fórmula, este índice se calcula muy fácilmente dividiendo el peso de la persona por el cuadrado de su estatura.

IMC: entre 20 y 25: normalidad; IMC menor a 20 déficit de peso; IMC mayor a 25: indica sobrepeso.

Factores relativos al desarrollo: un aumento del tamaño o del número de células adiposas, o ambos, se suma a la cantidad de grasas almacenadas en el cuerpo. Las personas obesas, en particular aquellas que han desarrollado la obesidad durante la infancia, pueden tener una cantidad de células grasas hasta cinco veces mayor que las personas de peso normal. Debido a que no se puede reducir el número de células, se puede perder peso solamente disminuyendo la cantidad de grasa en cada célula.

Actividad física: la actividad física reducida es probablemente una de las razones principales para el incremento de la obesidad entre las personas de las sociedades opulentas.

Les proponemos...

Obesidad y economía: Lean el siguiente artículo. Expliquen cuáles son los principales problemas de los trabajadores en sociedades más desarrolladas. Lean el capítulo "La salud de todos" y relacionen el contenido del artículo con el ciclo económico de la enfermedad.

Cambiar el modelo de salud para que crezca la economía
(*Clarín* 7/5/06) Jeremy Rifkin (Texto abreviado por las autoras).

Lectura

Una insistente pregunta empieza a acosar a los Estados Unidos y Europa: todos quieren saber qué es lo que desacelera la productividad y la competitividad en muchas de las economías más ricas del mundo. Los trabajadores de muchos de los países más ricos del mundo están cada vez más gordos, hacen menos ejercicio, siguen fumando, toman demasiado y están más estresados, todo lo cual hace que aumente su propensión a las llamadas «enfermedades de la riqueza».

En primer lugar, la obesidad experimenta un marcado aumento en los Estados Unidos y Europa. En los EE.UU., uno de cada tres trabajadores es obeso, mientras que en Europa uno de cada cuatro chicos tiene sobrepeso. La tasa de obesidad en Japón y Corea, en cambio, es de sólo un 3,2%. Otros países asiáticos tienen tasas de obesidad igualmente bajas.

El tabaquismo es también un factor importante en la mala salud de los trabajadores. Fumar provoca en Europa más de un millón de muertes anuales por cáncer y enfermedades cardíacas. Los trabajadores prósperos también hacen menos ejercicio.

La forma de vida relacionada con la tecnología moderna, el trabajo sedentario y los entretenimientos pasivos hacen que los trabajadores se vuelvan más vulnerables a enfermedades crónicas y mortales. Suena increíble, pero el 60% de los europeos y los estadounidenses no hace ninguna actividad física enérgica. El estrés también va en aumento a medida que las exigencias de una cultura instantánea y omnipresente generan una constante presión sobre los trabajadores, lo que se traduce en un gran incremento del síndrome de déficit de la atención e hiperactividad.

La mala salud de los trabajadores también significa un descenso de la productividad por el creciente ausentismo, pero también por lo que los profesionales de recursos humanos llaman «presentismo» pero encubre muchas veces el deterioro del desempeño laboral por una menor energía, mala concentración y aumento de los errores y accidentes.

Una serie de grandes empresas globales, alarmadas ante el costo creciente en atención médica y la disminución de la productividad, trabajan con profesionales de la salud a los efectos de lograr que el modelo de salud pase del tratamiento de enfermedades al impulso del bienestar. Los resultados que obtienen son increíbles. Con el objeto de mejorar la salud y la calidad de vida de sus empleados, las empresas instalan gimnasios en los lugares de trabajo o pagan las cuotas de clubes y entrenadores, sólo sirven comidas saludables en los comedores empresarios

¿Por qué a las empresas les interesa hacer un gasto adicional en la promoción del bienestar? Porque se trata de una inversión que tiene un rédito notable. Por cada dólar que se invierte en programas de prevención y promoción de la salud, las compañías ahorran entre tres y ocho dólares en reducción de los costos de salud y en un aumento de la productividad, consecuencia de menor ausentismo.

Actividad
Requerimientos dietéticos especiales:
Averigüen cómo debe ser la dieta para los siguientes casos:
a) Un deportista de alto rendimiento b) Una mujer embarazada c) Una persona que está anémica
d) Un enfermo celíaco e) Una persona con hipercolesterolemia f) Una persona con fenilcetonuria.
Investiguen previamente en qué consisten las enfermedades nombradas, y cómo se vinculan con
la alimentación.

Averigüen qué son los llamados "Omega 3 y 9", cuál es el beneficio para la salud que éstos
aportan y qué alimentos los poseen.

B) Autoagresiones corporales: tatuajes y *piercings*

Constituyen un fenómeno que en Argentina se quintuplicó en el término de cuatro
años desde 1999 pero, en Estados Unidos, el 27% de los adolescentes usa piercings
y el 13% están tatuados.

Esta moda podría indicar una apropiación de rituales tomados de culturas ajenas,
algunas muy primitivas, que practicaban sus ceremonias con distintos significa-
dos, que sólo se pueden comprender e interpretar en el contexto particular de cada
cultura. Todavía se observan estas prácticas en Polinesia (los indios sadhu), en
pueblos de Nueva Guinea, África, y entre los inuits (mal llamados "esquimales").
Egipcios y mayas, civilizaciones milenarias, también lucían estos símbolos sobre
sus cuerpos. Los tatuajes, en especial, fueron muy usados en Estados Unidos entre
los presidiarios, ya que constituían una manera de individualizarse en las prisio-
nes, en las cuales se los despojaba de todo tipo de pertenencia.

Algunos sostienen que se trata de un estilo de vida, que incluye ciertas prácticas
que son dolorosas y definitivas, pero que cobran sentido como una manera de
trasladar rituales del pasado a la cultura occidental actual, con un fuerte sentido
identificatorio. En la civilización moderna, en la cual se tiende a homogeneizar y a
"globalizar" también a las personas, es una expresión de rebeldía que promueve
el deseo de expresar la individualidad por sobre los **modelos arquetípicos**. Estos
modelos se pretenden imponer como el ideal a alcanzar a partir de atributos muy
concretos que expresan éxito y belleza.

Los riesgos de traspasar los límites de la piel

Tatuajes:
Veamos en qué consiste la práctica de tatuar la piel:
Por medio de una aguja descartable se perfora la **epidermis** (la capa de piel que
constituye la *primer barrera de defensa* contra los agentes infecciosos), y se llega a la
dermis. Esto implica perforarla hasta una pro-
fundidad de unos 2 milímetros. Allí, la aguja
deposita tinturas vegetales o minerales que
pigmentan células. Con cada punto que se hace
se logra enquistar un punto de tinta entre dos

Vocabulario:
Arquetipo: Modelo original y primario
en un arte u otra cosa; prototipo.

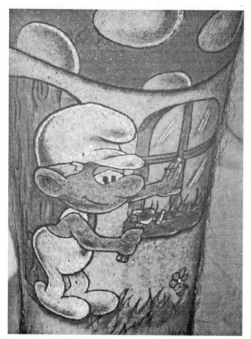

Tatuaje.

capas de piel. Y se logra mediante unas máquinas eléctricas que dan entre 2.500 y 3.000 pinchazos por minuto y que dibujan normalmente como si fuese un lápiz, pero mucho más lentamente.

Dependiendo del tipo de agujas se puede lograr distinta definición de líneas y trazo, se puede colorear, hacer fundidos en color y sombras.

Quien se tatuó alguna vez sabrá que poco tiempo después de realizado el dibujo, la piel se hincha y enrojece, y la zona queda sensibilizada y caliente. Estos síntomas sugieren que un nuevo mecanismo de defensa se puso en marcha: la llamada **barrera secundaria** o **mecanismo inflamatorio**. Al perforar capas de piel, la aguja daña células que liberan una sustancia llamada **histamina**. Ésta produce la reacción de inflamación, porque provoca la dilatación de los vasos sanguíneos en el área afectada. Dentro de los vasos sanguíneos circulan los glóbulos blancos llamados neutrófilos, basófilos y eosinófilos, que tienen la capacidad de traspasar las paredes de los vasos y acudir al lugar donde ocurrió la agresión. Los glóbulos reconocen las sustancias extrañas introducidas (los pigmentos del tatuaje), y las neutralizan englobándolas. Al parecer, este mecanismo natural es lo que hace que el tatuaje no se borre nunca. Para eliminar un tatuaje, la única técnica eficaz que no deja huellas es la aplicación de rayo láser, que además es muy costosa. Muchas personas tienen reacciones alérgicas a ciertos pigmentos: manifiestan **hipersensibilidad** y **dermatitis,** lo cual ocurre si aquellos tienen sales de cromo y sulfuro de mercurio, por ejemplo.

Es claro que el tatuar la piel produce una lesión y que se deben extremar los cuidados durante algún tiempo para evitar irritaciones e infecciones. El sol, el roce con la ropa, rascarse el lugar del tatuaje o no mantener la higiene o la humectación adecuadas en la piel afectada pueden traer complicaciones que obliguen a una consulta médica.

Piercings

En el caso de los *piercings* (del inglés *pierce*: perforar, taladrar), también se usan agujas descartables, pero se limitan más las zonas del cuerpo donde es posible aplicarlos: lóbulos de orejas, ombligo, lengua, cejas, labios, nariz. En este caso, la penetración es más profunda, y tiene iguales efectos y riesgos que el tatuaje.

El cuidado de las heridas producidas por *piercings* o tatuajes es sumamente importante, ya que una higiene inadecuada puede producir una proliferación de bacterias, agentes infecciosos que pueden inducir a la formación de pus y cuadros febriles y obligarán a medicar con antibióticos.

Más peligroso aún es el empleo de agujas no descartables para estas prácticas, que pueden ser vehículo de transmisión de enfermedades serias como hepatitis y SIDA.

Como habrán notado, antes de tomar la decisión de tatuarse o hacerse un *piercing* hay varias cosas que tendrán que conocer y evaluar.

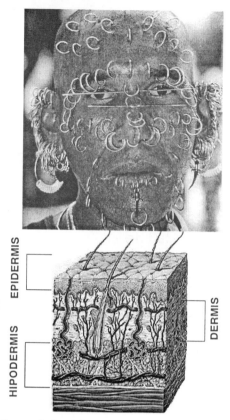

Capas de la piel.

Cómo se pueden trasmitir el sida y otras enfermedades a través de tatuajes y *piercings*: el funcionamiento del sistema inmune

Cuando se traspasan las capas superficiales de la piel, fácilmente se pueden lesionar capilares sanguíneos, con lo cual se abre una vía posible de ingreso de microorganismos si no se utiliza material descartable perfectamente estéril.

Si un agente infeccioso ingresa dentro del torrente sanguíneo, se activa una **tercera barrera** de defensa: el **sistema inmune**. Recordemos que este agente infeccioso deberá haber traspasado previamente las siguientes barreras:

Barrera primaria (barrera mecánica) Localizada en la superficie corporal (epidermis) y zonas de contacto con el exterior (vías aéreas y digestivas)	**Piel**: transpiración, grasitud y acidez de su superficie mata microbios sensibles. Forma una barrera física que impide el ingreso de agentes extraños. **Vías abiertas del cuerpo**: a) *vías aéreas*: sustancias mucosas y pelitos microscópicos retienen partículas y microbios que inhalamos. b) *vías digestivas*: ácidos del estómago matan microbios que ingerimos; bacterias de la flora intestinal.
Barrera secundaria (mecanismo inflamatorio) Localizado debajo de la epidermis (en la dermis)	En heridas, la secreción de histamina provoca inflamación, vasodilatación, penetración de glóbulos blancos a través de las paredes de vasos sanguíneos y englobamiento de agentes extraños que ingresaron con la lesión.

177

En el caso de la barrera terciaria hay glóbulos blancos específicos que configuran un complejo sistema de ataque ante los agentes extraños que genéricamente reciben el nombre de **antígenos**. Estas células son los **linfocitos** T y los linfocitos B. La secuencia de acción ante un antígeno es la siguiente:

1° Los *linfocitos T,* llamados *cooperadores* detectan la presencia de agentes extraños y liberan sustancias químicas que actúan como señal.

2° Estas sustancias liberadas activan a los *linfocitos T citotóxicos,* encargados de destruir a células infectadas o células cancerosas. También se activan los *linfocitos B,* quienes tienen una función más específica que es la de fabricar moléculas "a medida" de cada antígeno en especial. Estas partículas llamadas **anticuerpos** son liberadas al torrente sanguíneo y neutralizan al invasor. Se fabrican a una velocidad de 3.000 a 30.000 anticuerpos por segundo en cada célula B, actuando como un verdadero bombardeo para exterminar al antígeno. Hay linfocitos B especiales que se llaman *células de memoria,* capaces de producir anticuerpos para agentes extraños que alguna vez han ingresado al sistema inmune. Ante su reincidencia, automáticamente se los combate. Por eso, hay ciertas enfermedades que no se padecen dos veces.

3° Cuando ya no quedan antígenos que destruir, los *linfocitos B supresores* son los encargados de volver el sistema a su normalidad.

El caso del HIV es una excepción. Como ya vimos, este virus produce el SIDA (síndrome de inmunodeficiencia adquirida), es decir, daña directamente el sistema inmune produciendo una deficiencia en él que se caracteriza por un conjunto de síntomas (**síndrome**). Esta inmunodeficiencia se denomina *adquirida* para diferenciarla de las deficiencias inmunológicas congénitas que se padecen desde el nacimiento ya que son hereditarias.

¿Por qué el HIV produce una inmunodeficiencia?

Lo van a poder deducir ustedes mismos si revisan la secuencia de acción del sistema inmune, teniendo en cuenta que este virus ataca y destruye únicamente a los linfocitos T cooperadores.

¿Qué consecuencias traerá sobre los demás linfocitos?

Vocabulario

Sistema inmune: Medio de defensa específico para reconocer a cada agente extraño que ingresa en el organismo.

Antígeno: todo elemento, sustancia, etc. que una vez que ingresa al organismo es capaz de generar una respuesta del sistema inmune.

Linfocito: Tipo especial de glóbulos blancos que actúan en la barrera terciaria (a diferencia de otros glóbulos blancos como los neutrófilos, basófilos y eosinófilos que actúan en la barrera secundaria). Algunos linfocitos fabrican anticuerpos.

Anticuerpo: proteína fabricada por los linfocitos B al ser reconocido cada antígeno y con la finalidad de neutralizarlo. El anticuerpo se une químicamente con él y forma el complejo antígeno- anticuerpo, que luego es englobado o fagocitado por linfocitos T. Hay un anticuerpo para cada antígeno.

Capítulo 7

Adolescencia y discapacidad. Discriminación

Artículo 5 de la Declaración de los Derechos del Niño promovida por la Asamblea General de las Naciones Unidas: **"El niño física o mentalmente impedido o que sufra algún impedimento social debe recibir el tratamiento, la educación y el cuidado especiales que requiere su caso particular"**

Mafalda, por Quino

El término *discapacidad*

¿A qué nos referimos cuando hablamos de discapacidad?

Las sociedades tienen distintas definiciones y representaciones de la discapacidad y, en consecuencia, distintas conductas frente a ella.

Ubiquémonos históricamente.

En Esparta, aquel niño con "defectos" era arrojado desde un precipicio. Pero ¿de qué defectos hablamos? No hay que confundirse: para la sociedad espartana era considerado un *defecto* el que un niño no presentara condiciones de poder combatir en la guerra en el futuro, cuando creciera.

Por otro lado, el ciego, en la tradición griega, ocupaba una posición de oráculo, ya que era considerado un vidente de fenómenos que permanecían ocultos para los videntes. Esta condición le otorgaba un lugar especial, pero no de discapacitado.

En la concepción platónica de un mundo ideal y, en consecuencia, perfecto, el "distinto" era representado de una manera muy particular. Una buena manera de abordar este tema es desde la filosofía, articulando con otros docentes. ¿Cuál era esta concepción platónica? ¿Cómo se la puede relacionar con el tema de discapacidad?

En la antigüedad, los niños deformes, retrasados, los anormales, eran considerados "reemplazos" de los niños verdaderos. Con la llegada del Cristianismo aparece el concepto de *engendro*, un niño diabólico dejado por el diablo en sustitución de bebés humanos que éste robó.

En consecuencia, se realizaban prácticas rituales muchas veces violentas para eliminar a ese reemplazo, aunque no se obtuviera de esta manera, obviamente, un bebé normal. Los bebés deformes supuestamente "habían sido cambiados por bebés normales".

Estas definiciones permitían tener una cosmovisión, o sea, una visión del mundo, según la cual todo lo que no fuera natural debía ser eliminado.

Definir al "niño anormal" como un no-semejante, como un "diablo" permitió durante siglos abandonar a estas criaturas o dejarlos morir sin culpas.

Socialmente, ¿cuál es el lugar que se les asigna a los discapacitados? ¿dónde se los suele encontrar? La Iglesia es uno de esos lugares, pidiendo limosna y en la entrada. Los sociólogos suelen definirlo como el pago de un ticket que adquieren los "normales" para ir por el camino que lleva al cielo. Y este es el momento en que aparece el concepto de culpa.

Otros lugares donde suelen pedir limosna son los restaurantes y los bares a los que la gente asiste por placer. El que pide, de alguna manera sabe que alguien –por culpa o lástima– dará algo de sí en un lugar donde va a disfrutar, cosa que probablemente no haga quien entra a un hospital o a un sanatorio. Allí la gente, rica o pobre, probablemente sienta menos culpa y, en consecuencia no entregue ningún tipo de limosna.

Por sobre los 60º de latitud norte viven los inuits, peyorativamente llamados "esquimales" por el hombre blanco. En esta comunidad toda mujer que por vejez o desgaste se quedaba sin dientes, se alejaba del grupo a morir a la intemperie. Sí, aunque nos parezca mentira.

¿Qué era lo que ocurría? La mujer inuit elaboraba ropa y utensilios masticando el cuero que los hombres aportaban. Cuando ya no podía masticar más, se transformaba en una mujer improductiva. Perdía su instrumento de trabajo, en consecuencia, se convertía en una discapacitada para esa sociedad y pasaba a convertirse en una carga.

Veamos ahora las diferentes significaciones que puede establecer una sociedad frente al mismo fenómeno. Para nuestra sociedad la falta de dientes es considerada un problema de salud o un problema estético, pero que de ninguna manera implica una discapacidad, como sí lo era para los inuits.

Vayamos a otro caso: un hombre estéril o impotente tiene una discapacidad: no puede procrear, o no puede mantener relaciones sexuales. Sin embargo, no se lo considera un discapacitado, al igual que a quien no tiene dientes, al hipertenso, al fóbico, o al diabético. En cambio, si le faltara una pierna, fuera no vidente, o hubiera perdido la audición, sí se lo definiría así.

¿De qué depende esta significación?

Lo que define a una persona como discapacitada es el alejamiento del mundo productivo. Marcelo Siberkasten, psicoanalista, señala que es *discapacitado* aquel individuo que no puede insertarse plena y fácilmente dentro del sistema de producción de bienes y servicios de una comunidad determinada. La enfermedad, no define a una persona. Cuando decimos "no define" nos referimos a esto: al presentarnos a alguien, probablemente digamos: "Octavio Méndez, psicólogo", jamás diríamos: "Octavio Méndez, diabético". O sea: nos *define* (en parte) el lugar que ocupamos dentro del sistema social. Si, debido a una enfermedad, una persona no es "útil" al sistema productivo de una sociedad, será un discapacitado, si su enfermedad no le impide desarrollar plenamente un

"Ninguna otra raza debe tanto a su capacidad masticadora. El término esquimal significa 'comedor de carne cruda', pero en realidad los inuit no le hacen ascos a nada. Los bebés son alimentados con grasa de ballena y jugo de hígado de pescado, mientras que el menú de los adultos suele constar de médula rancia llena de gusanos, intestinos de foca, crustáceos extraídos del estómago de ese animal, larvas de mosca de caribú y golosinas, entre las que tiene especial éxito la mezcla bien masticada de ojos de caribú, estiércol de perdiz blanca, liga de garza y sesos de oso fermentados. En época de carestía, se comen a sus perros, trineos y canoas (generalmente construidos con piel congelada de foca), a los muertos y a los que aún no lo están del todo. Sin olvidar que las mujeres suelen llegar a la vejez con las encías completamente desgastadas de tanto mascar la piel para ablandarla y poder coserla así más fácilmente."

Hans Ruesch, *El país de las sombras largas*, Ediciones del viento, 2005.

Lo «diferente» es mirado muchas veces con extrañeza. ¿Sucedería lo mismo en nuestra sociedad con los inuits y sus costumbres? ¿Cómo imaginás que serían considerados? ¿Es posible que nosotros aceptemos sus costumbres? ¿Por qué?

trabajo no lo será. Es lo que sucede, por ejemplo, si tenemos pie plano, o fuéramos diabéticos.

Tomemos otros ejemplos para esclarecer el concepto. Pensemos en una reina: para la mujer de la realeza, la principal función no es de tipo productivo sino reproductivo, ya que su lugar será el del mantenimiento de un linaje.

Si no pudiera reproducir sería considerada una discapacitada. Es decir, poco importa si realizó o no algún postgrado, o no puede pensar bien, lo importante es que esté "capacitada" para procrear.

La reina es expulsada si no puede tener hijos, la inuit si no tiene dientes.

Es decir, la definición del término discapacidad está estrechamente relacionada con juicios y prejuicios heredados de nuestra cultura.

Diferentes miradas sobre la discapacidad

Podemos pensar la discapacidad desde dos lugares bien diferenciados y a la vez, complementarios:

a) Hay quienes tienen una representación rígida o parcial de la discapacidad, lo que puede conducir a un prejuicio que categoriza, clasifica a las personas a partir de una característica que marca la desventaja –trastorno motor, deficiencia auditiva, visual, mental- sin que se tomen en cuenta las otras facetas del sujeto.

Algunos términos –como incapacidad, minusválido e inválido– son utilizados comúnmente como sinónimos de discapacidad, y dan a entender que las personas con discapacidades son personas sin habilidad, de menor valor o sin valor. El empleo de este tipo de "etiquetas" da lugar a una disminución de las expectativas, es decir, de aquello que se espera de esa persona, que no sólo limita las oportunidades sino que además resulta altamente perjudicial.

b) Una segunda mirada propone, en cambio, pensar a la discapacidad como una falta de habilidad en algún área específica. El uso del término reconoce que todos los individuos, con o sin discapacidades, tienen mucho con qué contribuir a nuestra sociedad.

Es la **construcción social** de la discapacidad la que pone el énfasis en la persona en su totalidad, y se consideran sus características, sus posibilidades y sus limitaciones. El significado de la discapacidad se vincula con el respeto por el otro y su derecho a ser diferente, lo que no significa negar las dificultades, sino reconocerlas.

Como estamos convencidas de que uno es más libre de elegir una u otra opción desde el conocimiento y la información, comenzaremos por una clasificación de las discapacidades, necesaria para entender determinados funcionamientos en la denominada Educación Especial.

Clasificación de las discapacidades

Se distinguen cinco grupos de discapacidades: visceral, motriz, mental, visual y auditiva. Estas pueden ser congénitas o adquiridas, permanentes o transitorias.

- Discapacidad Visceral
Implica el daño y la limitación en la función de órganos internos. Ejemplo: fibrosis quística de páncreas, insuficiencia renal crónica terminal, etc.

- Discapacidad Motriz
Implica la limitación del normal desplazamiento físico. Las personas con este tipo de discapacidades pueden ser semiambulatorias o no ambulatorias. Las primeras se movilizan ayudadas por elementos complementarios: muletas, bastones, andadores, etc. Las no ambulatorias sólo pueden desplazarse con silla de ruedas.
Las causas pueden ser secuelas neurológicas, miopáticas, ortopédicas o reumatológicas. Las secuelas neurológicas se dividen en **cerebrales** (parálisis o hemiplejía) o **medulares.**
Dentro de las secuelas neurológicas cerebrales encontramos la **parálisis cerebral**. Se trata de una discapacidad física provocada por una lesión al cerebro, que puede tener lugar antes de nacer, durante el nacimiento, o en los primeros días posteriores a él.
A veces es el resultado de una enfermedad tal como la meningitis en la primera infancia, en otras oportunidades se relaciona con la incompatibilidad del factor Rh en sangre con el de la madre.
Si bien no está totalmente comprobado, en algunos casos se le atribuyen factores genéticos.
Estos problemas pueden manifestarse sólo en los brazos o en las piernas, en ambos miembros o en una combinación de ellos.

Tipos de parálisis

Clasificación	Área afectada
Monoplejía	Un miembro
Paraplejía	Sección inferior del tronco y ambas piernas
Triplejía	Tres extremidades o miembros, generalmente ambas piernas y un brazo.
Hemiplejía	Un lado del cuerpo.
Tetraplejía	Las cuatro extremidades y muchas veces el tronco.
Diplejía	Dos miembros.
Hemiplejía doble	Ambas mitades del cuerpo, con mayor compromiso de una de ellas.

Otra insuficiencia motora es la distrofia muscular, una enfermedad que debilita los músculos. Quienes la padecen experimentan dificultades crecientes para caminar o realizar algún tipo de actividad muscular. Gradualmente pierden la capacidad de permanecer de pie y deben recurrir al empleo de una silla de ruedas.

Con respecto a las secuelas de orden medular, hallamos una tercera insuficiencia motora: la lesión de médula espinal. Como su nombre lo indica, se considera que existen lesiones cuando la médula espinal se encuentra severamente dañada o seccionada, lo que suele dar por resultado una parálisis parcial o extendida (Kirk, Gallagher y Anastasiow). Las lesiones de médula espinal son, en su mayoría, el resultado de accidentes automovilísticos o de tránsito. Las características y necesidades de quienes presentan este tipo de lesión son similares a las de aquellos con parálisis cerebral.

Es muy probable que encontremos individuos que presentan discapacidad física causada por amputaciones o defectos de nacimiento que resultaron en la ausencia total o parcial de algunos de sus miembros.

Asimismo, algunos presentan mielomeningocele, un defecto de nacimiento en el que una abertura anormal en la columna vertebral da por resultado cierto grado de parálisis.

• Discapacidad Mental

La discapacidad mental se divide en cuatro grados:
• Leve: la persona se puede autoabastecer.
• Moderada: se autoabastece pero bajo la supervisión de profesionales.
• Severa: el autoabastecimiento depende de la asistencia.
• Profunda: esta persona requiere cuidados controlados por sus impedimentos físicos.

Las causas de esta discapacidad son tres: factores prenatales (anteriores al nacimiento), perinatales (durante el parto) y post natales (luego del nacimiento).

Comenzaremos por definir el retardo mental leve. Este es un tema de gran discusión en el ámbito educativo, ya que muchas veces diferenciar "fracaso escolar" de "retardo mental leve" es una tarea problemática. Frecuentemente ambos conceptos se superponen, se confunden o se consideran equivalentes.

Es necesario precisar las diferencias entre el grado leve y los otros grados de retardo mental.

Grados profundo, severo y moderado	Grado Leve
- Se describen desde épocas muy remotas y a lo largo de toda la historia del hombre.	- Adquiere su categoría con el advenimiento y complejización de la sociedad industrial. - Históricamente ligada a la obligatoriedad de la educación primaria.
- Son universales, es decir se registran en todas las culturas.	- No es universal, no aparece en tan alta proporción en sociedades simples o con un alto grado de homogeneidad cultural.
- Las personas pueden generalmente ser identificadas como tales durante toda su vida.	- La mayoría de las personas son identificadas como tales durante los años de su escolaridad.

- Comprometen el desarrollo en su conjunto: lenguaje, motricidad, actividad simbólica, es decir no pueden representar, jugar a....
- Según el grado puede afectar:
  1- la posibilidad de escolarizarse y
  2- el logro de autonomía en la vida adulta.
	- En la mayoría de los casos no se encuentra afectado el conjunto del comportamiento.
	- Esta subcategoría hace referencia particularmente a la adaptación escolar.

- En la mayoría de las personas aparecen cuestiones neurológicas que explican su comportamiento	- La mayoría de los casos no presentan compromiso orgánico.
- No se requiere ser especialista para detectarlos,	- Sólo se detectan mediante la aplicación de pruebas psicoescolares.

Existen muchas formas de retraso mental; una de las más comunes es la causada por síndrome de Down.

¿Qué es el síndrome de Down?

El síndrome de Down es un grave trastorno genético que ocasiona retraso mental, al igual que ciertas deformidades físicas. En este síndrome, la cara tiene algunos rasgos similares a los de los grupos mongoles, de ahí que se lo denominara incorrectamente en el pasado "mongolismo" o "mogolismo".

El retraso mental puede variar entre leve y moderado. Cerca de la tercera parte de quienes nacen con síndrome de Down tienen graves defectos cardíacos.

Trisomía del par 21, que define el Síndrome de Down

Consideraciones

El síndrome de Down es un trastorno genético en el que el niño tiene un cromosoma de más. Tiene tres unidades del cromosoma 21 (trisomía 21) en lugar de las dos normales.

Aún se desconoce por qué el bebé tiene este cromosoma extra, y cómo ello perturba y distorsiona el desarrollo de su estructura y funciones normales. Es uno de las gametas (óvulo o espermatozoide) el que porta en su contenido cromosómico este error, aunque es más frecuente la presencia de esta anomalía en el óvulo, principalmente en mujeres mayores de 40 años. De ahí que, a partir de esta edad se recomiende a las mujeres evitar el embarazo. Asimismo, si una mujer de esta edad o mayor queda embarazada, aunque no haya ningún otro problema, su embarazo es considerado de alto riesgo.

Signos y síntomas

Los principales síntomas son:

- Cabeza anormalmente grande, pequeña o deformada,
- Ojos, cara u otras partes del cuerpo de aspecto de "mongol" como definimos anteriormente,
- Manos cortas, anchas, posiblemente con sólo un pliegue en la palma; dedos cortos, posiblemente con una articulación.

¿Es posible el tratamiento?

El tratamiento depende del grado de retraso y de los problemas relacionados. Los defectos cardíacos, por ejemplo, requieren una corrección quirúrgica. Más allá de los problemas físicos, el niño requiere ser criado de forma especial. Muchos padres encuentran que es fácil proveer esto, ya que los niños con síndrome de Down y otros retrasos tienden a ser calmados y tratables cuando son jóvenes. Por lo general estos niños son plácidos, agradables y rara vez lloran o se quejan. El mayor triunfo para los padres de un niño con síndrome de Down en épocas recientes ha sido poder darles una «educación especial» correspondiente a su grado de inteligencia.

Cuidados

Es importante saber que, a medida que crezca, un niño con síndrome de Down u otra forma de retraso mental, continuará necesitando cuidados y ayuda, más allá de los que necesita un niño normal. El proveerles de un entorno rico y estimulante puede obrar maravillas

Por definición, un niño con retraso mental no crecerá ni adquirirá el grado de inteligencia de un niño normal. Aun así, muchos pueden aprender a hablar, a vestirse solos, a cuidar sus funciones corporales y a interactuar con los miembros de la familia y con otros niños.

• Discapacidad Visual

Una definición para esta discapacidad es la de carencia, disminución o defectos de la visión. Por eso, hay que distinguirlos entre dos grupos: las personas con ceguera y las personas con disminución visual.

Las personas con ceguera han perdido absolutamente su capacidad de ver, mientras que las personas con disminución visual presentan una cierta pérdida que se refleja de diferentes modos: imposibilidad de distinguir colores, molestia ante la iluminación o percibir sólo una parte del ambiente. Esta discapacidad puede ser parcial o total, congénita o adquirida.

Las causas que llevan a la ceguera o la disminución visual pueden ser afecciones de la retina, del cristalino, de la cornea, ambliofía, glaucoma o accidentes.

Algunos consejos para el trato con personas con discapacidad visual son:

• Presentarse y despedirse en voz alta para que sepan nuestra presencia o ausencia.

• Para ayudarlos a desplazarse (por ejemplo, para cruzar calle) primero se le debe preguntar qué quiere hacer y luego hay que ofrecerles el brazo y no tomar el de la persona.

• Para direccionarlos, decir «a la derecha o a la izquierda», nunca «allá», «ahí», etc.

• Es importante que las puertas estén abiertas o cerradas, nunca entreabiertas para evitar golpes.

• Discapacidad Auditiva

En este tipo de discapacidad están incluidas las personas sordas y las hipoacúsicas. En las primeras el resto auditivo no es susceptible de ser recuperado. Con las hipoacúsicas, se puede trabajar en la rehabilitación del resto auditivo.

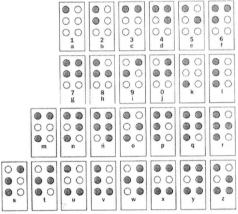

Alfabeto del Sistema Braille.

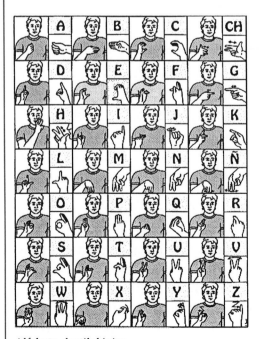

Alfabeto dactilológico.

Algunos consejos para el trato con personas con discapacidad auditiva son:
• Llamar su atención tocándoles el hombro.
• Hablar de frente a la persona, y hacerlo despacio, modulando las palabras para facilitar la lectura labial.
• No tener nada en la boca al hablar.
• Usar gestos que ayuden la comprensión.

Actividad:
Elaborar un cuestionario a partir de esta información. Visitar la escuela especial más cercana o la que más te interese e indagar y obtener respuesta a tus preguntas. Para ello pueden dividirse en pequeños grupos, un grupo entrevista a la directora, otro a los docentes, y algunos pueden realizar observaciones de clases.
Luego en la clase intercambiar información y redactar un informe que servirá para tu portfolio.

Hacia una mirada más humanizante

Vayamos ahora a la segunda mirada posible: ¿cuál es el modelo propuesto en los últimos tiempos? Aquel denominado con el término de "normalización", entendida ésta como la utilización de "medios tan normativos como sea posible de acuerdo con cada cultura, para conseguir o mantener conductas o características personales lo más cercanas a las normas culturales del medio donde vive la persona" (Wolfensberger).

Con esto no estamos diciendo que se debe convertir en "normal" a la persona "discapacitada", sino aceptarla tal como es, reconociendo sus capacidades, sus derechos iguales a los de los demás y ofreciéndole la ayuda necesaria para que pueda desarrollar al máximo sus posibilidades y vivir una vida lo más normal posible.

Este concepto de normalización se basa en tres principios fundamentales:

1- Toda persona tiene los mismos derechos humanos y legales y una responsabilidad creciente a medida que se vaya desarrollando.

2- Toda persona, independientemente de sus peculiaridades, es capaz de aprender y de enriquecerse en interacción con otros, y resulta primordial que se le garanticen iguales oportunidades.

3- La valoración de las diferencias humanas no significa eliminarlas, sino aceptar su existencia como distinto modo de ser, dentro de un contexto social que ofrezca las mejores condiciones en el desarrollo máximo de cada uno de sus miembros.

Frente a la discapacidad, lo fundamental es cambiar la actitud de la sociedad frente al individuo. El contexto social debería ofrecer a cada uno de sus miembros las mejores condiciones para el desarrollo máximo de sus capacidades. Aceptar la diversidad es una tarea en la que todos estamos involucrados.

El término *diversidad* remite descriptivamente a las múltiples realidades y, considerada como valor, implica orientar la educación hacia los principios de igualdad, justicia y libertad, todo ello para establecer un compromiso permanente con las culturas y los grupos minoritarios.

Propuesta para trabajar con esta mirada:

- Ustedes ya han conocido o están por visitar alguna institución de educación especial, el objetivo es poder pensar alguna actividad que pueda ser compartida por todos, lograr la integración a partir de un encuentro en el que todos tengan posibilidades de participar. Te ayudará la observación que hagas en la escuela especial, la conducta de los alumnos. Y no olviden el ejercicio que hicieron cuando pensaron en los Inuits, ténganlo en cuenta.

- A partir de esto, planificar un encuentro con las ideas surgidas en el grupo, consensuadas y evaluadas con el docente. Pedir fecha para el encuentro, tener en cuenta todos los detalles.

- Antes de realizar el encuentro escriban sus expectativas, sentimientos, miedos, etc.

- Una vez finalizado, escriban sus apreciaciones, sentimientos, y aprendizajes. Cotejarlo con la primera escritura. Verán que seguramente algo cambió en su mirada y en sus vidas.

Es frecuente describir a la persona con discapacidad como un "ser diferente", pero no es la diferencia la que crea la desviación, sino el valor negativo que se le agrega a aquella.

En consecuencia, es fundamental trabajar sobre los valores y las concepciones de una comunidad con criterios más justos y dignificantes, trabajar sobre la diversidad a partir de la aceptación y socialización de las diferencias.

Durante estos últimos años, la educación especial estuvo dedicada al objetivo de integrar, mediante distintas estrategias, a los alumnos con necesidades educativas especiales (NEE).

La expresión *Necesidades educativas especiales* se refiere a todos los niños y jóvenes cuyas necesidades se derivan de su capacidad o sus dificultades de aprendizaje. Muchos niños experimentan dificultades de aprendizaje y tienen, por lo tanto, necesidades educativas distintas en algún momento de su escolarización. Las escuelas tienen que encontrar la manera de educar con éxito a todos los niños, incluidos aquellos con discapacidades graves.

Educación especial ¿Integración o desintegración?

La terminología en Educación, publicada por la UNESCO en 1983, entiende la **educación especial** como una forma de educación destinada a aquellos que no alcanzan o para quienes es imposible alcanzar, a través de las acciones educativas normales, los niveles educativos sociales y otros apropiados para su edad, y que tiene por objetivo promover su progreso hacia esos niveles.

La educación especial había sido una educación distinta, separada, paralela a la "normal". En la actualidad, muchos profesionales han comprendido que la educación especial es, en primer lugar *educación*, y en segundo, *especial*.

Los fines de la educación son los mismos para todos:

- Aumentar el conocimiento y la comprensión imaginativa del alumno sobre el mundo que vive, tanto en lo que se refiere a las posibilidades que le ofrece como a las responsabilidades que a él mismo le corresponden.

- Proporcionarle toda la independencia y autosuficiencia de que sea capaz, enseñándole lo necesario para que encuentre un trabajo y esté en disposición de controlar y dirigir su propia vida.

Crean estrategias para cada necesidad
La Nación. Buenos Aires, 23 de septiembre de 2006.
Por María Teresa Morresi (Texto abreviado).

Lectura

A los 43 años, en un hábitat agreste al que no llega la luz eléctrica y por el que casi no pasa un medio de transporte, el maestro Hugo López dirige la Escuela General Las Heras, del paraje Los Socavones, en el departamento cordobés de Tulumba. Allí hay solo 30 casas, unos 100 habitantes y muchos adultos mayores –una generación partió en busca de mejores horizontes en la década del 90–, la escuela es el alma y el motor e un pueblo que no quiere ser fantasma. Todo gira alrededor de su eje.

Como docente único, López aplica la teoría de la Educación para el Desarrollo, lo cual permite que los estudiantes aprendan haciendo y resolviendo los problemas del lugar, y no a través de historias lejanas que hablan de departamentos de varios pisos y de un shopping. Por su trajinada labor, López recibió el premio Maestros de Vida otorgado por la Ctera.

"Le doy importancia al ejercicio de la ciudadanía enseñándoles a los chicos que implica ser ciudadano de la patria y así poder defenderse. Al tener claros sus derechos evitan ser ciudadanos de segunda. Reflexionamos sobre los contenidos en mesas de gestión para que ellos construyan los aprendizajes. Es mejor aprender con una educación que les sirva y los una al entorno", –explicó. Y que en este "hacer en conjunto" tiene en cuenta los saberes populares y las características del medio ambiente. Los chicos participan de los talleres de telar y de hilado, y de las actividades en las huertas que realizan los mayores. Los preparan para realizar actividades productivas, así pueden quedarse en el lugar.

Desde la escuela también parte un grupo de mujeres promotoras de salud, que realizan visitas domiciliarias a los ancianos del pueblo que son muchos y están solos. "Cada anciano que se muere es un pedacito de cultura que se va", comenta el maestro.

En este fragmento de Tulumba, la biblioteca de 800 libros viaja por los distintos parajes donde la televisión no existe y la gente lee bastante. El docente va de un lugar a otro en auto, en una moto o a caballo. Y para intercambiar las obras, las bibliotecarias se juntan cada tanto.

López no esta solo en esta misión e adaptar la enseñanza a las necesidades de una población. Actúa en red con organizaciones no gubernamentales instituciones de la región del Gran Chaco.

Adaptarse

Para Maria Marta Penjerek, maestra y psicopedagoga, educar en contextos de carencias y a chicos con diversas discapacidades exige profundamente ubicarse en el lugar del otro y buscar el método justo para que cada alumno aprenda según sus posibilidades. Así, pudo colaborar para que Pablo Villalba, ciego, se incorporara a la Escuela N° 10 de José C. Paz.

Lo hizo a partir del proyecto de promoción de la lectura que estaban desarrollando en el barrio. Villalba recibió el apoyo que necesitaba para enseñar braille a sus compañeros, que comenzaron a comprender lo difícil que es entender cuando no se tienen las herramientas adecuadas, mientras él comenzó a sentir que sus conocimientos eran valorados por los demás.

El taller facilitó a los estudiantes la posibilidad de editar libros en braille y de llevarlos, por ejemplo, a los colegios de ciegos que visitaban para que, además de escuchar cuando se les leía un cuento, pudieran leer. El proceso de integración de Villalba, egresado en 2004, permitió incorporar a cinco chicos ciegos al colegio y que Florencia, disminuida visual, con discapacidad motriz, aprendiera las lecciones sin problemas, convirtiéndose en "una cuenta historias".

"Para integrarlos –acota Penjerek –las clases se planifican con las maestras integradoras. Por otra parte, tratamos de no cambiar la ubicación de los objetos porque los ciegos tienen memoria espacial. También dictamos despacio, tomamos lecciones orales, pasamos películas en castellano y grabamos las lecciones cuando los libros no están adaptados. A las integradoras les anticipamos las prueba para que las preparen en braille."

Discapacidad y adolescencia ¿Cómo transcurre este pasaje?

¿Sienten las mismas cosas?

Es importante reconocer que el discapacitado es alguien a quien hay que conocer antes de determinar qué cosas puede y cuáles no puede hacer. Por lo tanto, no se trata de prepararse para tolerar las frustraciones, para manejar el repudio o para sobreponerse al desprecio; sino de afirmarse como personas con todos sus derechos de asumir su sexualidad plenamente.

Los adolescentes discapacitados sensoriales o físicomotores tienen, como toda persona, el derecho a vivir su propia experiencia y a aprender de ella, como todos, aunque sea de sus equivocaciones.

Los padres suelen preguntarse cómo hablar de sexualidad con sus hijos adolescentes o en camino de serlo. Sabemos ya que el término sexualidad es amplio y no abarca solamente a los genitales como vulgarmente se cree. ¿Cuánto de tabú y mito contiene esta palabra?

Sexualidad es un impulso vital, esencial para el ajuste de la personalidad y un importante medio de comunicación interpersonal, nace y muere con la persona.

De tal modo que, según vivimos y aprendemos y seguimos aprendiendo, podremos trasmitir este impulso a los otros.

La función erótica integra la naturaleza humana y la singulariza, ya que es propia de nuestra especie, no aparece en el animal en la misma proporción, y expresa la libertad que posee el humano para disponer de su sexualidad y colocarla al servicio de la comunicación, del placer y del amor. También está perfeccionada por el «saber», ya que posee conocimientos en materia de fisiología sexual (diferencias de respuestas entre el hombre y la mujer, en niños, jóvenes, adultos y ancianos, en el embarazo y en discapacitados) que facilitan el logro de un placer compartido con un otro.

Coincidimos en recordar que es en la familia donde se aprenden los valores básicos y fundamentales de la vida, entre ellos, el amor y la sexualidad.

Y, hablando de comunicación, muchas y muchos adolescentes se conectan enseguida con la comunicación o la falta de ella con sus padres. ¿Se puede hablar de estos temas en casa, o es mejor charlarlo con los pares? Las madres: ¿se ponen pesadas en su afán de proteger?, ¿cómo intervienen los papás?, ¿se borran, comentan?

Por Maitena.

191

Educar en la sexualidad no es otra cosa que contribuir al desarrollo de la persona en su totalidad. Es erróneo pensar que hay una sexualidad distinta para el discapacitado. Lo que debe comprenderse es que hay una única sexualidad humana.

El sexo es una función natural, y cada vez que nos entregamos a una función natural experimentamos placer. Pero una característica del placer humano es que se *corticaliza*, es decir, que lo percibimos y lo integramos a nivel de la zona más estructurada del cerebro: la corteza. De allí que tengamos memoria del placer recibido.

Los roles sexuales se empiezan a formar desde que el niño nace. Los padres influyen en la aceptación o no del sexo del hijo. El trato es diferente para el niño o la niña, por la manera de vestirlos, de tratarlos, de acariciarlos, de amamantarles, de hablarles. Más tarde, juega la imitación diferida y el juego simbólico y los niños reproducen sucesos que ven en la casa. La presencia de los hermanos mayores y menores es de vital importancia. Adoptan las conductas deseables que observan en la familia. Más tarde, las toman del entorno social: compañeros, amigos, y también de los héroes de la televisión y la computadora, que se incorporan a la familia.

Las personas que desde la infancia tuvieron una discapacidad se comportan de una forma diferente que aquellas que tuvieron la oportunidad de ejercitar las distintas destrezas sociales básicas. Además de tener que resolver las dificultades propias del déficit que padecen, son segregadas con frecuencia y, por lo tanto, les falta desarrollar estas habilidades. Por otro lado, el cuerpo es la primera imagen que uno da a los demás y esta se modifica a partir de los vínculos que cada uno establece. Si bien como todos, ellos deben aprender, por ensayo y error, las actitudes de acercamiento, seducción, conquista, amistad, cordialidad, competencia, solidaridad, etc.; cargan además con una imagen distorsionada de su figura y, muchas veces, con la necesidad de incorporar elementos como prótesis, bastones, sillas de ruedas, etc.

La enfermedad no sólo se desencadena en el cuerpo, sino que abarca la personalidad toda, y moviliza sentimientos desagradables como angustia, agresión, miedo, celos, envidia y rencor, que muchas veces no encuentran canales de expresión. Estas personas necesitan hacer un profundo ajuste psicológico que les permita aceptar su situación.

Masturbación y discapacidad

Muchas veces la educación que se le ha dado al niño discapacitado mental no ha sabido crear en él un equilibrio y una estabilidad emocional y social suficientes. Especialmente, la masturbación puede originar constantemente conflictos entre el discapacitado mental y su familia, sobre todo cuando la realiza frente a otras personas y con relativa frecuencia. Los padres necesitan guía y apoyo individual y diferenciado para poder enfrentar problemas de este tipo y otros a los que no están acostumbrados.

La manifestación de la sexualidad de la persona con discapacidad no se diferencia demasiado de las personas normales, lo que difieren son las edades en las que aparece o la permanencia de alguna de las etapas. Pero pensar que la sexualidad de la persona con discapacidad es aberrante o inmoral, es un grave error.

El adolescente con retraso intelectual no sólo tiene sexualidad, sino genitalidad ¿recuerdan la diferencia? La genitalidad no incluye sólo relaciones sexuales sino también la autoestimulación.

Hasta no hace mucho tiempo, el deficiente no era considerado como un sujeto que podía desear, sino simplemente una "cosa" a la que había que vigilar. La normalización supone atreverse a verlo y a considerarlo como un sujeto capaz de reconocer su propio deseo.

¿Los discapacitados tienen relaciones sexuales?

Por un lado, la sociedad ve con malos ojos esta posibilidad: aparece una creencia asociada con cierta "moral" que supone que estos jóvenes no tienen deseo sexual, con el agregado que significa la probable descendencia. Además, suele sostenerse que el discapacitado necesita protección de por vida.

Cualquiera de estas preocupaciones por parte de los familiares es aceptable. Pero no podemos negar la posibilidad de la sexualidad o de las relaciones en casos viables, pues la sexualidad forma parte de la vida misma. Y todos tenemos derecho a ella, siempre y cuando no ponga en riesgo nuestra vida.

Y muchas veces, en estos casos, la significación de tener hijos o de querer casarse no tiene la que nosotros podemos llegar a darle, sólo es el deseo de estar con alguien sin que ello implique mantener relaciones sexuales. Se trata, en numerosas ocasiones, de la simple necesidad de recibir muestras de afecto.

Recomendación y debate

Mi nombre es Sam Directora: Jessie Nelson, 2001.

Se trata de un film que plantea pero también resuelve el conflicto con respecto a lo que la paternidad significa, es decir ¿puede o no puede ser padre alguien discapacitado? Y lo resuelve de manera realista: no puede ser responsable de la paternidad pero puede recibir ayuda de parte de padres que funcionen como referentes; y él, estar presente en la crianza.

¿Qué sucede con las chicas?

Muchas chicas con síndrome de Down experimentan gran angustia y agresividad durante los primeros meses de la menstruación, por eso es aconsejable que sus padres y docentes hablen con estas jóvenes, para poder disminuir en ellas el miedo.

Con respecto a la masturbación, es conveniente no dramatizar ni castigar a la adolescente con prohibiciones y castigos cuyo motivo no puede comprender y que contribuyen a aumentar su inseguridad. Los padres deben saber que es necesario hacerle comprender que se la quiere ayudar al proponerle no comportarse de un modo socialmente repudiado.

La pubertad de un deficiente mental es una fase crítica. Las necesidades biológicas que aparecen, que tienen que ver con su edad cronológica y no con la mental, emergen, y ellos no tienen una clara representación con las experiencias de su propio cuerpo.

¿Qué diferencia existe entre edad mental y cronológica?

La edad cronológica es la edad real de la persona. La edad mental es el resultado de su cociente intelectual, es el que nos dice qué puede y que no puede hacer ese niño o adolescente, y si está más o menos retrasado. Este concepto surge en 1970 a partir de los test llamados psicométricos, que miden la inteligencia.

El púber no tiene orientación, pues el mundo del sexo está rodeado de silencios o directamente prohibido. No obstante, él experimenta cosas placenteras, no entiende, no sabe qué tiene de malo lo que ocurre con su cuerpo, pero lo disfruta.

Estos jóvenes pueden lograr un determinado desarrollo de la personalidad y de cualidades suficientemente estables mediante un método educativo adecuado. Pueden llegar a constituir una familia y a querer tener hijos.

Podemos decir que no hay una única sexualidad. Que es importante reconocer que el discapacitado es alguien a quien hay que conocer antes de determinar qué cosas puede y no puede hacer.

El deficiente mental depende del adulto en gran parte de sus comportamientos; con más razón entendemos esta responsabilidad familiar en su educación sexual como parte de su formación para una vida de mayor autonomía.

La influencia de la escuela, la familia y la sociedad son decisivas para el desarrollo de estos niños y adolescentes. Por ello es necesaria una verdadera y continua formación que contribuya a que entiendan su sexualidad en un ámbito de consideración y afecto para con ellos mismos y para con la comunidad que integran.

Discriminación

Hablar de discapacidad nos obliga inevitablemente a hablar de discriminación y a plantearnos cuál es la mirada que aplicamos sobre aquellos a quienes consideramos "distintos".

Discriminar ¿es bueno o es malo?

Discriminar es separar, distinguir una cosa de otra. Decir "este sí, este no". Es establecer diferencias entre las personas y tratarlas distinto según sus características. Es suponer que hay seres humanos que valen más que otros. La discriminación es ejercida siempre por los que se creen superiores y consiste en impedir –a los supuestamente "inferiores"- que gocen de las libertades y derechos que a todos corresponden por igual.

A los gobiernos les corresponde la tarea de generar políticas que contemplen las necesidades de toda la gente por igual. Pero a nosotros nos corresponde exigir que esas políticas se cumplan y, en la vida diaria, aprender a ser tolerantes con quienes nos rodean: no confundir debilidad con inferioridad. No creernos ni más ni menos que nadie.

Es en este sentido que hablaremos de discriminación en sentido negativo.

Pero existe una acepción positiva que es aquella que permite discernir para reconocer la diversidad.

Actividad:

"Lanzan una campaña contra la discriminación" Se titula la nota publicada en el Diario Clarín (29/12/06) y se trata de una campaña lanzada por el Gobierno a través de la cual los jóvenes podrán denunciar cualquier acto de discriminación en boliches y lugares públicos, concurriendo a la justicia para reclamar indemnización. Fue presentada en la Casa Rosada por la titular del Instituto Nacional contra la Discriminación, la Xenofobia y el racismo (Inadi), María José Lubertino.

La campaña tendrá como consigna: "La discriminación mata. Que no te cierren la puerta en la cara". Funciona también una línea gratuita (0800-999-2345) que desde el 2 de enero del año 2007 atenderá las 24 hs.

En pequeños grupos recopilen noticias e información de periódicos en las que aparezcan temas relacionados con la discriminación.

Analicen cuál es el tipo de discriminación más representativa, elaboren un informe.

Realicen afiches, y distribúyanlos por toda la escuela.

Informaciones útiles:

El INADI es un ente descentralizado que funciona en el ámbito del Ministerio del Interior de la Nación. La ley que lo avala es la Nº 24.515 del año 1995. Su función básica es garantizar a determinados grupos los mismos derechos y garantías de los que goza el conjunto de la sociedad.

Se están impulsando cuatro programas:
- Programa Nacional contra la discriminación a Adultos mayores.
- Programa Nacional de prevención contra la discriminación a personas discapacitadas.
- Programa Nacional de prevención contra la discriminación a migrantes, refugiados y pueblos indígenas.
- Programa Nacional de Prevención contra la discriminación por género.

Otras etnias

¿Qué hace un docente con chicos aborígenes? Múltiples son las metodologías y cada una tiene una particularidad. Silvia Haro de Ranelli, directora de la Escuela N° 4266 Río Bermejo, del Paraje Carboncito, en la localidad salteña de Embarcación, donde asisten 162 alumnos wichis, después de conocer experiencias chaqueñas, decidió con su equipo armar los contenidos desde la lengua materna de los estudiantes. El objetivo era encontrar un sistema que los convocara al estudio. Ranelli dice que están con maestras auxiliares que hablan y escriben la lengua aborigen, y agrega que crearon materiales didácticos específicos y un libro de alfabetización wichi. Tanto los carteles de las aulas como los nombres de las plantas y los mensajes en los pizarrones están escritos en wichi y en castellano.

Actividad final integradora

Divídanse en grupos.

Cada grupo sacará un papel en el que figurarán: programa radial, canción, afiche, viñeta, dramatización, poesía, cuento.

Utilizando uno de esos medios, expresen algún aspecto de lo tratado en este capítulo.

Películas recomendadas:

Mi pie izquierdo, Director: Jim Sheridan, 1989;

De eso no se habla; Directora: María Luisa Bemberg, 1993;

El niño salvaje, Director: François Truffaut, 1970;

A primera vista, Director: Irwin Winkler, 1999;

El octavo día, Director: Jaco van Dormael, 1996;

Forrest Gump, Director: Robert Zemeckis, 1994.

Capítulo 8

El adolescente frente al mundo del trabajo

El mundo del hombre es el mundo del trabajo y a través de él, entre otras cosas, el hombre se hace persona, lo que expresa el fin principal de la educación, por lo tanto no podemos separar vida, educación y trabajo. Añadimos a ello el concepto de salud, ya que una persona saludable es aquella que puede construir su identidad como miembro activo de una sociedad.

Por lo tanto salud, educación y trabajo son tres términos que, a nuestro criterio, se encuentran íntimamente interrelacionados.

Vamos a tratar de diferenciar algunos conceptos que en la vida cotidiana suelen usarse como sinónimos:

Trabajo: El trabajo tiene un sentido social y de utilidad: consiste en la realización de actividades productivas o de servicio, generalmente retribuidas con dinero. Puede hablarse de trabajo voluntario o no retribuido, también de servidumbre, como en la época feudal; o retribuido en especies –alimentos, por ejemplo–.

El trabajo está sujeto a legislación en nuestra sociedad, respecto de las condiciones de contratación y despido, retribución, trabajo de menores o de mujeres, los trabajos en riesgo para la salud, los horarios, etc.

Ocupación: Es la actividad que "ocupa el tiempo" de una persona: puede tomar el modo de un empleo, de un oficio, de una profesión.

Oficio: ocupación habitual, por lo general relacionada con alguna habilidad mecánica (plomería, carpintería, mecánica, electricidad, etc.). Refleja una funcionalidad, una utilidad social.

Profesión: de "profesar, expresar públicamente, abiertamente, la adhesión a una fe. Requiere una preparación previa más o menos prolongada, y condiciones públicas de habilitación. Se habla de "profesiones" cuando la ciencia o el arte implican un ejercicio de las actividades intelectuales. Otorga un cierto "status" social.

Labor: Se relaciona con las actividades de subsistencia y reproducción propias de los ciclos naturales: crianza de animales domésticos, cultivos de la tierra.

Laborar para los griegos significaba estar atado a la necesidad y ejercer actividades esforzadas en las que el cuerpo se deterioraba rápidamente. Estas actividades eran ejercidas por los esclavos.

Empleo: trabajo realizado en relación de dependencia, por un salario.

Arte: carece de utilidad económica, produce obras únicas, que desafían la monetarización, por lo cual su precio se fija arbitrariamente.

Desarrollo histórico de las condiciones de trabajo

En la antigüedad, el trabajo pesado, laborioso, violento o agotador era realizado por los esclavos, quienes por realizarlo en condiciones de carencia de libertad y absoluta sumisión, no eran considerados seres humanos.

Los griegos glorificaban la actividad política y el pensamiento, y menospreciaban la actividad manual-laboral relacionada con la adquisición de bienes y riquezas.

Los romanos diferenciaban el *otium* o disfrute de la vida, los placeres y la intelectualidad, del *nec-otium*, de allí la palabra "negocio", consistente en ocuparse de lo laboral y comercial. El cristianismo recuera el trabajo como mal necesario y prescripción originaria: "el que no trabaja, que no coma" dice San Pablo.

Durante la época feudal, los campesinos estaban obligados a prestar una serie de servicios y labores en beneficio de los señores de la tierra, a cambio de su protección militar. El señor tenía amplios derechos sobre sus vidas y no eran libres para dejar las tierras.

Con el desarrollo de las ciudades se afianzan los artesanos y los que desempeñan oficios, quienes se organizan en gremios con pautas estrictas para la formación de sus integrantes. Poco a poco se establecen el comercio y el negocio del dinero (préstamos, bancos), y el trabajo va tomando una dimensión social.

Ya en la Edad Moderna, con la valoración sin precedentes de la racionalidad y el avance de la tecnología y de la ciencia, cambian enormemente las condiciones de trabajo.

Se suceden varias etapas del desarrollo tecnológico:

1era. etapa: invención de la máquina de vapor y descubrimiento del combustible económico (carbón). Surgen las fábricas y la explotación de carbón en minas, donde trabajan en condiciones inhumanas mujeres y niños, durante 12 o más horas diarias, en malas condiciones alimentarias y sanitarias.

Es el inicio del Industrialismo y los primeros indicios de la llamada "explotación laboral".

2da. etapa: empleo de la electricidad. Extensión del ferrocarril, invención del telégrafo y la telefonía.

Democratización de la educación primaria, comienzos de la educación secundaria. Acceso de las mujeres a la educación y a la docencia, también a oficios como enfermería o empleos como secretaria. Primeras relaciones entre educación y trabajo.

3ra. etapa: automatización, creación de las cadenas de montaje para la fabricación en serie. Empleados poco calificados o semicalificados manejan máquinas e instrumentos. Fabricación del automóvil, comienzos de la aviación. Telefonía nacional e internacional. Cine. Masificación del libro por ediciones baratas. Avanza la democratización educativa: acceso a la educación media y universitaria.

4ta. etapa: tecnología de alto nivel: televisión, videos, informática, comunicación satelital, correo electrónico, fax. Democratización de la educación superior. Sin embargo todo este progreso trajo aparejadas grandes crisis del empleo y del mundo laboral. Crecimiento del subempleo y del desempleo. Exigencias de mayor calificación que no aseguran pleno empleo. Tecnologías del conocimiento: valorización del trabajo intelectual, empleos calificados, flexibles, cambiantes en forma acelerada, constantes innovaciones, competencia exacerbada. Incorporación del trabajo en equipo, de lo creativo, funcionamiento más democrático.

En esta etapa la educación fue el blanco de todos los reproches y la acusada o responsable de revertir esta situación que es de índole social.

Distintos autores señalan esta época como la del "fin del trabajo", en la que tienen lugar mutaciones socioeconómicas de tal magnitud que conllevan la prácticamente masiva supresión del empleo (Forrester, Rifkin).

Actividad

Realizar en la comunidad en la que vivís un relevamiento de datos, a partir de una pequeña encuesta elaborada por ustedes que les permita visualizar cuál es el tipo de relación que existe entre sus habitantes y la actividad productiva. ¿Cuál es la actividad predominante?

Fábrica de autos Volkswagen.

Recomendación:

Para poder comprender mejor la primera etapa, les proponemos mirar el film *Tiempos modernos* de Charles Chaplin y leer el libro *M'hijo el dotor* de Florencio Sánchez.

Luego de ver la película realizar una lista con las características del trabajo y del trabajador de ese momento. Compárenlas con las que desarrollamos anteriormente.

A partir de la lectura del libro empezar a delinear la relación que existía en esa época entre educación y trabajo ¿Es la misma que existe actualmente?

199

Forrester afirma que grandes sectores poblacionales, más que ser marginados, son directamente excluidos del sistema, ya que la pérdida del empleo y de la posibilidad de volver a conseguir uno les hace perder su identidad social y su significatividad como seres humanos.

Rifkin indica que las nuevas tecnologías arrasan con millones de puestos de trabajo, forzando al desempleo y a la miseria a grandes sectores de la población.

Esto vuelve imprescindible ampliar el modelo democrático hacia todos los espacios de la vida sociocultural: eduación, salud, vivienda, ecología, distribución de la riqueza, calificación laboral, acceso a la educación superior, como imperativos del pasaje hacia la revolución científico-técnica.

Deberían regir los principios éticos de democratización, participación, justicia social, solidaridad, como requisitos para el desarrollo económico de un país.

¿Mundo educativo, mundo laboral? ¿Qué pasa con la escuela?

Hoy el mundo educativo pone el énfasis en la preparación, teniendo en cuenta recursos, estrategias diferentes según los sujetos, y los diferentes contextos; y el laboral se centra en algún producto o servicio, sin adecuarse a la manera particular de ser de cada sujeto. Esto hace que ambos mundos entren en crisis y con una necesidad de empezar a vincularlas en las propuestas curriculares.

Horacio Ferreira (Doctor en Educación) distingue dos caminos:

a) *Educar en el trabajo*: supone considerar como trabajo todas las actividades que se realizan en la escuela, en los que aprender es hacer: desde una monografía hasta la construcción de algún artefacto.

b) *Educar para el trabajo*: o formar para que los estudiantes puedan insertarse en el ámbito laboral, como trabajadores dependientes o independientes, con un dominio de aquellas habilidades que el mercado demanda, las **Competencias**. En la escuela deben implementarse estrategias de "prácticas en contexto".

La sugerida en el capítulo de aprendizaje-servicio solidario tiene que ver justamente con esta posibilidad de ampliar el horizonte, "de hacer". El estudiante se convierte en "sujeto con capacidad de análisis en el centro de las acciones pedagógicas en todos los ámbitos y etapas de su proceso de enseñanza-aprendizaje. Esta forma de aprender no debe limitarse a la puesta en acción del alumno, sino que debe complementarse con el desarrollo de competencias actuales y formas de aprendizaje innovadoras que compatibilicen con las nuevas exigencias y capaciten para responder a ellas" (Ferreyra- Rimondino en *Educación en y para el trabajo desde una perspectiva situada*).

Estos autores proponen varias estrategias para la implementación de prácticas en contexto, entre ellas:

- Ayudantía: Propuesta de acción para estudiantes avanzados con vocación hacia la vida académica. Auxilian al docente.

- Emprendimientos educativos: organizaciones integradas y dirigidas por alumnos, constituidas dentro o fuera del ámbito escolar, con el asesoramiento de docentes y/ o terceros, con fines y actividades socio-educativas, con la finalidad de desarrollar en sus miembros actitudes emprendedoras. Ejemplos: huertas, fabricación de algún producto: dulces, etc.

- Empresa simulada: Constitución de empresas en forma simulada, operan en un mercado también simulado.

- Pasantías: Es una estrategia didáctica por la cual los alumnos realizan prácticas concretas laborales en un ámbito real, relacionadas con su formación y especialización, por un tiempo determinado, bajo la supervisión de la institución a la que pertenecen. Pueden ser dentro o fuera del sistema educativo.

- Talleres pre-ocupacionales: **Oferta** curricular o extracurricular a contraturno que contempla las demandas de formación vinculadas con la comunidad de estudios de ciclos educativos posteriores y con futuras posibilidades de inserción laboral y sociocultural en la comunidad.

El trabajo institucional de los alumnos

A partir de la implementación de la Ley Federal de Educación N° 24.195 se producen una serie de modificaciones que apuntan a que los sujetos desarrollen estas competencias necesarias a través del Saber, Saber Ser, y Saber Hacer, convirtiéndose así en "transformadores críticos de la realidad" en todos sus aspectos. Esta participación se piensa desde cuatro ámbitos prioritarios:

Extraído de *Argentinos, retratos de fin de milenio.*
Clarín.

Actividad:

a) En caso de haber podido desarrollar un proyecto de aprendizaje-servicio, realizar un informe en el que grupalmente hayan discutido: ¿Dentro de qué ámbito de participación se encuentra emnarcado el proyecto? Fundamentar. Luego, en forma individual incluir en dicho informe aquellas competencias que has podido desarrollar a partir del presente proyecto, reflexionando sobre la incidencia de ellas en tu actitud frente al trabajo.

¿Posibilitó algún de tipo de elección en particular en cuanto a tu futuro? ¿Cambió alguna elección que hayas realizado?

b) En caso de no haber desarrollado el proyecto, piensen en las actividades que hicieron a lo largo del año ¿dentro de qué ámbitos las ubicarían?, ¿por qué? Realizá la misma reflexión individual.

Incluyan este informe en el portfolio. Por otra parte les servirá (en caso de haber desarrollado un proyecto de aprendizaje-servicio) como instrumento de autoevaluación.

- *El ejercicio de competencias prácticas de gestión de proyectos*: incluye todas aquellas situaciones en las cuales los alumnos puedan aprender y ejercitar la formulación de proyectos y su gestión, participando en equipos de trabajo, buscando respuesta a problemas puntuales de la institución o de la comunidad.

- *El ejercicio de competencias de enseñanza*: el "aprender a aprender" puede ser profundizado con el "aprender a enseñar". Se incluyen aquí la colaboración en tareas docentes de los estudiantes avanzados.

- *El ejercicio de competencias administrativas*: Se trata de tareas como por ejemplo tomar lista, ordenar algunas cuestiones administrativas que están al alcance de las posibilidades del alumno, ejemplo de ello pueden ser algún tipo de pasantías. Hay instituciones en la que los alumnos realizan pasantías en preceptoría.

- *La participación en tareas de mantenimiento y limpieza de los ámbitos de trabajo*: Son actividades que apuntan a lograr una cultura del cuidado en los alumnos y mayor apropiación de los espacios.

...Y hablando de elecciones: la Orientación Vocacional Ocupacional

Adolescencia y proyectos de vida saludables

La dificultad de muchos jóvenes para elegir está dada en que automáticamente una elección significa la renuncia de aquello que no fue elegido.

Y la mutación del adolescente significa una desestructuración y una reestructuración. Se trata fundamentalmente de un cambio a favor del crecimiento y de la maduración. Esto implica un conflicto en el acceso al mundo adulto.

En la orientación vocacional se apunta a promover una posición activa, participativa y creativa de los sujetos, lo cual dará lugar a que la elección que haga el adolescente sea una "elección madura", entendiendo por tal aquella que depende de la elaboración de los conflictos y no de su negación, es una elección personal, responsable e independiente.

Cuando hablamos de "proyectos de vida saludables" apuntamos justamente a un tipo de elección que no ponga al adolescente en riesgo, que apunte a su integridad, que sea autónoma, no guiada exclusivamente por las leyes del mercado. No existen las carreras u ocupaciones exitosas sino los profesionales y trabajadores que desempeñan su labor con éxito en la medida que satisface sus expectativas y necesidades.

"La elección significa un proyecto (de vida), y todo proyecto no es otra cosa que una estrategia en el tiempo" (Luciana Piacentini, psicóloga). Cuando el adolescente trata de definir su vocación no sólo busca respuesta al ¿quién soy? sino también a ¿quién seré? No es más ni menos que la construcción de una identidad vocacional.

Ahora bien, si la vocación se construye, esto implica que puede cambiar, modificarse o enriquecerse.

La escuela ofrece múltiples opciones para ayudar a cada uno armarse un **proyecto de vida propio**. La idea es que en el hacer vaya descubriendo sus posibilidades. Cuantos más proyectos y posibilidades lo involucren, más posibilidades tendrá de abrir distintos campos de interés y de acción. La escuela tiene que formar y desarrollar las capacidades que el joven va a poner en práctica en su vida cotidiana. Pero también tiene que ofrecerle actividades para que él pueda planificar o hacerse cargo de un proyecto en diversas áreas. Los saberes no son algo que se aprende para la escuela, sino conocimientos que permiten ponerse en funcionamiento en la sociedad.

Los menores y el mundo del trabajo

Para debatir en clase: ¿Conocen adolescentes que trabajan? ¿En qué condiciones lo hacen?, ¿cuáles son sus problemas?

Discútanlo primero en pequeños grupos para luego realizar una puesta en común.

Comparar con el artículo 32 de la Convención Internacional de los Derechos del Niño.

Las cifras son alarmantes: el trabajo infantil involucra a más de 400.000 chicos de entre 5 y 13 años.

Observa el siguiente gráfico y relaciona con el texto que a continuación transcribimos.

1) "Para elegir hay que estar informado". Por eso les proponemos que entre todos armen una exposición de carreras, destinada a sus compañeros que están por egresar.

Para ello tendrán que utilizar la guía del estudiante. Ordenar las carreras por grupos en cuanto al campo laboral o la clasificación que ustedes deseen. En base a ello, armen carteleras informativas. Pueden invitar profesionales que informen acerca de las salidas laborales.

2) Analizar los avisos clasificados de los diarios, viendo cuáles son los requisitos para ingresar al mundo laboral y cuáles son las carreras más solicitadas. Esto les permitirá tener una visión más amplia de la realidad y del mercado.

Anexen esta información a la exposición. Será de suma utilidad para sus compañeros.

Niños trabajando. De entre 5 y 13 años de edad. Cifras en miles

REGIÓN	GBA	NORESTE (NEA)	NOROESTE (NOA)	MENDOZA	SUBTOTAL	RESTO DEL PAÍS	TOTAL PROYECTADO
TOTAL	1.762,4	323,9	625,9	269,8	2.981.0	3.200	6.181,0
TRABAJAN	1,131,7	224,8	336,6	237,6	1930,9	2.080,0	4.010,9
% QUE TRABAJA	6,4	6,9	5,4	8,8	6,5	6,5	6,0

Fuente: *Clarín* s/datos Ministerio de Trabajo - OIT

Una manera de reproducir la pobreza
Clarín, 30 de julio de 2006.
Irene Novacovsky, Experta en políticas sociales y pobreza.

El envío de niños y adolescentes al mercado de trabajo en forma prematura es uno de los eslabones fundamentales de los circuitos de reproducción intergeneracional de la pobreza. El mal desempeño en la escuela es su estigma.

Los niños trabajadores ven amplificados los padecimientos que sus condiciones de partida desfavorables les imponen. Y se potencian por las consecuencias de la ocupación temprana y la imposibilidad de afrontar caminos de desarrollo alternativos que puedan subvertir el signo negativo de las oportunidades iniciales. Las dificultades para el aprendizaje que la misma situación de pobreza lleva aparejadas, son ampliamente acrecentadas por la dedicación prematura al trabajo.

El trabajo infantil afecta las posibilidades de éxito escolar de los niños así como sus posibilidades de crecimiento y desarrollo presente y futuro.

Si bien no todos los menores que trabajan abandonan la escuela, el trabajo infantil efectivamente afecta la trayectoria educativa. Los datos hablan: hay un mayor rezago escolar entre quienes trabajan.

El trabajo infantil compite con el cumplimiento de la escolaridad mínima obligatoria y obstaculiza la adquisición de los recursos educativos mínimos necesarios para que un hogar deje de ser pobre.

Claudius Ceccon, *A vida na escola e a escola da vida.*

Una encuesta realizada por el Ministerio de trabajo y la Organización Internacional del Trabajo (OIT) señala que "entre el 5 y el 9% de los menores de 5 a 13 años declararon haber trabajado en las regiones donde se realizó la medición: Gran Buenos Aires, Mendoza, el noroeste (Jujuy, Salta, Tucumán) y Noreste (Formosa, Chaco)."

Este tipo de situaciones, lejos de desarrollar en el niño la construcción de su propia ciudadanía y de colocarlo como "sujeto de derecho" lo expone a situaciones de riesgo y de alta vulnerabilidad. En general se trata de chicos que trabajan muchas horas, en la calle o en medios de transportes, sin la presencia de un adulto, bajo condiciones poco adecuadas para su edad y quitándoles el derecho fundamental del que debe gozar todo niño: la educación y el juego.

Formación para el trabajo y Políticas públicas

El desarrollo de estrategias que apunten a la formación integral del trabajador debe ser una política de Estado, no puede depender de la gestión política del gobierno de turno. Debe formar parte del proyecto de país. Debe pensarse en una política de formación de trabajadores asumida desde una perspectiva amplia, integral, inclusiva, flexible y de calidad, que implique replantear los fundamentos economicistas que la vinculan directamente con el acceso al empleo.

Por otra parte el problema de la formación no debe ser individual, sino que debe tenerse en cuenta para lograr una equidad las diferencias de origen, de capital cultural, de posibilidad de acceso a formaciones de diferente calidad que posicionan también diferencialmente a las personas en relación con el mercado de trabajo. Un ejemplo de una política pública desarrollada en nuestro país vinculada a la formación laboral fue el "Proyecto Joven".

Es un ejemplo relevante en virtud de haber sido presentado como una política pública en sí misma y considerado por el gobierno una herramienta clave en la resolución de la problemática de la desocupación y la exclusión social de los jóvenes pertenecientes a sectores de escasos recursos, sin empleo, subocupados o inactivos, con nivel de instrucción no superior a secundario incompleto y escasa o nula experiencia laboral.

Educación especial y Formación profesional

Si pensamos en jóvenes con necesidades educativas especiales. ¿Es posible que haya para ellos un lugar dentro de la oferta en el mercado laboral?

¿Conocen alguna persona con alguna discapacidad que esté integrada al mundo del trabajo? ¿Bajo qué condiciones?

"La formación profesional de las personas con discapacidad demanda sumo cuidado, los máximos esfuerzos, recursos materiales y humanos destinados a planificar una sociedad que congela la exclusión en quienes poseen capacidades diferentes y en quienes están sometidos a una situación de pobreza extrema." Graciela González y María Elena Haramboure, docentes.

Es importante diseñar proyectos educativos que contemplen la formación integral de los adolescentes y jóvenes promoviendo el desarrollo de todas las competencias: cognitivas, prácticas, éticas, estéticas, grupales y sociales.

Incorporar siempre que sea posible a los alumnos con necesidades especiales a las ofertas de educación laboral común, con sus correspondientes adaptaciones.

La legislación

Información útil:

Estas son las herramientas legales vigentes actualmente en el marco de la normativa de la formación laboral:

* Contrato de trabajo de aprendizaje: Esta modalidad persigue una finalidad formativa, fue creada mediante la ley 25.013 sancionada en 1998. Implica una jornada de trabajo no mayor a 40 horas semanales, incluyendo un tiempo para la formación teórica. Se realiza durante un tiempo de tres meses como mínimo y un año como máximo.

* Sistemas de pasantías educativas: fue creado a través de la ley 25.165 promulgada en 1999. Instituye una modalidad destinada a los estudiantes de educación superior. Esta actividad no implica un vínculo de carácter laboral, sino una actividad de tipo voluntaria y gratuita.

* Período de prueba: establecida mediante la ley 25.250 sancionada en el año 2000 y titulada "Estímulo de empleo". Es un contrato de prueba por tres meses en una primera instancia, extensible luego a seis meses. En el caso de pequeñas empresas será celebrado a prueba durante los primeros seis meses, pudiendo ampliarse a doce como máximo. Tanto el empleador como el empleado tienen la obligación del pago de aportes y contribuciones a la seguridad social." También otorga la posibilidad a cualquiera de las partes a extinguir la relación sin expresión de causa alguna." *Proponer y dialogar*, UNICEF).

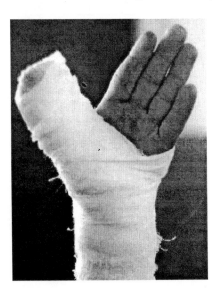

Los riesgos laborales

Las condiciones sociales y materiales en las que se desarrolla un trabajo son potenciales generadores de riesgos que se pueden traducir en accidentes de trabajo o enfermedades profesionales. Pueden también agravar enfermedades preexistentes: por ejemplo, una persona que sufre de várices en sus piernas y se desempeña en un trabajo que lo obliga a estar de pie muchas horas, necesariamente verá complicado su cuadro inicial.

A partir de la lectura que les ofrecemos a continuación, elaboren un cuadro clasificando y ejemplificando los diferentes factores de riesgo laboral.

Existe un riesgo intrínseco de materiales, máquinas y herramientas: pueden ser muy pesadas o de mucho volumen, las superficies pueden ser cortantes e irregulares, la complejidad de máquinas y herramientas puede hacer muy difícil su manejo. También influyen las características fisicoquímicas de máquinas y herramientas y las formas de energía que utilizan. Los pisos húmedos, resbalosos y/o en mal estado, locales mal iluminados, ausencia de normas de trabajo seguro; falta de elementos de protección personal y de maquinaria segura o en buen estado, son factores de riesgo que generan gran cantidad de accidentes. Las características de temperatura, humedad, ventilación, composición del aire ambiental, etc. son factores que influyen en accidentes y enfermedades.

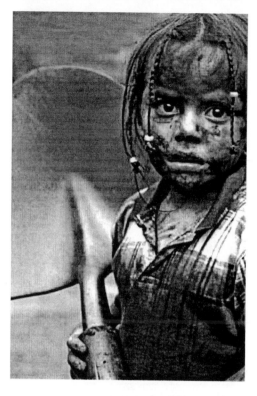

Al conjunto de factores nombrados hasta aquí les llamaremos **factores materiales de riesgo**, porque dependen de características materiales del trabajo, independientes de las personas que usen los elementos de trabajo. Pero son los seres humanos quienes aportan un conjunto de factores que llamamos **factores sociales del riesgo.** Dentro de ellos consideramos aspectos individuales de las personas: cuánto han aprendido y son capaces de aplicar adecuadamente para realizar su trabajo (calificación), edad, sexo, actitud hacia el trabajo y actitud frente al riesgo.

Otro aspecto que se determina en la relación con otras personas es el **riesgo dependiente de la organización del trabajo y de las relaciones laborales**. Factores de la organización del trabajo pueden ser determinantes del daño a la salud. Una jornada extensa (o un ritmo acelerado) puede resultar en fatiga del trabajador que se ve así expuesto a una mayor probabilidad de accidentarse.

Los excesivos niveles de supervisión y vigilancia pueden terminar por desconcentrar al trabajador de su tarea. Otro factor importante es la claridad de las órdenes de trabajo y la coherencia entre los distintos niveles de mando.

Tomado de Parra, Manuel; *Conceptos básicos en salud laboral*. OIT Central unitaria de trabajadores Santiago Chile 2003.

Actividad: Lectura / 2
Luego de leer el siguiente texto determinen a qué tipo de riesgo laboral se refiere y qué profesiones se desempeñan con turnos rotativos. ¿Cuál es la importancia de respetar el ritmo de sueño para la salud? ¿Cómo se distribuyen las horas de sueño de un adolescente como ustedes durante la semana y en el fin de semana? ¿Qué autocrítica pueden hacer acerca de esto?

El problema del ritmo de sueño en los trabajadores de turno rotativo

Hay muchas clases de trabajos de turno variable. Los turnos de dos días (de 6 a 14 y de 14 a 22) se ajustan al ritmo normal de sueño-vigilia y no perturban en exceso el ritmo corporal. Si es necesario, el hombre se acostumbra también a un trabajo nocturno, como el de vigilante. De lo que sí se resiente es de un turno variable que lo obligue a trabajar periódicamente por la noche [...] Éstas son las personas cuyo ritmo biológico sufre mayor desgaste. Deben despertarse y trabajar cuando su reloj temporal marca sueño y reposo, y se ven obligados a dormir cuando su cuerpo está preparado para la actividad. Esto incide negativamente en su rendimiento: cuesta mucho estar despabilado [...] Las secuelas físicas, desde alteraciones del sueño y la digestión hasta las úlceras de estómago no se hacen esperar. Aún no se ha comprobado definitivamente si los cambios frecuentes de horario inciden en la esperanza de vida.

Zimmer, Dieter. *Dormir y soñar*; Biblioteca científica Salvat, Salvat, Barcelona 1985.

Clasificación de factores de riesgo en un determinado ámbito laboral (Manuel Parra)

FACTORES DE RIESGO	COMENTARIO
Condiciones generales e infraestructura sanitaria del local de trabajo	Protección climática adecuada, disponibilidad de instalaciones sanitarias, de agua potable, de comedores.
Condiciones de seguridad características del local y del espacio	Condiciones que influyen en los accidentes, incluyendo las de máquinas, equipos y herramientas, seguridad general del de trabajo y riesgos de las fuentes de energía.
Riesgos del ambiente físico	Condiciones físicas del trabajo, que pueden ocasionar accidentes o enfermedades. Por ejemplo, ruido, vibraciones temperatura.
Riesgos de contaminación	Exposición directa a contaminantes químicos o biológicos, por ser parte del proceso de trabajo.
Carga de trabajo	Exigencias de las tareas sobre los individuos: esfuerzo físico, posturas de trabajo, manipulación de carga, exigencias de concentración.
Organización del trabajo	Organización de tareas y distribución en el tiempo, funciones y ritmo.

Actividades. Les proponemos:

1) Divídanse en grupos y elija cada grupo una actividad laboral diferente. Analicen cada uno de los factores de riesgo antes mencionados. Para eso les aconsejamos que consulten a personas que estén desempeñando el tipo de tareas que ustedes eligieron para analizar.

2) Investigación:
¿Qué son las ART y cuál es su función? ¿Qué atribuciones tiene un inspector de seguridad e higiene? ¿Qué requisitos debe cumplir una empresa, comercio o industria en cuanto a seguridad e higiene?

3) Las enfermedades profesionales: Se las clasifica como:
- Enfermedades provocadas por agentes químicos.
- Enfermedades de la piel causadas por sustancias corrosivas.
- Enfermedades profesionales provocadas por la inhalación de sustancias tóxicas.
- Enfermedades infecciosas y parasitarias.
- Enfermedades provocadas por agentes físicos.
Averiguá qué son el saturnismo y la neumoconiosis y qué trabajadores las pueden padecer ¿Cómo las clasificarías?

Extraído de *Argentinos, retratos de fin de milenio.* *Clarín.*

La importancia de la creación y aplicación de normas para disminuir los riesgos

Por definición una norma es:

> «Un documento establecido por consenso y aprobado por un organismo reconocido que establece, para usos comunes y repetidos, reglas, criterios o características para las actividades o sus resultados, que procura la obtención de un nivel óptimo de ordenamiento en un contexto determinado».

Los beneficios de la normalización son múltiples, y apuntan a crear criterios mínimos operativos para un producto, proceso o servicio. En nuestro país el Instituto IRAM (Instituto Argentino de Normalización y Certificación), se ocupa de emitir estándares o normas para reglamentar los procesos de fabricación de productos o un determinado servicio.

Investigación:
¿Qué legislación argentina contempla la seguridad de un trabajador? ¿La aplicación de normas internacionales como las antes mencionadas tiene el valor de una ley? ¿Son obligatorias?

El cargador de flores, de Diego Rivera.

Análisis de riesgos:

Uso de máquinas

El uso de maquinarias y herramientas puede causar daños al ser utilizadas. Esto se ve favorecido por el acostumbramiento a la manipulación rutinaria por parte de los operarios quienes muchas veces obvian ciertas medidas de precaución. Los peligros posibles se localizan de la siguiente manera:

- En sus partes móviles: donde se pueden producir atrapamientos, cortes, golpes.
- En los puntos de operación: por ejemplo, superficies cortantes, punzantes, que se muevan a gran velocidad, con altas temperaturas.

Sustancias químicas

De acuerdo con la peligrosidad principal que presenten se pueden distinguir grandes grupos de sustancias, inclusive hay símbolos internacionales que las identifican.

- **Inflamables:** su peligro principal es que arden muy fácilmente en contacto con el aire, con riesgo resultante para personas y objetos materiales.
- **Corrosivas:** producen destrucción de las partes del cuerpo que entran en contacto directo con la sustancia.
- **Irritantes:** en contacto directo con el organismo producen irritación.
- **Tóxicas:** producen daño una vez que han ingresado al organismo.

Una vez dentro del organismo, al que puede ingresar a través de la piel, o al ser inhalado o ingerido, la sustancia química entra a la sangre, y al tratarse de una

209

Afiche que intenta concientizar acerca de la seguridad en el trabajo.

Actividad
Observen las siguientes fotos de elementos de seguridad y determinen en qué trabajos o profesiones deben emplearse y con qué finalidad.

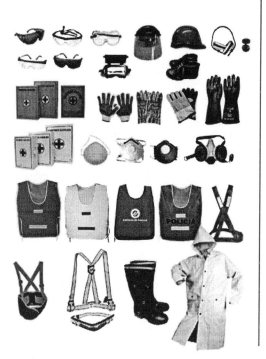

sustancia tóxica nociva e innecesaria es conducida a los riñones para su eliminación en forma de orina. También el sistema inmunológico se pone en funcionamiento para lograr neutralizarla Si la sustancia en cuestión es corrosiva producirá un daño a los órganos y tejidos con los que tenga contacto.

Demanda de esfuerzo físico y mental:

En el trabajo se da una combinación de posturas, movimientos y fuerzas que se traducen en esfuerzo físico. Para mantener una postura determinada, el organismo necesita realizar un esfuerzo sostenido, que es más intenso mientras más estática es la postura y mientras mayor fuerza debe sostener. Realizar movimientos también demanda un esfuerzo físico: son más exigentes los movimientos que se realizan a mayor velocidad, usando menos grupos musculares, en postura estática y venciendo una mayor fuerza que se le opone. La fuerza que se realiza en el trabajo también implica esfuerzo físico: el levantamiento de objetos pesados obliga a realizar fuerzas, pero también mantener una postura en contra de objetos que oponen resistencia y en contra de la fuerza de gravedad.

Más allá del esfuerzo físico implicado en una actividad laboral, hay otro, menos visible, que es el esfuerzo mental. Cuando éste es excesivo o inadecuado implica un mayor riesgo, porque además de aumentar la probabilidad de accidentes y enfermedades, genera bajas de productividad y mayor insatisfacción con el trabajo.

La prevención de riesgos laborales

La salud laboral se rige por los mismos preceptos que ya describimos sobre salud. Se pone énfasis en la prevención, por lo cual todo el esfuerzo en cuanto a la legislación y normalización están volcados a garantizar la seguridad de la persona que desempeña una actividad laboral.

> **Actividad**
> **Análisis de otros riesgos laborales**: piensen qué riesgos pueden provocar la exposición al frío o al calor extremos, a radiaciones, a grandes alturas, a descargas eléctricas, y en qué profesiones existen esos riesgos.

Por diferentes motivos muchas veces estas reglamentaciones no se aplican, pero es un derecho del trabajador reclamar todos los elementos necesarios para desempeñar su tarea en condiciones que protejan su salud.

Currículum Vitae

El currículum es una herramienta que nos permite darnos a conocer, constituye el primer paso de nuestro camino en la búsqueda laboral. Por intermedio de él, un probable futuro empleador empieza a saber quiénes y cómo somos.

Hay distintos modelos, te brindamos uno:

Datos personales:
Nombre y Apellido.
Dirección y teléfonos.
Dirección de correo electrónico.
Fecha de nacimiento. Estado civil, número de documento.
Experiencia laboral
Se comienza por el trabajo actual o el último, indicar el nombre de la empresa, fechas de ingreso y egreso, posición ocupada y principales funciones o logros.
En este campo es indispensable ser precisos y concretos, no abundar en detalles innecesarios.

Estudios:
Se debe comenzar por el último o más alto título alcanzado e indicar la institución de la que se egresó o se está estudiando.
En el caso de los jóvenes profesionales indicar el promedio general de la carrera.
Si no se poseen estudios universitarios indicar los secundarios, año de egreso y título obtenido.

Idiomas:
Indicar idiomas que se dominan y mencionar con precisión si el nivel es bilingüe, muy bueno, bueno, intermedio o básico en cuanto a lectura y lectura y habla. **No completar este ítem** si no se maneja otro idioma que el de origen.

Computación:
Enumerar qué utilitarios y sistemas se manejan.

Cursos:
Indicar los más recientes y los de mayor relevancia.

Información adicional:
Agregar, si la hubo, alguna experiencia docente o si se realizó alguna publicación.
También puede agregarse si se tiene un hobby, se practica algún deporte, o intereses generales.

Capítulo 9

La salud de todos

Lean la historieta de Quino y luego discutan entre ustedes: ¿Qué mensaje refleja?
Si hay tanta gente con intención de resolver problemáticas que afectan a tantas personas en el mundo ¿Por qué a la familia Rosales no les llegan estas soluciones? ¿Qué debería hacer la familia Rosales para lograr un cambio en su calidad de vida?
La respuesta a estos planteos exige un análisis de múltiples factores que confluyen para que esta expresión humorística termine siendo la cruda realidad de muchas "familias Rosales".

MIEMBROS DE LA FAO REUNIDOS EN ROMA PARA TRATAR DE RESOLVER EL PROBLEMA DEL HAMBRE EN EL MUNDO.

MIEMBROS DEL CONSEJO DE SEGURIDAD DE LA ONU REUNIDOS EN NUEVA YORK PARA TRATAR DE RESOLVER EL PROBLEMA DE LA ACTUAL INSEGURIDAD GLOBAL.

MIEMBROS DE LA OIT REUNIDOS EN GINEBRA PARA TRATAR DE RESOLVER EL PROBLEMA DE LA DESOCUPACIÓN MUNDIAL.

MIEMBROS DE UNICEF Y DE LA OMS REUNIDOS EN PARÍS PARA TRATAR DE RESOLVER PROBLEMAS COMO: LA NIÑEZ SIN EDUCACIÓN, EL DESAMPARO SANITARIO Y LA CRECIENTE ESCASEZ DE AGUA QUE AFECTA YA A VARIAS ZONAS DEL PLANETA.

MIEMBROS DE LA FAMILIA ROSALES REUNIDOS EN VILLA TACHITO PARA TRATAR DE RESOLVER SUS PROBLEMAS DE HAMBRE, INSEGURIDAD, DESOCUPACIÓN, IMPOSIBILIDAD DE MANDAR LOS NIÑOS A LA ESCUELA, NO CONTAR CON ASISTENCIA MÉDICA, NO TENER AGUA CORRIENTE EN LA CASA, NI......

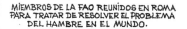

Por Quino, para *Esto no es todo.*

La salud como problemática global

En el área de salud, tanto la OMS (Organización Mundial de la Salud) como la OPS (Organización Panamericana de la Salud) son los organismos internacionales que se ocupan de detectar los problemas en todo el mundo. La OPS es la oficina regional para las Américas de la OMS. Los representantes de cada uno de los 193 países miembros se reúnen periódicamente, plantean problemáticas específicas de cada región y diseñan estrategias conjuntas de acción. Dictan directrices y normas en función de abordar cuestiones de salud pública para cada país que lo requiera, coordinan campañas o planes para todo el mundo, apoyan y promueven investigaciones sanitarias.

En septiembre de 2000, la OMS adoptó la Declaración del Milenio de las Naciones Unidas suscripta por 189 países. En ella se trazaron ocho objetivos de desarrollo a cumplir para el año 2015:
- reducir la pobreza y el hambre,
- mejorar el nivel de salud materna,
- reducir la mortalidad infantil, garantizando el acceso a los medicamentos.
- superar la inequidad entre sexos,
- concretar la educación obligatoria,
- trabajar para garantizar el acceso al agua potable para más personas,
- reducir la degradación ambiental,
- en cuanto a las enfermedades específicas como el SIDA, elaborar planes de acción para su erradicación definitiva.

Todos estos objetivos se centran en una visión del desarrollo humano relacionada primordialmente con la salud y la educación, y no exclusivamente con el bienestar económico.

No todos los países cuentan con recursos para llevar a cabo esta tarea. Los países desarrollados son los que poseen mayores ventajas, ya que su crecimiento y estabilidad económica les permite invertir en desarrollo científico y formación de personal para la acción sanitaria, e incorporar tecnología adecuada para diagnóstico y tratamiento. La OMS requiere el compromiso de éstos para que los países en vías de desarrollo y con condiciones muy desfavorables puedan acceder a la concreción de las premisas enumeradas.

La salud en el país

El diagnóstico de situaciones de riesgo y el diseño de estrategias para abordarlas exigen una visión amplia que debe tener en cuenta la realidad de cada región para buscar acuerdos en procura de diagnósticos certeros y soluciones eficaces en forma mancomunada.

De nada sirve que las grandes organizaciones internacionales intenten acuerdos si luego éstos no se traducen en lineamientos concretos que alcancen a todos los países. La paradoja que se observa en la historieta que vimos al principio del capítulo ilustra esta disociación entre el diagnóstico y la comprensión de las situaciones en todo el mundo; y la acción o, mejor dicho, la "inacción" local de quienes deberían brindar a la familia Rosales los medios para cambiar su realidad.

Pero… ¿quién protege la salud de los Rosales?

Si bien estos organismos internacionales ofrecen lineamientos para todos los países asociados, cada uno de ellos debe elaborar sus propias políticas sanitarias teniendo en cuenta su realidad particular.

En la Carta de Ottawa para la promoción de la salud publicada por OMS en 1986, se habla de **políticas públicas saludables.** En ella se resalta la necesidad de que los gobiernos reconozcan que la salud está condicionada por el entorno social, físico y económico. Las políticas públicas saludables trabajan también sobre los factores determinantes de la salud tales como la paz, la justicia, la inclusión social, la educación y el trabajo; y requieren del compromiso colectivo de cada comunidad ya que, desde esta perspectiva, la salud trasciende los saberes médicos para compenetrarse más con la situación social.

Salud pública es el conjunto de acciones de planificación, administración, gestión y control que realiza el gobierno para promover, proteger o recuperar la salud de los ciudadanos.

Las políticas sanitarias son las herramientas que dirigen la acción.

Argentina transita un período de inestabilidad económica, falta de trabajo, convivencia con situaciones de riesgo y altos niveles de violencia. En ese marco, son muchos los factores que conspiran para que mantener la salud no sea una empresa fácil.

A ningún país le conviene que sus habitantes padezcan enfermedades, ya que esta situación sólo contribuye a deteriorar la economía y a perjudicar la calidad de vida de la población afectada e, indirectamente, de todos los demás ciudadanos. Esto ocurre por una compleja asociación de factores que conforman el **círculo enfermedad - pobreza o ciclo económico de la enfermedad,** cuyo punto de partida está en los criterios equivocados con los que se manejan las políticas de salud.

El ciclo económico de la enfermedad

Cuando un gobierno plantea políticas públicas excluyentes, que no garantizan el acceso a la educación, a una vivienda digna y a tener las demás necesidades básicas cubiertas (alimentación adecuada, vestimenta, etc.) favorece la aparición de enfermedades orgánicas y también mentales. La fuerza de producción de un país radica en la mano de obra de su población, pero el trabajador debe estar sano para que su labor sea redituable para quien lo emplea. Este grupo de personas constituye la **clase activa** de un país, que sostiene económicamente a la **clase pasiva**, constituida por los adultos jubilados, y a los menores de edad, que no pueden trabajar. Si las personas en condiciones de trabajar enferman no podrán cumplir sus obligaciones laborales o lo harán en forma poco eficiente. Al bajar el ritmo de producción las empresas inmediatamente reducen los salarios y como consecuencia disminuye la capacidad de las familias para acceder a las mínimas condiciones

de bienestar. Y también se ve afectada la clase pasiva. Por otro lado, un estado que debe invertir grandes sumas en atención médica y hospitalaria para una parte importante de su población enferma, reduce su presupuesto en acciones de prevención y promoción, y en planes de desarrollo social por no considerarlos una urgencia. Esto genera necesariamente más enfermedad, y así se cierra el círculo, del cual sólo se podrá salir con un proyecto claro que apueste a la **atención primaria de la salud.**

Atención primaria de la salud y descentralización

A través del tiempo hubo en nuestro país un debilitamiento del Estado como protagonista del sostén de todo el sistema sanitario que, lejos de garantizar el acceso gratuito a la salud como un derecho constitucional, dio lugar al sector privado a ofrecer mejores prestaciones a través de las *empresas de medicina prepaga*.

Con las recientes crisis económicas, como la de 2001, muchas personas dejaron de pagar sus planes privados de salud y otras, al perder el empleo, perdieron también sus *obras sociales* (servicios de salud normalmente pertenecientes a algún sindicato de trabajadores, cuyo costo es accesible y se descuenta del sueldo). Por esta razón creció la cantidad de pacientes que se atienden en los centros públicos de salud, con la consiguiente crisis por la saturación del sistema de sanidad, que históricamente reflejaba grandes carencias en cuanto a actualización tecnológica, insumos y personal, cuidado de la infraestructura edilicia, etc.

Las políticas sanitarias argentinas siempre se centralizaron en el hospital como referente de atención médica, pero en 2004 el Ministerio de Salud y Ambiente elaboró el **Plan federal de salud,** en el cual las provincias y la Nación consensuaron la *descentralización* y la *regionalización* sanitaria. Se trata de formar o de fortalecer centros de salud zonales, y de llevar la atención de la salud a ámbitos alternativos como escuelas, sociedades de fomento, lugares de trabajo, barrios. Los hospitales móviles, la vacunación en la escuela, son ejemplos de este nuevo enfoque. Con esto se logra reservar el hospital para casos complejos que requieran internación, diagnósticos o tratamientos de alta complejidad e intervenciones quirúrgicas, y se disminuye la cantidad de personas que deben movilizarse quizás desde lugares distantes para concurrir.

La atención primaria de la salud es aquella que se brinda a través de unidades sanitarias, salas de primeros auxilios, consultorios externos y lugares alternativos, centrados en la **prevención primaria y promoción de la salud**. Se realiza con recursos simples y de baja inversión económica.

Debe contemplar, además, la diversidad cultural, étnica y de formas de vida de las personas, las enfermedades crónicas que padezcan, el SIDA, las situaciones de violencia y discapacidades, el nivel de envejecimiento de la población además de las condiciones de urbanización y los problemas ambientales locales.

Modalidad de trabajo en la atención primaria de la salud

Las actividades concretas que se plantean son: inmunización, cuidado materno infantil, provisión de medicamentos y de alimentos para la nutrición adecuada, detección y tratamiento de enfermedades y traumatismos, prevención de enfermedades, saneamiento general y vigilancia de la salubridad del agua de consumo.

La intervención en atención primaria de la salud debe ser:

Integral: debe tener en cuenta a la persona en conjunto con su realidad social.

Continua: las personas deben poder tener contacto permanente con la unidad sanitaria para acudir en cualquier momento y hacer posible el seguimiento de tratamientos para ciertas enfermedades como SIDA, tuberculosis o enfermedades crónicas

Universal: debe garantizarse la accesibilidad para todo aquel que lo requiera.

Interdisciplinaria: no solo se incluyen profesionales de la salud, sino también asistentes sociales, docentes, expertos en medio ambiente, etc.

Intersectorial: debe abarcar los niveles de gestión pública de salud, acción social. También se incluye la tarea de las ONG, instituciones educativas, religiosas, etc. Se deben diseñar estrategias de intervención comunitaria centradas en la familia. Para esto se propicia la creación de redes sociales (ver capítulo 2).

Articulada: debe haber coordinación y coherencia entre los programas sanitarios nacionales, provinciales y locales (municipios).

Quino, *Esto no es todo.*

En resumen, esta nueva visión promueve un replanteo de roles en el que se involucra a cada individuo a comprometerse con su propia salud y con la de los demás. Es una **gestión local participativa** que integra municipios y organizaciones locales. Digamos entonces que la familia Rosales debería ser atendida en primera instancia por los agentes sanitarios municipales, que deberán tratar, a su vez, de que los servicios de promoción de salud lleguen al lugar donde ellos viven sin esperar a que alguno se enferme y, en el caso en que lo necesiten, deban desplazarse hacia una unidad de atención médica para su curación.

Actividades grupales

Trabajo de campo: Realicen una encuesta en el barrio o entre las familias de la escuela. Investiguen si tienen algún tipo de cobertura médica: obra social, medicina prepaga, servicio de ambulancia a domicilio, o no tienen cobertura. En este último caso registren a qué centro asistencial público concurren para atenderse y que además califiquen la calidad de atención que reciben. Tabulen o grafiquen los datos y saquen conclusiones.

a) Investigación y debate: Averigüen qué es la **Ley de prescripción de medicamentos por su nombre genérico** y cuándo se promulgó. Entrevisten a médicos, farmacéuticos y consumidores para evaluar sus opiniones y busquen artículos que reflejen diversas posturas al respecto. Pueden organizar un juego de roles donde estén representados los laboratorios de especialidades medicinales, el Ministerio de Salud, médicos, farmacéuticos y consumidores. Cada uno debe poder defender con buenos argumentos su postura, frente a algún docente que actúe como moderador.

b) Educación para el consumidor: análisis de prospectos de medicamentos: Junten prospectos de diferentes medicamentos. Anoten, acerca de cada uno, la siguiente información: marca comercial, droga/s que contiene (a eso se llama genéricos), acción terapéutica. Luego comparen con los de otros compañeros e identifiquen los que tengan la misma droga genérica. Averigüen los precios de cada uno de ellos en una farmacia. ¿Cuál conviene comprar?

c) Rastreo en la web: Investiguen en la página Web del Ministerio de Salud y Ambiente de la Nación, del Ministerio de Salud de su provincia y de la Dirección de Salud de su municipio y registren cada uno de los planes y campañas a nacionales, provinciales y municipales. Elaborar una planilla como la que sigue:

PLAN / CAMPAÑA	NAC.	PROV	MUN	OBJETIVOS Y DESTINATARIOS

La importancia del diagnóstico en los problemas sanitarios

Para la detección de riesgos sanitarios es necesario realizar un relevamiento que identifique aquellos sectores de la población de mayor vulnerabilidad social. Para eso son útiles los datos estadísticos que suministra el INDEC (Instituto Nacional de Estadísticas y Censos dependiente del Ministerio de Economía). Estos datos deben permitir identificar correctamente los numerosos factores que constituyen una problemática sanitaria.

Los datos relevados por INDEC se obtienen a partir de encuestas o de los censos de población que se realizan cada diez años (el último fue en 2001).

Índices que reflejan la dinámica demográfica vinculada con situaciones de salud

a) Esperanza de vida: mide la longevidad de una población, y se calcula como el promedio de número de años que vivieron las personas nacidas en determinado año.

b) Tasa de natalidad: mide el número de nacimientos sobre el total de la población. Se expresa en tanto por mil por año.

c) Tasa de mortalidad: igual que el anterior pero con las defunciones. Se expresa del mismo modo. La diferencia entre la tasa de natalidad y la de mortalidad refleja el crecimiento natural de una población, y la comparación de los porcentajes de ancianos y de jóvenes o niños muestra si la población está envejeciendo como ocurre en países desarrollados, en los cuales la esperanza de vida es muy alta y en contraposición nacen pocos niños.

d) Tasa de fecundidad: es el número medio de hijos que tienen las mujeres. Se puede calcular sobre el total de mujeres o sobre las que atraviesan su edad fértil.

El siguiente mapa muestra la esperanza de vida al nacer de diferentes países, estimando el número de años que vivirá un niño que acaba de nacer. Fuente: www.eumed.net

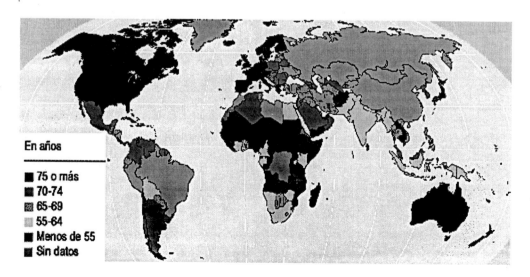

En años

- 75 o más
- 70-74
- 65-69
- 55-64
- Menos de 55
- Sin datos

Indicadores que incluyen variables no demográficas que permiten hacer predicciones y proyecciones relacionadas con la salud:

- relacionados con condiciones de vida: servicios con los que cuenta la vivienda, por ejemplo, disponibilidad de agua corriente. Este índice refleja la precariedad habitacional. Se registran datos del estado de pobreza como la cantidad de población con necesidades básicas insatisfechas (NBI) e indigencia.
- relacionados con el trabajo: nivel de empleo, ocupación y subocupación.
- relacionados con el acceso a la educación: porcentaje de analfabetismo y nivel educativo alcanzado.
- sobre el acceso a seguridad social: personas que poseen obra social y que hacen aportes previsionales. Porcentaje de habitantes con beneficios jubilatorios.
- relacionados con salud: incidencia de enfermedades epidemiológicas, atención hospitalaria, tipos de cobertura en salud.

Monitoreo de factores de riesgo

a) Enfermedades no transmisibles. Son aquellas que no se contagian a otras personas, por ejemplo la diabetes o la hipercolesterolemia. La información sobre salud es un eje valioso para hacer posible la vigilancia de los procesos de salud-enfermedad. La recolección e integración eficiente de datos permitirá intervenir en forma precisa y organizada.

El Ministerio de Salud de la Nación maneja datos más concretos relacionados con riesgos de contraer enfermedades.

Analizá la siguiente nota del diario *Clarín*.

La salud de los argentinos no es tan buena como cree la mayoría
Clarín.
Informe de Valeria Román.

En su mayoría, los argentinos creen que están sanos. Sin embargo, su estado de salud corre peligro. Según la encuesta nacional de factores de riesgo, los casos de personas con diabetes y con hipertensión son más de los que se estimaban. Además, la mitad de la población padece de sobrepeso y hace muy poca actividad física.

Actividad

Las estadísticas hablan:
Investigá en la página web del INDEC (www.indec.mecon.gov.ar) abriendo cada uno de los siguientes links: población, salud, trabajo, condiciones de vida, educación. Impriman las estadísticas más significativas que pueden caracterizar el estado general de la población de cada provincia. Elijan algunas provincias referentes: Buenos Aires, Córdoba, Chaco, Salta, Chubut, Tierra del Fuego. Realicen un informe comparativo sobre la situación de cada una interrelacionando datos de cada planilla.

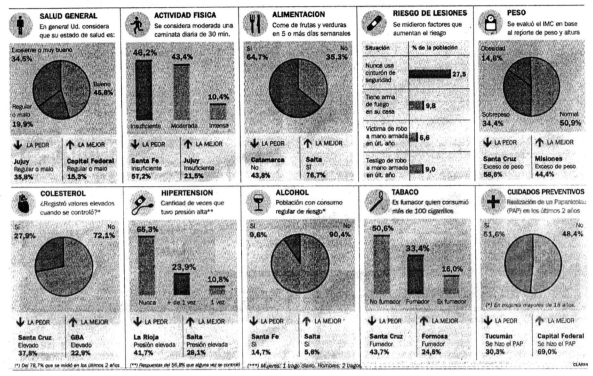

Clarín, 8 de octubre de 2006, tomado de Ministerio de Salud, encuesta nacional de factores de riesgo.

¿Qué tipos de enfermedades se espera que aumenten a futuro? Ejemplificá y justificá ¿Cuáles de ellas inhabilitan a la persona para trabajar? ¿Cuáles son mortales? ¿Alguna de ellas es contagiosa?

b) Las enfermedades transmisibles y la epidemiología: Las enfermedades transmisibles constituyen casos de especial relevancia ya que una enfermedad puede diseminarse y afectar rápidamente a una gran parte de la población.

Dado el peligro potencial que representan, se desarrolló una ciencia, la **epidemiología,** que estudia la manifestación, distribución y control de enfermedades dentro de una población en un lugar y tiempo precisos. También se ocupa de determinar los factores que favorecen su propagación.

Enfermedades como la tuberculosis, que estaban erradicadas, o cuya aparición parecía bajo control, reaparecieron; y la cantidad de casos que se presentan aumentó, según un informe de la OMS de 1996.

Uno de esos factores es el daño a los ecosistemas, reservorios naturales de virus y bacterias que han tomado contacto con el hombre ante la falta de hábitats para su desarrollo. Una teoría dice que el SIDA hizo su aparición en África a partir de la construcción de la autopista que cruzaba la selva de Zaire. Miles de hectáreas deforestadas para la obra y la invasión del hombre en esos territorios vírgenes, sumada a la desprotección en las relaciones sexuales, y las condiciones inhumanas de trabajo, favorecieron la aparición de este virus, que encontró un hospedador alternativo en la especie humana.

Vocabulario

Hospedador: vegetal o animal en que se aloja un parásito (su huésped).

Agente patógeno: es todo agente que al ingresar a un ser vivo le puede causar enfermedad. También son llamados **agentes etiológicos** o **noxas**.

Hay otras enfermedades infecciosas sobre las que no se reconoce al agente causal, o sus modos de dispersión, o aún conociendo las características de la enfermedad todavía no se cuenta con medicación efectiva para su prevención o curación.

En cuanto a las enfermedades parasitarias, el problema radica en la resistencia desarrollada por los **hospedadores** humanos a la medicación y por los parásitos a los pesticidas.

Es difícil luchar contra las enfermedades infectocontagiosas. Las que tienen gran velocidad y área de propagación e incidencia (importante número de casos nuevos de una enfermedad en un determinado momento) y alta letalidad (elevado número de muertes entre los que enferman), son las que constituyen una prioridad para los epidemiólogos.

Formas de propagación de una enfermedad

Una enfermedad se puede propagar de dos maneras:

Contagio directo: de persona a persona. Puede ser a través del contacto sexual (secreciones vaginales y semen), por vía respiratoria o digestiva (las microgotas de saliva que contienen agentes infecciosos), por sangre (transfusiones), vía placentaria (de madre a hijo).

Contagio indirecto: Puede ser a través de un ser vivo o **vector** (por ejemplo, el paludismo es una enfermedad parasitaria trasmitida por un mosquito llamado *Anopheles* que transporta el *agente causal o patógeno* que es un parásito unicelular llamado *Plasmodium*).

También en lugar de transmitirse por vectores, el agente patógeno puede hacerlo por algún elemento no vivo o *vehículo de transmisión* (por ejemplo el *vehículo de transmisión* del *agente patógeno* del cólera, la bacteria *Vibrio cholerae*, es el agua que se ingiere). El 98% de los agentes patógenos que enferman al hombre se encuentran en el agua no potable, que en muchos países es la única disponible para el consumo.

El número de individuos afectados por una determinada enfermedad, y la amplitud de la zona que abarque el número de contagiados, permite clasificar la incidencia de enfermedades en:

Pandemia: enfermedad que tiene una amplísima distribución en varios países y presenta un elevado número de casos. Esta condición se prolonga en el tiempo. Ejemplo: el SIDA.

Epidemia: aumento del número esperado de casos de cierta enfermedad en una zona determinada. Ejemplo: gripe. Cuando es un episodio aislado con la aparición de muy pocos casos interrelacionados se habla de un <u>brote.</u>

En cuanto a la forma de manifestación de una epidemia se puede clasificar como:

Epidemia explosiva: aparición de muchos casos en corto tiempo. Esto significa que hay una única fuente común de contagio que afectó a todos los individuos al mismo tiempo.

Epidemia progresiva: es de lenta expansión en el tiempo, lo que evidencia una vía de contagio directa o indirecta.

Endemia: enfermedad que hace su aparición en forma recurrente en una zona geográfica determinada, donde se registra un número de casos más elevado que lo normal.

Actividad: Interpretación de gráficos.

Este gráfico muestra la epidemia progresiva de meningitis en Argentina en un lapso de 11 años. En 1994 hubo una campaña de vacunación, para la que se importaron gran cantidad de dosis de Cuba. Observando la curva respondé: ¿Por qué se habrá tomado esta decisión? ¿Fue positivo el resultado de esta campaña? Sobre este mismo gráfico traza una curva que simule una epidemia explosiva de esta enfermedad.

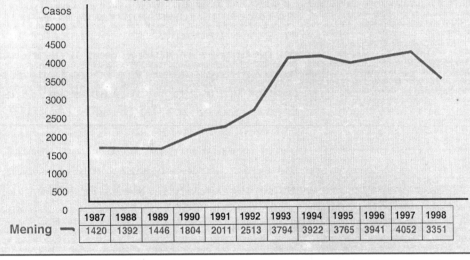

MENINGITIS - SEGÚN NOTIFICACIÓN ANUAL ARGENTINA 1988 - 1998

	1987	1988	1989	1990	1991	1992	1993	1994	1995	1996	1997	1998
Mening —	1420	1392	1446	1804	2011	2513	3794	3922	3765	3941	4052	3351

Fuente: SINAVE.

GRIPE AVIAR:

Más vale pájaro vacunado....

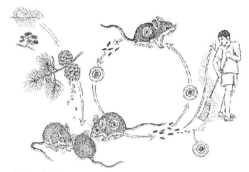

Ciclo del hanta virus.

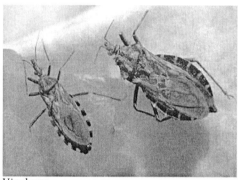

Vinchuca.

Desinsectación para combatir el Mal de Chagas.

Patologías regionales o endemias argentinas:

Algunas patologías que se registran en áreas muy puntuales del territorio argentino son:

Fiebre hemorrágica argentina o mal de los rastrojos: detectada en 1958, abarca zonas agrícolas de Buenos Aires, Santa Fe, Córdoba y La Pampa. El agente patógeno es el virus Junín, y el vector, un roedor silvestre. El hombre se contamina al entrar en contacto con lugares frecuentados por este animal que se alimenta de los rastrojos (restos de plantas de granos que quedan esparcidos luego de las cosechas). La mortalidad es del 20%, y produce un cuadro de fiebre y complicaciones renales, cardiológicas, hematológicas y del sistema nervioso. Evoluciona durante siete a quince días. En 1990 se implementó una vacuna que se aplica a los adultos de riesgo.

Síndrome pulmonar por Hanta Virus: El agente etiológico es este virus, y el vector también un roedor. El área de principal de incidencia es la zona del sudoeste del país. El último episodio epidémico fue en la localidad de El Bolsón, en Río Negro. La principal vía de contagio es la inhalación de heces de los ratones portadores, o su mordedura o el contacto de manos contaminadas con la mucosa de los ojos. Se manifiesta como una gripe y luego evoluciona a un cuadro respiratorio con tos difícil de revertir.

Otras enfermedades endémicas pero que abarcan gran parte del país son el mal de Chagas-Mazza, la toxoplasmosis, la brucelosis, dengue, cólera y la triquinosis. Averiguá datos sobre ellas. ¿Qué medidas epidemiológicas te parece que habría que tomar para evitar su dispersión?

Lávate las manos con agua y jabón después de hacer las deposiciones y de cambiar los pañales del bebé.

El agua que consumes debe estar hervida o clorada.

Lava bien las frutas y verduras antes de comerlas y trata de consumir siempre alimentos cocidos y frescos.

Algunas de las recomendaciones en la campaña de prevención contra la enfermedad del cólera.

Métodos de trabajo en epidemiología

Existen diferentes metodologías que aplican los responsables del control epidemiológico:

Métodos descriptivos: detallan las características de ocurrencia de un evento, como el lugar y tiempo de su aparición, tipo de población afectada, causas (o etiología) y factores de riesgo.

Métodos analíticos: se basan en establecer hipótesis sobre asociaciones causa-efecto o mediciones de factores de riesgo ante la ocurrencia de un evento. Se hace un estudio comparativo entre grupos sanos y enfermos.

El trabajo de campo: requiere movilizar equipos de epidemiólogos. Éstos intervienen en el lugar donde se declara un alerta epidemiológico con la finalidad de dar rápidas soluciones que impliquen el menor impacto posible sobre la población en riesgo.

Se suceden una serie de etapas de trabajo:

1ª Establecer la existencia de un brote o epidemia.

2ª Confirmar su existencia.

3ª Definir el caso: enfermedad y características, contar número de afectados.

4ª Descripción epidemiológica. Trazado de mapas y gráficos de distribución de áreas y tiempo.

5ª Descripción del tipo de población afectada.

6ª Establecer fuente y modo de transmisión.

7ª Determinar población de riesgo.

8ª Elaborar hipótesis sobre causas y modo de transmisión y medidas de control a implementar.

Una vez cumplimentado este proceso, se revisan y profundizan los pasos seguidos y se elabora un informe que se eleva a las autoridades. Éstas, finalmente, son las que organizarán los programas pertinentes de control y prevención.

Actividades de cierre

El mal de Chagas-Mazza: **Película "Casas de Fuego"**

El trabajo de campo llevado a cabo por el médico argentino Salvador Mazza permitió conocer en detalle la enfermedad que hoy aqueja a alrededor de 18 millones de personas en el mundo. Les proponemos que luego de ver esta película realicen las siguientes actividades:

Busquen una biografía de Salvador Mazza y a partir de ella y de los datos que ofrece la película, confeccionen una cronología de los hechos más relevantes de su vida.

Investiguen sobre la enfermedad de Chagas-Mazza: etiología, agente patógeno, vector, ciclo de la enfermedad, síntomas, consecuencias orgánicas, pronóstico, tratamiento, distribución en el país y en el mundo.

Expliquen el significado del título de la película y analicen las causas y consecuencias del hecho vinculado con las "casas de fuego".

Investiguen quién era presidente en la época en que se desarrolla esta historia y caractericen su obra de gobierno.

¿Quién fue Chagas, dónde trabajó y cuál fue su aporte? ¿Se puede afirmar que Salvador Mazza realizó un estudio epidemiológico sobre esta enfermedad? Justificá. Explicá la secuencia de trabajo, dónde la llevó a cabo y quiénes lo apoyaron en su labor.

Busquen una biografía completa del Dr. René Favaloro. Hagan un paralelismo entre su vida y la del Dr. Mazza. ¿Qué valores manejaron a lo largo de sus vidas? ¿Qué aspectos destacarían ustedes de sus trayectorias? Averigüen qué es la Fundación Favaloro, dónde está ubicada y a qué se dedica.

Actividades

Identificá en las publicidades gráficas que te mostramos qué problema intenta abordar cada una y cuál es el mensaje que se transmite.

Discutan sobre qué enfermedad habría que organizar una campaña de prevención.

- Imaginen que son funcionarios del Ministerio de Salud y planéenla ustedes.
- Luego, conviértanse en agencia publicitaria. Usen toda su creatividad: ¿Qué medios utilizarían? TV, gráfica, publicidad radial, todos...
- Imaginen cómo debería ser esa campaña si apunta a la población de bajos recursos, y cómo si apunta a la clase alta. ¿Debería cambiar la manera de transmitirse el mensaje según el grupo social al cual se destina?

Bibliografía consultada

Aberastury, A. Knobel, M.; *La adolescencia normal*, Buenos Aires, Paidós educador, 1990.

Amor, Isabel. *Convivencia y mediación educativa*, Buenos Aires, ISIP, 2006.

Ander-Egg, Ezequiel; La planificación educativa, *Buenos Aires, Editorial Magisterio del Río de la Plata, 1996.*

Asimov, Isaac. *Cronología de los descubrimientos*, Barcelona, Ariel Ciencia, 1992.Carranza, Fermín. *Revolucionarios de la ciencia*, Buenos Aires, Vergara 1998.

Battistini, O.; *El trabajo frente al espejo. Continuidades y rupturas en los procesos de construcción identitaria de los trabajadores*, Buenos Aires, Prometeo, 2004.

Carretero, Mario; *Constructivismo y Educación*. Buenos Aires: Aique, 1999

Casses i Associats S.A. *Enciclopedia Visual de la Ecología*. Clarín / Agea / Casses i Assoc S.A., 1996.

Castells, Paulino, Silver, Tomás; *Guía Práctica de la salud y psicología del adolescente*, Buenos Aires, Planeta, 1998.

Casullo, María Martina, *Adolescentes en riesgo*, Buenos Aires, Paidós, 1998.

Cerqueira, M.Teresa; Arroyo, Hiram; *La promoción de la salud y la educación para la salud en América Latina*, Puerto Rico, Editorial de la Universidad de Puerto Rico, 1997.

Clarke, Robert *Los hijos de la ciencia*, Buenos Aires, Emecé, 1986.

Crosera, S. *Para comprender al adolescente*, Barcelona, De Vecchi SAU, 2001.

Curtis, H.; Barnes, N.; *Biología*, Buenos Aires, Editorial Médica Panamericana, 1993

Cymerman, Pablo: La estrategia de reducción de daños como estrategia preventiva, *Documento de Trabajo, Buenos Aires, Intercambios Asociación Civil.*

Dabas, Elina; Redes sociales, familias y escuela, *Buenos Aires, Paidós, 1998.*

Danielson, Charlotte, Abrutyn, Leslye; *Una introducción al uso del portfolio, Buenos Aires,* Fondo de cultura económica, 1999.

Davini, María C.; Salluzzi, Silvia, Rossi, Ana; *Psicología general*, Buenos Aires, Kapelusz, 1978.

Devalle de Rendo-Vega, *Una escuela en y para la diversidad*, Buenos Aires, Aique, 1999.

Di Segni Obiols, Silvia; *Adultos en crisis, Jóvenes a la deriva*, Buenos Aires, Novedades Educativas, 2002.

Díaz Araujo Martí, *Teatro, adolescencia y escuela*, de Trozzo de Servera, Aique.

Diker, Gabriela; "Los sentidos del cambio en educación", en: Educar, ese acto político, *Buenos Aires, Del Estante Editorial, 2005.*

Dirección de epidemiología Ministerio de Salud y Ambiente de la Nación. Manual de Normas y Procedimientos del Sistema nacional de vigilancia epidemiológica SI:NAVE: 1999.

Dolto, F.; *Palabras para adolescentes o el complejo de la langosta*, Buenos Aires, Atlántida, 1989.

Dubrovsky, Silvia. *La integración escolar como problemática profesional*, Noveduc, 2005.

Duschatzky, Silvia; *La escuela como frontera*, Buenos Aires, Paidós, 1999.

Ensayos y Experiencias, *Sexualidad y educación*, Buenos Aires, Novedades Educativas, 2001.

Ferrari, Héctor; *Salud Mental en Medicina*, Buenos Aires, Prensa Médica, 2003.

Friend, Marilyn; Bursuck, William; *Alumnos con Dificultades*, Buenos Aires, Troquel, 1999.

Ferreyra, H.; *Educar para el trabajo... trabajo en la educación*, Buenos Aires, Novedades Educativas, 1997.

Ferreyra, H., Rimondino, R.; "Educación en y para el trabajo desde una perspectiva situada" en Revista Novedades Educativas N° 178. Noveduc, 2005.

Freud, Sigmund, "Compendio de psicoanálisis", en *Obras Completas*, Cuarta Edición, 1981.

Freud, Sigmund, "Disolución del Complejo de Edipo" en *Obras Completas*, Cuarta Edición,1981

Freud, Sigmund, "Metamorfósis de la Pubertad", en *Obras Completas*, Cuarta Edición, 1981.

Friend, Marilyn, Bursuck,William, *Alumnos con Dificultades*, Buenos Aires, Troquel, 1993.

Galeano, Eduardo; *Las palabras andantes*, Buenos Aires, Catálogos, 2005.

Giberti, Eva, *Vulnerabilidad, desvalimiento y maltrato infantil en las organizaciones familiares*, Buenos Aires, Noveduc, 2005.

Goodall Jane; *En la senda del hombre*, Biblioteca científica Salvat, Barcelona, Salvat, 1986.

Grupo Nexo, *Ya lo sé todo, es sólo sexo*, Buenos Aires, Ciudad Nueva, 2006.

Gvirtz, Silvina; El ABC de la tarea docente: Currículum y enseñanza, *Buenos Aires, Aique, 2004.*

Jeammet, P.; *Respuestas a cien preguntas sobre la adolescencia*, Barcelona, Edicions del Bullent 2005.

Konterllnik, Irene, Jacinto, Claudia; Adolescencia, pobreza, educación y trabajo, Buenos Aires, Losada, 1997.

Krichesky, Marcelo; Proyectos de Orientación y tutoría. Enfoques y propuestas para el cambio en la escuela, *Buenos Aires, Paidós, 2004.*

Labake, Julio César; *El problema actual de la educación*, Buenos Aires, Bonum, 1998.

Laplanche, J. y Pontalis; *Diccionario de psicoanálisis*, Buenos Aires, Labor, 1981.

Lopez Bonelli, Ángela; La orientación Vocacional como proceso, Buenos Aires, El ateneo, 1993.

López, Lorena; "Momento de decisión" , en Revista Viva del diario Clarín, 20/08/06.

Lus, María Angélica. *De la integración escolar a la escuela integradora*, Buenos Aires, Paidós, 1997.

Machado, J. C.; *Sexo con libertad*, Buenos Aires, San Pablo, 1997.

Marina, Mirta; "La educación para la salud como estrategia para el mejoramiento de la calidad de vida" en: Sexualidad y educación; Revista Ensayos y Experiencias, *N° 38, Buenos Aires, Novedades Educativas, 2001.*

Merck Sharp & Dohme *El Manual Merck* , Edición Merck Sharp & Dohme, 1968.

Ministerio de Cultura y Educación de la Nación; Cuadernillos para la transformación. Hacia la escuela de la ley 24.195, N° 6, Nueva Escuela, Buenos Aires, 1996.

Ministerio de Educación de la Nación. Programa Nacional Escuela y Comunidad. La propuesta pedagógica del aprendizaje-servicio, *Buenos Aires, 2001.*

Ministerio de Educación y UNICEF; *Proponer y dialogar. Guía para el trabajo con jóvenes y adolescentes*, Buenos Aires, 2002.

Ministerio de Educación, Ciencia y Tecnología. Programa Nacional Educación Solidaria Unidades de Programas Especiales. Itinerario y herramientas para desarrollar un proyecto de aprendizaje-servicio, *Buenos Aires.*

MINZI, Viviana; Vamos que venimos, *Buenos Aires, Editorial Stella, La Crujía Ediciones, 2004.*

Moledo, L Ribas, M. *Descubrimientos que hicieron historia*, Buenos Aires, Estrada, 2001.

Novedades Educativas N° 145, Buenos Aires, 2003.

Novedades Educativas, N° 136, Buenos Aires, 2002.

Novedades Educativas, N° 160, Buenos Aires, 2004.

Océano, *Enciclopedia General de Educación.*Tomo 2.

OMS- UNICEF – FNUAP, *Actividades a favor de los adolescentes*, 1997.

OMS, *Estrategia de la OMS sobre medicina tradicional*, 2002- 2005.

Pagliuca, Dora *Ser adolescente*, Club de estudio.

Parra, Manuel; *Conceptos básicos en salud laboral*, OIT, Santiago de Chile, 2003

Piacentini, Luciana "¿Qué vas a ser cuando seas grande? En Revista Novedades Educativas N° 178. Noveduc, 2005.

Piaget, J.; Inhelder; *Psicología del niño*, Morata, 1981.

Pomiés, J.; *Nuestra sexualidad*, Buenos Aires, Aique, 1998.

Prácticas Interdisciplinarias, *Anorexia y bulimia*, Buenos Aires, Atuel, 1996.

Quiroga, Susana, Vega, Marta, Slavsky, David; *Acerca de la adolescencia*, Buenos Aires, Tekné, 1987.

Restrepo, H. Málaga, H. *Promoción de la salud. Cómo construir vida saludable*, Buenos Aires, Editorial Médica Panamericana. 2001

Ríos Hernández, Mercedes. *El juego y los alumnos con discapacidad*. Paidotribo.

Rovere, Mario; *Redes. Hacia la construcción de redes en salud: los grupos humanos, las instituciones, la comunidad*. Instituto de la Salud Juan Lazarte. Secretaría de Salud Pública, Municipalidad de Rosario, Rosario, 1998.

Sagan, Carl; *Los dragones del Edén. Especulaciones sobre la evolución de la inteligencia humana*, Barcelona, Grijalbo Mondadori, 1993.

Sarlo, Beatriz. *Escenas de la Vida Posmoderna*, Barcelona, Ariel.

Savater, Fernando, *Ética para Amador*, Barcelona, Ariel, 2002.

Schorn, Marta. *La capacidad en la discapacidad*, Buenos Aires, Lugar Editorial, 2005.

Secretaría de Prevención y asistencia a las adicciones. Fundación de ayuda contra la drogadicción. PIPES, *Manual de prevención del consumo de drogas, Prevenir para vivir*. Gobierno de la Provincia de Buenos Aires, Buenos Aires, 1999.

Serra, Silvia "Infancias y adolescencias: la pregunta por la educación en los límites del discurso pedagógico", en: Revista Ensayos y experiencias, *N° 50. Novedades educativas*, 2003.

Silberkasten, Marcelo. *La construcción imaginaria de la discapacidad*, Tobia, 2006.

Sonis. Paganini *Atención de la Salud* , Buenos Aires, El Ateneo, 1982.

Subsecretaría de atención a las adicciones Prov de Bs. As. *Jóvenes en prevención de adicciones y en el ámbito escolar*, Ministerio de Salud Provincia de Buenos Aires, Buenos Aires, 2006

UNICEF / Ministerio de Educación de la Nación. *Proponer y Dialogar,*Vol. 2, Guía para el trabajo con jóvenes y adolescentes, Buenos Aires, 2005.

Untoiglich, Gisela; "Inquietos, desatentos, movedizos", Suplemento "Psicología" diario Página/ 12; 5-08-2004.

Untoiglich, Gisela; *Lectura Crítica del Déficit Atencional en los niños inquietos, desatentos, movedizos.*

Villee, Claude; *Biología*, Mc Graw Hill, México, 1996.

Viñao Frago, Antonio; Sistemas educativos, culturas escolares y reformas, continuidades y cambios, *Morata, 2002.*

Yaría, J. A. *La existencia tóxica;* Programa 10.000 líderes para el cambio, Buenos Aires, Lumen, 1993.

Zarzuri, Raúl, Ganter, Rodrigo. *Tribus urbanas: por el devenir cultural de nuevas sociabilidades juveniles*. Revista de trabajo social "Perspectivas" año 6 n° 8. Universidad Católica Cardenal Henriquez. Chile, Diciembre de 1999.

www.alimentación-sana.com.ar

www.aluba.org (Asociación de lucha contra la bulimia y anorexia).

www.anlis.gov.ar Página de la Administración Nacional de Laboratorios e Institutos de Salud. Instituto Malbrán.

www.cdc.gov Centro para el Control de Enfermedades Atlanta USA

www.clayss.org: Centro Latinoamericano de Aprendizaje y Servicio Solidario.

www.crearvida.cl

www.deporteymedicina.com.ar

www.eumed.net

www.imedia.es

www.indec.mecon.gov.ar Página del Instituto Nacional de Estadísticas y Censos.

Lado, M. Isabel; *Informe sobre drogas* en www.uba.ar

www.i.gov.ar/guiajoven Gobierno de la Ciudad de Buenos Aires.

www.iram.com.ar Instituto argentino de normalización y certificación.

www.me.gov.ar/edusol. Sitio web del Programa Nacional de Educación Solidaria del Ministerio de Educación de la Nación.

www.Msd.es (Manual Merck on line laboratorios Merck Sharp Dohme)

www.mecon.indec.gov.ar Instituto Nacional de Estadísticas y Censos

www.ms.gba.gov.ar Página del Ministerio de Salud de la Provincia de Buenos Aires.

www.nlm.nih.gov/medlineplus Biblioteca Nacional de Medicina e Institutos de Salud de Estados Unidos de América

www.paho.org, sitio web de la Organización Panamericana de la Salud.

Policía de Colombia; documento *Hablemos sobre drogas,* en www.policia.gov.co

www.revistaadicciones.com.mx

www.sada.gba.gov.ar Secretaría de atención a las adicciones Ministerio de Salud Provincia de Buenos Aires.

www.sedronar.gov.ar Secretaría de prevención de la drogadicción y lucha contra el narcotráfico. Presidencia de la Nación.

www.who.org. Sitio web de la Organización Mundial de la Salud.

Se terminó de imprimir en el mes de marzo de 2008
en los Talleres Gráficos Nuevo Offset
Viel 1444, Capital Federal